Юмор живой, детект

В солнечных книжках

Отдых прекрасный душе и уму!

Да, это стоит прочесть! Почему?

Отличное настроение обеспечено!

Сериал «Виола Тараканова. В мире преступных страстей»:

1. Черт из табакерки
2. Три мешка хитростей
3. Чудовище без красавицы
4. Урожай ядовитых ягодок
5. Чудеса в кастрюльке
6. Скелет из пробирки
7. Микстура от косоглазия
8. Филе из Золотого Петушка
9. Главбух и полцарства в придачу
10. Концерт для Колобка с оркестром
11. Фокус-покус от Василисы Ужасной
12. Любимые забавы папы Карло
13. Муха в самолете
14. Кекс в большом городе
15. Билет на ковер-вертолет
16. Монстры из хорошей семьи
17. Каникулы в Простофилино
18. Зимнее лето весны
19. Хеппи-энд для Дездемоны
20. Стриптиз Жар-птицы
21. Муму с аквалангом
22. Горячая любовь снеговика
23. Человек-невидимка в стразах
24. Летучий самозванец
25. Фея с золотыми зубами
26. Приданое лохматой обезьяны
27. Страстная ночь в зоопарке
28. Замок храпящей красавицы
29. Дьявол носит лапти
30. Путеводитель по Лукоморью
31. Фанатка голого короля
32. Ночной кошмар Железного Любовника
33. Кнопка управления мужем

Сериал «Джентльмен сыска Иван Подушкин»:

1. Букет прекрасных дам
2. Бриллиант мутной воды
3. Инстинкт Бабы-Яги
4. 13 несчастий Геракла
5. Али-Баба и сорок разбойниц
6. Надувная женщина для Казановы
7. Тушканчик в бигудях
8. Рыбка по имени Зайка
9. Две невесты на одно место
10. Сафари на черепашку
11. Яблоко Монте-Кристо
12. Пикник на острове сокровищ
13. Мачо чужой мечты
14. Верхом на «Титанике»
15. Ангел на метле
16. Продюсер козьей морды

Сериал «Татьяна Сергеева. Детектив на диете»:

1. Старуха Кристи - отдыхает!
2. Диета для трех поросят
3. Инь, янь и всякая дрянь
4. Микроб без комплексов
5. Идеальное тело Пятачка
6. Дед Снегур и Морозочка
7. Золотое правило Трехпудовочки
8. Агент 013
9. Рваные валенки мадам Помпадур
10. Дедушка на выданье
11. Шекспир курит в сторонке
12. Версаль под хохлому
13. Всем сестрам по мозгам
14. Фуа-гра из топора

Сериал «Любимица фортуны Степанида Козлова»:

1. Развесистая клюква Голливуда
2. Живая вода мертвой царевны
3. Женихи воскресают по пятницам
4. Клеопатра с парашютом
5. Дворец со съехавшей крышей
6. Княжна с тараканами

А также:

Кулинарная книга лентяйки

Кулинарная книга лентяйки-2. Вкусное путешествие

Кулинарная книга лентяйки-3. Праздник по жизни

Простые и вкусные рецепты Дарьи Донцовой

Записки безумной оптимистки. Три года спустя. Автобиография

Я очень хочу жить. Мой личный опыт

Дарья Донцова

Медовое путешествие втроем

роман

эксмо

Москва

2013

УДК 82-3
ББК 84(2Рос-Рус)6-4
Д 67

Оформление серии *В. Щербакова*

Донцова Д. А.

Д 67 Медовое путешествие втроем : роман / Дарья Донцова. — М. : Эксмо, 2013. — 352 с. — (Иронический детектив).

ISBN 978-5-699-64843-6

Погубит когда-нибудь Дашу Васильеву гостеприимство! На этот раз ее дом в Ложкине осчастливили своим присутствием родственники Дашиного избранника, профессора Маневина. И все бы ничего, если бы его дядя Игорь не вознамерился разводить... енотов-полоскунов! А пока эти милые зверушки плещутся в Дашиной ванной, она преследует... привидение белокурой девочки! По словам психотерапевта, Васильева «заразилась» глюком от соседа, Юрия Малинина. Это ему являлся призрак дочери, несколько лет назад погибшей при пожаре, и в конце концов мужчина не выдержал — выбросился из окна. Вот только любительница частного сыска засомневалась, не помог ли ему в этом некий «доброжелатель». Похоже, кто-то постарался свести Юру с ума и довел до самоубийства, устроив представление с призраком!..

УДК 82-3
ББК 84(2Рос-Рус)6-4

ISBN 978-5-699-64843-6

Глава 1

— Лучше журавль в небе, чем утка под кроватью...

Я сделала вид, что полностью поглощена размешиванием варенья в чае, Глория схватила грушу и принялась сосредоточенно нарезать ее. А вот домработница Анфиса, только что притащившая с кухни большое блюдо с гренками и услышавшая последнюю фразу Игоря, громко спросила:

— Зачем утке сидеть под кроватью? Она птица, ей положено летать.

— Гарик пошутил, — стараясь выглядеть серьезно, ответила я. — Он имел в виду... э... ночной горшок.

Не успели последние слова вылететь изо рта, как я поняла, что сморозила глупость. Сейчас Зоя Игнатьевна отложит вилку, вздернет подбородок и назидательно прочитает мне лекцию о том, на какие темы нельзя говорить во время трапезы. С другой стороны, Игорь начал первым, значит, весь педагогический пыл должен адресоваться ему.

Анфиса захихикала.

Гарик вытер рот салфеткой и выпрямился.

— Я не сказал ничего веселого, наоборот, хотел поделиться с вами своими мыслями о бренности бытия. Вот вы мечтаете о чем-нибудь хорошем, так сказать, о журавле в небе, а тем временем ужасная, неизлечимая болезнь подкрадывается к вам на мягких лапах. И что получаете? Утку под кроватью. Мама, разве я не прав?

Лицо Зои Игнатьевны озарила не светски любезная, а простая человеческая счастливая улыбка.

— Милый, какая мудрая мысль! Может, тебе пойти учиться на философский факультет?

— Нет, нет, — возразил Игорь, — хватит трех высших образований, которые я имею. Пора поднимать бизнес.

Глория уронила нож, которым кромсала грушу.

— О нет! Что на сей раз?

— Мама, — поджав губы, протянул Гарик, — почему родная сестра так меня не любит?

— Гарик, Лори тебя обожает, — возразила Зоя Игнатьевна, — ей просто любопытно, чем ты хочешь заняться.

Игорь обиженно засопел, а я встала из-за стола и со словами:

— Сейчас принесу новый столовый прибор. — Живо удрала на кухню.

Афина, собака неизвестной породы, и два мопса, Роза и Киса, цокая когтями, тоже поспешили туда, где в шкафчиках хранятся нежно обожаемые ими крекеры, хлебные палочки и сухарики. На спине Афины, как всегда, сидел ворон Гектор — хитрая птица почти разучилась летать. Действительно, зачем размахивать крыльями, если можно с комфортом устроиться на крýпе бесконечно доброго пса, легонечко клюнуть его в макушку, приказывая двигаться вперед, да еще нагло щипать «рикшу» за уши, если он топает совсем не туда, куда надо Гектору.

Сейчас, наверное, нужно объяснить, что творится у меня в Ложкине и кто все эти люди, собравшиеся за большим овальным столом, чтобы вместе перекусить.

Как я, Даша Васильева, познакомилась с профессором Феликсом Маневиным, вы уже хорошо знаете[1]. Наш роман из конфетно-букетной стадии плавно перетек в следующую, когда надо решать, остаются ли мужчина и женщина вместе или, пытаясь сохранить относительно дружеские отношения, разбегаются в противоположные стороны. Мы с Феликсом поняли, что хотим попробовать жить вместе. Но и он, и я не одиноки, у нас есть семьи, поэтому рано или поздно Маневину предстояло встретиться с Машей, Аркадием, Зайкой, близнецами, Александром Михайловичем Дегтяревым, его сыном Темой[2], всеми нашими собаками и кошками, а мне следовало нанести визит матери Феликса, а также его... бабушке. Да, да, у профессора есть грандмаман, и она вовсе не безумная двухсотлетняя старушка, которую возят в инвалидном кресле. Зоя Игнатьевна выглядит молодо, активно работает, является ректором института проблем человеческого воспитания и держит в кулаке свою дочь Глорию, мать Феликса. Сколько лет даме? Сие — тайна, покрытая мраком. Я слышала разные цифры, и ни одна из них скорее всего не имеет ни малейшего отношения к действительности. Но я точно знаю, что Лори произвела Феликса на свет, когда ей едва исполнилось девятнадцать.

---

[1] Об этом знакомстве рассказывается в книге Дарьи Донцовой «Шесть соток для Робинзона», издательство «Эксмо».

[2] Как у полковника появился сын, вы узнаете, прочитав книгу Дарьи Донцовой «Ромео с большой дороги», издательство «Эксмо».

Глория совершенно не похожа на свою авторитарную, жесткую, принимающую в расчет лишь собственное мнение и ведущую агрессивно правильный образ жизни мать. У Лори менталитет подростка, она всегда готова к приключениям, жизнь кажется ей прекрасной, и Феликс вынужден останавливать ее, когда матери приходят в голову безумные идеи вроде прыжка с парашютом или посещения аэродинамической трубы, где так прикольно — несколько минут парить в невесомости.

Еще Глория отчаянная болтушка, и она совершенно не умеет сердиться. Когда я, вовсе того не желая, поставила потенциальную свекровь в идиотское положение, явившись на ее день рождения точь-в-точь в таком же наряде, как у нее, да еще преподнесла ей более чем странный подарок[1], Лори тут же объявила окружающим, что мы с ней заранее спланировали эту шутку — договорились предстать перед собравшимися в виде клонов, задумав подчеркнуть таким образом единство взглядов. Присутствующие поверили Глории и до сих пор с восторгом вспоминают «веселый розыгрыш».

Как мы оказались под одной крышей в Ложкине? Сейчас расскажу.

Зоя Игнатьевна и Глория много лет жили в одном доме, возведенном в начале двадцатого века. Их квартиры находились на разных этажах, одна под другой. Феликс не так давно приобрел себе апартаменты в современной новостройке и вынужден делать масштабный ремонт. Ведь всем извест-

---

[1] Эта история описана в книге Дарьи Донцовой «Пальцы китайским веером», издательство «Эксмо».

но, как сейчас продают квадратные метры — очень часто даже без черновой отделки и межкомнатных стен. Профессор предполагал спокойно довести отделку комнат до конца, временно поселившись у меня в Ложкине, но все его планы смешал пожар, который возник на втором этаже дома Лори и ее матушки. Памятник архитектуры с деревянными перекрытиями вспыхнул в одно мгновение, и хорошо еще, что женщины успели выскочить из огня живыми. Вот и оцените теперь положение, в каком очутилась семья: Зоя Игнатьевна и Глория успели спасти документы, но это все, с чем они остались, а у Маневина в квартире нет света, отопления, воды, отсутствуют внутренние перегородки, вместо паркета голые бетонные плиты. Профессор кинулся было искать риелтора, хотел снять для матери и бабушки жилье, но я пригласила дам приехать ко мне.

Все мои родственники обитают в Париже, в огромном ложкинском доме я осталась совершенно одна, если не считать собаки Афины, ворона Гектора и кота по имени Фолодя[1]. Мне не захотелось бросать близких Феликсу женщин в беде. Пожар случился зимой, и я полагала, что к началу лета бабушка и мать Маневина переберутся в его сверкающее чистотой новенькое жилье. Трех, ну, четырех месяцев должно хватить на ремонт. Боже, как я была наивна!

Сейчас на дворе июль, а в новостройке, как говорится, конь не валялся. Феликс сменил уже три

---

[1] Как у Даши Васильевой появились новые животные, читайте в книге Дарьи Донцовой «Лебединое озеро Ихтиандра», издательство «Эксмо».

бригады ремонтников. Ему до чрезвычайности не везет с рабочими: сначала они кажутся вполне приличными, знающими людьми, но потом выясняется неприятная правда. Первой к Маневину пришла группа... преподавателей из Молдавии. Учителя решили заработать и, подумав, что для них, людей с высшим образованием, не составит труда повесить батареи, проложить проводку и протянуть трубы, рьяно взялись за дело. В общем, в апреле Феликс выгнал неумех и пригласил парней из украинской глубинки, которые имели опыт работы на стройках. В профессиональном плане к новым гастарбайтерам претензий не было. Но вот беда — честно отпахав неделю, ребята уходили в запой дней этак на семь-восемь, а потом падали перед Феликсом на колени и клялись, что больше даже не посмотрят на бутылки. Когда бригада первый раз предалась пьянству, Маневин простил парней. Во второй раз он насторожился, а на третий выставил алконавтов за порог. Сейчас в его «трешке» работает очередной коллектив, строители вроде не наливаются водкой и не собираются подсоединять газовую плиту к трубе канализации, и хозяин надеется, что теперь все будет хорошо.

В середине июня Феликсу неожиданно предложили совершить тур с лекциями по США. Когда озвучили цену, которую предложила заплатить американская сторона, Феликс сказал мне:

— Не понимаю, почему платят столько денег, но эта сумма может полностью решить наши проблемы, я бы смог купить Лори и Зое по отдельной квартире. И все же я не полечу за океан.

— Почему? — удивилась я.

— Не могу оставить тебя одну в окружении своих родственниц, — объяснил Маневин.

— Глупости! — воскликнула я. — Они утром уезжают на работу, возвращаются вечером, я вижу их лишь за завтраком и ужином. Дом громадный, сад тоже, при желании я вообще не столкнусь с ними. Подумай о гонораре и спокойно отправляйся читать лекции. Тур рассчитан всего на пару месяцев, ничего со мной без тебя не случится. Или ты волнуешься, что я обижу Розу и Кису, твоих любимых мопсих?

Феликс вскинул было брови, но быстро сообразил, что я пошутила, и улыбнулся.

— Да уж, попали мои девицы в настоящий собачий рай — спят на всех диванах, играют с Афиной, гулять выходят в любое удобное для них время, а не когда их позовут. И вместо сухого корма лопают элитные мясные консервы от лучшего производителя. Подозреваю, Роза с Кисой вообще не захотят уезжать из Ложкина, уцепятся когтями и зубами за порог, если им велят покинуть дом.

— Вот и прекрасно, — подвела я итог беседе. — Спокойно собирайся и улетай.

Маневин замялся. И тогда я привела самый весомый аргумент:

— Навряд ли тебе в ближайшее время предоставится возможность заработать миллионы, которых хватит, чтобы обеспечить раздельным жильем мать и бабушку. Хочешь, чтобы Глория с Зоей поселились в твоей новой квартире? На мой взгляд, это будет полная катастрофа.

— Хм, верно, — пробормотал Феликс, — тут не поспоришь.

— Значит, альтернативы нет, — заявила я.

Профессор отправился в Нью-Йорк, а я осталась в Ложкине со своими гостями. И все шло хорошо вплоть до того дня, когда Зоя Игнатьевна вернулась с работы в сопровождении мужчины, который выглядел одногодком Феликса, и церемонно произнесла:

— Дорогая Дарья, разрешите представить вам моего младшего, вернее, единственного сына Игоря.

В первую секунду я решила, будто она меня разыгрывает. Потом вспомнила, что пожилая дама начисто лишена чувства юмора, и постаралась изобразить радость.

— Очень приятно познакомиться.

— Гарик успешный и влиятельный бизнесмен, — с несвойственной ей живостью зачастила Зоя Игнатьевна, — сейчас он поднимает экономику Негонского края.

Я не успела спросить, где же расположена сия местность, так как в гостиную вошла только что приехавшая Лори и воскликнула:

— Опять приперся!

Глории совершенно не свойственно хамство, и в присутствии матери она всегда вела себя безукоризненно вежливо, поэтому я с удивлением посмотрела на нее. А она неожиданно накинулась на брата:

— Что на сей раз? Грибы сгнили? Хотя нет, вешенки ты разводил, когда еще был женат на Нине. Голуби передохли? Впрочем, опять ошибаюсь, птички-бедолаги давно откинули лапки.

— Мама, — обиженно продудел Игорь, — сестра мне не рада!

Зоя Игнатьевна принялась усиленно кашлять. Глория же набрала полную грудь воздуха, явно собираясь продолжить атаку на братца, и я улизнула на кухню. Мопсихи и Афина цугом последовали за мной, сели у холодильника и уставились на дверь, украшенную магнитами.

— Дать вам мороженое? — спросила я собак.

— У-у-у... — прозвучало в ответ.

Я вытащила из морозильника пластиковое ведерко, услышала звонок телефона, схватила трубку и, увидев на экране слово «Маша», радостно сказала:

— Привет, Манюня.

— Мусик, — зачастила Маруся, — у меня совсем нет времени на долгий разговор. Я отправила тебе посылку. Там непромокаемые попонки для мопсих и Афины, глазные капли для Фолоди и витамины Гектору.

— Для ворон делают таблетки? — поразилась я.

— Что они, не люди? — возмутилась Маша. — И Гектор — не ворона, а вóрон! Мусик, посылка, наверное, уже пришла, я ее отправила почтой ОВИ. Тебе надо действовать так: звонишь оператору, называешь номер отправления, а он сообщит, когда курьер доставит на дом коробку. Записывай цифры... Я впервые решила воспользоваться услугами ОВИ, надеюсь, ты благополучно все получишь. Ну, я побежала... Да! Сейчас же убери мороженое назад в холодильник. Животным нельзя давать столько сладкого. Ты же не хочешь, чтобы они заработали ожирение, диабет, атеросклероз и раннюю смерть? Целую крепко!

Из трубки понеслись частые короткие гудки, а я в полном недоумении уставилась на ведерко с наклейкой «Лучшее сливочное ванильное». Как Машка, находясь в Париже, ухитрилась увидеть, чем неразумная мать готовится побаловать собак? Придется вернуть лакомство в морозилку.

Собаки, увидев, как непочатая емкость скрывается за белой дверцей, разом погрустнели. Я взяла с полки пакет, завернутый в фольгу, и, косясь на телефон, громко произнесла:

— Сыр. Йогуртовый. Обезжиренный. Маленький кусочек этого диетического продукта не вызовет ужасных последствий.

Афина закатила глаза и облизнулась, мопсы завертели скрученными бубликом хвостами. И тут в кухню заглянула Глория. Она молча поманила меня в коридор.

Глава 2

В тот вечер мы с Лори впервые поговорили по душам, и я узнала много интересного о семье Феликса. Ну, во-первых, ей было не девятнадцать, а пятнадцать лет, когда она родила сына. Кто отец ребенка, Глория никому не сообщила, а Зоя Игнатьевна, которая тогда была директором школы, где училась дочь, сумела сохранить беременность девочки в тайне. Девятиклассницу отправили к родственнице в Новосибирск, там она и произвела на свет Феликса. Получила аттестат о среднем образовании, поступила в институт. В Москву Глория вернулась, имея в кармане диплом о высшем образовании, а ее сынишка остался все у той же родственницы. Феликса привезли в столицу, когда воспитывавшая его женщина скончалась, ему тогда стукнуло шестнадцать. Он окончил школу с золотой медалью и безо всяких проблем стал студентом. А Зоя Игнатьевна в те годы не работала, потому что... воспитывала сына Игоря, которого родила через пару лет после того, как стала бабушкой.

Примерно за семь месяцев до появления младенца на свет директриса расписалась с Виктором Павличенко, преподавателем физкультуры из своей школы. О бракосочетании они объявили внезапно, никаких торжеств не устраивали. Все вокруг были поражены. Никто, ни коллеги, ни приятели старшей Маневиной, не знали, что у нее роман с физруком. Виктор, не очень образованный человек, отнюдь не златоуст-эрудит-книгочей, а простой любитель рыбалки, пикников на природе и возни в гараже, никак не мог, как считали знавшие Зою Игнатьевну люди, понравиться ей, театралке и эстетке. К тому же Павличенко менее года назад развелся с женой, оставив ей квартиру, машину, а заодно и все имущество, и перебрался жить в щитовой домик на шести сотках. Он вставал в четыре утра, чтобы успеть к первому уроку, из-за усталости не очень хорошо выглядел, да и вообще красавцем не был, мало зарабатывал, не отличался аккуратностью, всегда носил мятые брюки и вытянутые свитера. Ну как подобный тип привлек внимание ухоженной дамы, у которой ранее было полно прекрасно обеспеченных кавалеров? Короче, буквально всем на ум приходила фраза — «любовь зла».

А уж когда на свет появился Игорь, окружение Зои и вовсе впало в ступор. Мало того, что директриса родила в том возрасте, когда пора задумываться о воспитании внуков, так еще и объявила всем, что младенец недоношен.

— Она нас за дур считает? — шептались ее коллеги в учительской. — В таких случаях на пятый день из роддома не выписывают! И ребенок весит больше трех кило!

В браке с Виктором Зоя прожила, пока сыну не исполнился год, потом они мирно разошлись, а Павличенко вдруг обзавелся однокомнатной квартирой. Злые языки заработали с утроенной силой. Сплетники утверждали, что Маневина забеременела от своего высокопоставленного и состоятельного женатого любовника, а тот пообещал Виктору жилье, если он прикроет чужой грех, даст родившемуся малышу свое отчество и фамилию. Так ли было на самом деле, точно никто не знал, Зоя о своей личной жизни никогда не распространялась. Но Лори понимала, что у матери есть тайный покровитель. Старшая Маневина не нуждалась в деньгах, а позднее основала институт проблем человеческого воспитания, что, как понимаете, требовало больших средств и говорило о наличии у нее обширного круга нужных знакомств. Но вернемся к Игорю.

Весьма холодно и даже сурово относившаяся к дочери и внуку, Зоя Игнатьевна неожиданно после рождения сына превратилась в патологически заботливую мать, настоящую наседку, готовую храбро защищать свое дитятко от любых невзгод. К сожалению, поздние дети часто имеют проблемы со здоровьем, вот и Игорек кашлял, чихал, сморкался все детство, отрочество и юность. Трудно назвать инфекцию, которую бы не подцепил мальчик, поэтому он пару раз оставался в школе на второй год. Нет, Гарик не хулиганил, не безобразничал, не куролесил, просто много болел и пропускал занятия, а потом не мог догнать одноклассников. А еще у него оказалась не очень хорошая память, и с внимательностью были нелады. Он тихо сидел за партой, преданно смотрел в лицо преподавателям, старательно вел конспекты, но потом выяснялось, что Игорек либо ничего не понял, либо все забыл. Однако в конце концов благодаря множеству репетиторов он получил аттестат и даже поступил в институт, где к тому времени верховодила его мать.

Вот только не надо считать юношу мажором, который сидел на шее у родительницы и сестры, весело проводил время, с курса на курс переползал потому, что педагоги ставили ему совершенно не заслуженно хорошие оценки. Студент Павличенко не прогуливал лекции, прилежно посещал семинары и даже вполне успешно сдавал зачеты и экзамены. Одним словом, диплом Гарик заслужил. Но потом начались сложности. А все из-за того, что он решил заработать кучу денег. Парень мог остаться под крылом у мамочки, осесть сотрудником на какой-нибудь кафедре в ее институте, Игорь же изо всех сил старался преуспеть, он многократно начинал свой бизнес. И — постоянно терпел крах. Ему было бы лучше устроиться на работу в какую-нибудь контору и тихо исполнять приказы начальства за стабильную зарплату, а Гарик видел себя исключительно в роли крупного бизнесмена. Он мечтал оказаться на первых позициях в списке журнала «Форбс» и всякий раз, похоронив очередное, не принесшее ему ни малейших дивидендов дело, оптимистично говорил:

— Да, сейчас мне не повезло, но у меня родилась гениальная мысль. Через год наша семья будет купаться в роскоши. Вот увидите, новый проект окажется сверхудачен.

А еще Игорь любит животных. В юности даже хотел стать дрессировщиком или ветеринаром. Однако Зоя Игнатьевна сделала все, чтобы сын и думать забыл об этих профессиях. Тот послушно выполнил волю матери, получил другое образование. И все же не оставил своей мечты, позднее опять сел на студенческую скамью. Днем он взращивал бизнес-проекты, по вечерам же прилежно изучал зоопсихологию. Через два года, получив диплом, Игорь решил начать свое первое дело, связанное с четверолапыми, надумал разводить собак-компаньонов. Не путайте, пожалуйста, с поводырями. По замыслу Павличенко, животные должны были стать кем-то вроде домработников. Ну, например, бегать в магазин со списком и приобретать продукты. Глории и Феликсу его идея показалась, мягко говоря, странной, даже Зоя Игнатьевна выразила сомнение в ее успешности. Но Игорь уперся.

— Я видел в кино псинку, которая каждое утро ходила за хлебом в лавку. У нее на шее висела сумка, булочник брал оттуда деньги и взамен клал батон, представляете, как это удобно? Ушли на работу, а пудель галопом за харчами бросился, затарил вам холодильник.

— А как собачка откроет-закроет квартиру? — удивилась Лори.

— Ну, об этом я пока не подумал, — честно признался Игорь. — Главное, обучить животных, остальное как-нибудь образуется. То, о чем ты говоришь, несущественные мелочи.

Чтобы долго вас не томить, скажу, что с пуделями ничего, естественно, не получилось. Как, равным образом, и с черепахами. По замыслу бизнесмена, те должны были нести деликатесные яйца, которые народ будет хватать сотнями. Накрылась медным тазом и идея разводить лягушек, а затем приучить россиян есть их вместо говядины. Не пришлись ко двору и ежи-тараканоловы. Игорь где-то вычитал, что колючие млекопитающие обожают прусаков, и решил продавать ежиков людям, которые хотят избавиться от непрошеных усатых гостей без применения бытовой химии.

Планов у Гарика было громадье, деньгами на очередной бизнес-проект его исправно снабжала любящая мама. Но, увы и ах, никакой выгоды предприниматель ни разу не получил.

Некоторое время назад сын Зои Игнатьевны женился на женщине из города Негонск и уехал к ней. Как-то раз на ужин эта Нина угостила мужа жареной картошкой с грибочками. Игорь восхитился вкусом еды и воскликнул:

— В негонских лесах растут потрясающие боровики!

— Это не белые, — объяснила супруга, — местное наименование грибов «куриные зонтики». Они очень большие, одной шляпки хватает на целую сковородку. А вкус и правда удивительный — кто их впервые пробует, думает, что ему цыпленка пожарили.

В секунду у Игоря в голове возник очередной гениальный план.

Два года он пытался разводить гигантские грибы и один раз даже собрал вполне приличный урожай.

Но опять не продумал «мелочи», например, такую «ерунду», как проблему реализации. Кто станет покупать его товар, как его сбывать? Понятное дело, в Негонске, где жители сами могли легко собрать деликатес, никто не стал тратить деньги на «куриные зонтики». Негонск расположен недалеко от Москвы, Игорек привез корзину грибов на столичный рынок. Но избалованные москвичи не впечатлились лесными дарами, и те очутились на помойке. Бизнесмен тем не менее не расстроился. Он вернулся к супруге с клеткой, в которой сидели голуби, и заявил:

— Нинок, это наше с тобой богатство. В Негонске постоянно отключают электричество. Ну и как людям без Интернета? Надо отправить письмо, а электроэнергия, бац, вырубилась. Птица же хоть на край Земли долетит, доставит весточку. Голубиная почта существовала еще у неандертальцев! Решено, начинаю разводить сизарей. Их у нас с руками оторвут.

Нина посмотрела на мужа, потом на клетку и прямиком понеслась в загс — подавать заявление на развод. Но разве Игоря могла остановить такая ерунда, как крушение брака? Павличенко остался в Негонске (в Москве трудно поставить голубятни) и с головой окунулся в новое дело. Но, увы, оно опять не принесло прибыли. И вот сейчас прожектер вернулся к матери, вдохновленный очередным замыслом...

Глория замолчала, а меня охватило любопытство:

— Чем же он теперь намерен заниматься?

— Понятия не имею, — раздраженно сказала Лори. — Но, думаю, мама в очередной раз вложит деньги в воздушный шар, который вскоре лопнет. Ну почему она, умный человек, не видит, что собой представляет Игорь? Он за всю жизнь копейки не заработал, только тратит чужие средства. А я от нее никогда рубля не видела, Феликс тоже. Один раз попросила денег в долг, когда подруга открывала спа-салон и предложила мне стать ее компаньонкой. У Веры все было серьезно, имелся хорошо просчитанный бизнес-план. Но мама сказала: «Нет смысла вкладывать заработанное тяжелым трудом в сомнительное предприятие. Свои средства ты, Глория, можешь пускать на ветер, мои — нет». А через неделю выдала Игорю чемодан долларов на разведение пресловутых грибочков. Что же получилось? Брат в пролете, а Вера процветает, клиенты к ней косяком идут, она уже третью точку открывает. Почему мать не захотела поучаствовать в нормальном деле, зато поддержала очередную безответственную аферу Гарика?

Я встала с дивана, подошла к окну и стала смотреть в сад, слушая, как Глория продолжает жаловаться на Зою Игнатьевну. И что ей ответить? Что ее мать обожает сына и равнодушна к дочери? Что надо было не просить у нее в долг, а пойти в банк за кредитом?

Из окна подул свежий ветер, и я поежилась. На дворе стоит теплый, даже жаркий июль, но ближе к вечеру делается сыро.

— Холодно? — заметила мое движение Глория. — И правда, тянет прохладой. Надо бы накинуть шаль. О! Розовый куст зацвел!

— В нашем саду нет роз, — улыбнулась я. — Так повелось из-за мопса Хуча. У собак этой породы выпуклые глаза, которые легко травмируются колючками, поэтому шиповник, ежевику и прочие растения с шипами мы в Ложкине не сажаем.

— А что тогда между елей розовое мелькает? — удивилась Глория.

Я прищурилась.

— Видишь? — не успокаивалась она. — Я думала, там клумба.

— В лесной части? — протянула я. — Цветам необходимо солнце. Под деревьями весной появляются только ландыши. Вообще наша земля четко делится на две части: перед домом у нас нечто вроде сада, а дальше дикий лес. Впрочем, точно так же и у соседей. Вон зеленая крыша их особняка виднеется. Раньше в том доме жил банкир Сыромятников, но потом он уехал, продав свои владения Юре и Лене Малининым.

— Пятно вроде движется, — перебила меня Глория. — Хотя я плохо вижу вдаль без очков. Дашенька, а никто не мог забраться на участок?

— Там никого быть не может, поселок тщательно охраняется, — успокоила я Лори. — Правда, наша территория граничит с общим забором, но он высокий, совершенно гладкий. Чтобы взобраться на него, необходимо обладать навыками спортсмена и иметь подручные средства вроде веревок с крюками.

— Розовое пятно перемещается, — настаивала на своем мать Феликса. — Но как-то странно — то поднимется выше, то опустится. А сейчас замерло. В доме, случайно, нет бинокля? Некоторые люди любят рассматривать в них птиц.

— Есть театральный, но не помню, где он, — пробормотала я, уловив наконец взглядом нечто яркое, по непонятной причине мелькнувшее среди хвойных великанов.

— Жаль, — вздохнула Лори.

Ожившая фуксия неожиданно резко переместилась вверх. У меня похолодели руки и ноги. Неужели это... Нет, этого просто не может быть!

— Что-то мне чаю захотелось, — защебетала Глория. — Как насчет чашечки на ночь? Говорят, наливаться жидкостью перед сном крайне вредно, а то с утра мордочка как блин будет, глаза-щелки. Но я не могу заснуть, если горячего не выпью. Пошли в столовую?

— Приду через пять минут, — ответила я, мечтая лишь о том, чтобы Лори покинула гостевую на первом этаже, где мы сейчас находились.

Она улыбнулась.

— Отлично, как раз чай заварится.

Я удостоверилась, что Глория закрыла за собой дверь, выскочила в открытое окно и что есть духу побежала туда, где на ели цвели странные розы. Было еще светло, к тому же Анфиса уже зажгла фонари, и я распрекрасно увидела на дереве, примерно на высоте двух с половиной метров, маленькую девочку лет четырех. Крошка была одета в ярко-розовое платье с воланами и белые колготки. На руках у малышки были светлые перчатки, ее волосы, роскошные, белокурые, завитые локонами, каскадом падали на плечи, а туфелек на ногах не оказалось. Она находилась ко мне спиной, лицо повернуто в сторону забора.

У меня похолодели руки, судорогой свело ноги, начисто пропал голос и парализовало дыхание. Мозг отказывался верить увиденному. Я застыла, не имея сил пошевелиться. Потом неожиданно воздух ворвался в легкие, и я громко всхлипнула. Малышка же быстро перепрыгнула на другую ель, соскочила на землю, вмиг добралась до забора, каким-то образом взлетела наверх и спрыгнула на ту сторону, исчезнув из вида.

Я некоторое время стояла без движения. Затем услышала «чихание» автомобильного мотора и пошла к тому месту, где высоченная бетонная ограда под прямым углом соединялась с решетчатой металлической. За изгородью стоял белый минивэн с надписью «Любимое спа моего пса».

Машина была мне знакома. Это передвижная собачья и кошачья парикмахерская, которая принадлежит некоему Семену, владельцу зоомагазина в торговом центре соседнего села Кузякино. Лично я приобретаю корма для своей стаи исключительно в «Марквете», вот уже много лет пользуюсь только этой точкой и доверяю ей. Но когда езжу в Кузякино за газетами-журналами-книгами, заглядываю в местную зоолавку. Любуюсь там на щенков-котят, перебрасываюсь парой слов с продавцом и вижу порой хозяина. А тот при каждой нашей встрече говорит:

— Знаю, знаю, вы держите дома животных. Почему же не приглашаете мой спа-салон? Уверяю, наши парикмахеры, Наташа и Николай, идеально работают с любым, даже злым и агрессивным, представителем фауны, у ребят дипломы ветеринаров, они настоящие профи.

Но я всегда вежливо отказывалась от услуг местных цирюльников. А вот многие соседи охотно приглашают тупейных художников[1], работающих у Семена. Иногда, прогуливаясь, я встречаю в Ложкине белый минивэн. Николай всегда сидит за рулем, Наташа рядом с ним на переднем сиденье. Молодые люди и правда очень милые. При виде меня они всегда притормаживают, открывают окна и говорят:

— Едем на десятый участок. Хотите, потом к вам зарулим? Первая стрижка — бесплатно.

Но сейчас около микроавтобуса стоял спиной ко мне сам Семен. Он ощутил на себе чужой взгляд и резко повернулся. Я вздрогнула — злое выражение на его лице тут же сменилось улыбкой.

— Подышать свежим воздухом вечерком вышли? — спросил он.

— Да вот, пройтись решила, — промямлила я. — А где Наташа с Николаем?

— Грипп их свалил, — пояснил владелец зоомагазина, — пришлось самому ехать к клиентам. Заказы-то надо выполнять. Всех помыл, постриг, домой собрался, а телега моя закапризничала, чихает, как простудившаяся кошка.

— Неприятная ситуация, — поддержала я беседу.

Семен запер на замок задние дверцы микроавтобуса и сел за руль, бросив мне в открытое окно:

— Ну, еще одна попытка...

---

[1] Тупейный художник — парикмахер. Чтобы понять, откуда появилось это выражение, прочитайте рассказ Николая Лескова «Тупейный художник». *(Прим. автора).*

Минивэн издал похожий на хрюканье звук и завелся.

— Ура! — обрадовался Семен. — Ну, я полетел. Жду вашего вызова. Помните, первый наш визит бесплатный, а потом скидку дам. Подумайте, это выгодное предложение. Вот сегодня я животных в порядок приводил, а хозяева телик смотрели. В доме чистота, шерсть клочьями не валяется, весь бардак остался в моей парикмахерской.

Семен помахал мне рукой и нажал на газ, фургончик бойко покатил из нашего крохотного проулка к центральной аллее.

Я постояла какое-то время, глядя вслед минивэну, потом вернулась на пару метров назад, к тому месту, где девочка лихо взлетела на бетонный забор, и огляделась по сторонам.

Глава 3

В лесную чащу на нашем участке заглядывает только садовник, да и то не особенно часто, в основном для того, чтобы обрубить сухие ветви. Дорожек, выложенных плиткой, здесь нет, а земля покрыта слоем упавших иголок и шишек, сквозь который слабо пробиваются трава и какие-то неприхотливые цветочки.

Я внимательно осмотрела ограду. Интересно, какая у нее высота? Метра два с половиной? Или три?

Наша семья мирно жила в Ложкине лет этак семь-восемь, как вдруг администрация поселка решила отгородиться от внешнего мира забором, смахивающим на Великую Китайскую стену. Жителям, чьи участки прилегали к общему забору, эта идея пришлась не по вкусу, зато остальные выразили восторг. И последних оказалось большинство. Ограждение возводили год, и когда оно наконец-то поднялось во весь рост, то не вызвало у меня никакой радости. Но ведь человек привыкает ко многому, постепенно я перестала обращать внимание на серую громадину. А потом садовник посадил вдоль нее какой-то тенелюбивый плющ, и теперь одну половину бетонных блоков летом покрывает лиана. Вторую, «голую», наш Миша только-только принялся озеленять.

Сейчас я стояла как раз около этой части забора и прекрасно понимала, что вскарабкаться на него даже взрослому человеку без специальной подготовки невозможно. А уж четырехлетнему ребенку и подавно никогда не справиться с такой задачей.

Я села на пенек. Так... Надо постараться успокоиться. Маленькие дети не способны скакать по елям и преодолевать высоченные заборы, к тому же время уже вечернее, малышей сейчас укладывают спать. Дашутка, ты просто дурочка, не было никакой девочки. У тебя случилась галлюцинация, навеянная беседами с Юрием Ивановичем. Сосед слишком часто стал наведываться ко мне в гости, вот в чем дело. Надо очень вежливо и осторожно сократить его визиты. Собственно, чем я могу помочь Малинину? Ему требуется квалифицированный психотерапевт, а может, даже психиатр. Дружеское сочувствие никак не решит его проблему.

Вы не понимаете, о чем я? Сейчас объясню.

Я уже упоминала, что банкир Сыромятников продал свои владения семейной паре Малининых. Вселившись в особняк, его новая хозяйка Лена пришла ко мне с каким-то бытовым вопросом, уже не помню, что ей понадобилось, и мы мило побеседовали. Потом кот Фолодя по старой привычке забрел на соседский участок и, как всегда, нагло развалился там на террасе на столе. Юра принес безобразника домой со словами:

— Я подумал, вы его ищете. Правильно сделали, что повесили кошке на шею жетон с адресом и телефоном.

— Наш питомец — мальчик, кот, — улыбнулась я. — Простите, раньше ваш коттедж принадлежал людям, которые обожали Фолодю, вот баловник и заявился к вам.

— Мы с Леной тоже очень любим животных, — заверил Юрий. И тут же добавил: — Но не можем никого завести, так как у Андрюши аллергия.

Андрей, четырнадцатилетний сын Малининых, совсем не выглядит больным. Наоборот, это крупный, плечистый подросток, которого, на мой взгляд, слишком опекает мать. Пареньку не разрешают одному выходить за ворота, и в школу он ездит не на автобусе, который каждое утро собирает у проходной поселка детей, направляющихся в местную гимназию. Нет, Андрея на занятия доставляет Лена. И я ни разу не видела, чтобы младший Малинин катался на велосипеде с другими ребятами или сидел в кафе у нас в поселке. Похоже, Лена очень боится за сына, поэтому старается держать его поближе к себе. Андрюша — вежливый, воспитанный парень, его родители — приятные люди, наши участки примыкают друг к другу, поэтому нет ничего удивительного в том, что мы с Малиниными сблизились и захаживаем друг к другу в гости запросто, без приглашения.

В конце июня ко мне подошла наша домработница Анфиса и сказала:

— В кладовке стоит большой сундук, набитый вещами для маленькой девочки. Может, их надо проветрить и переложить лавандой? Кажется, из сундука моль летит.

Я удивилась.

— Наряды для малышки? Чьи они? Неужели Машины? Впрочем, в Ложкине можно обнаружить что угодно. Чуланы не разбирались с момента нашего въезда в особняк и лишь пополняются очередными партиями никому не нужного барахла.

— Может, я потихонечку наведу в дальних углах порядок? — предложила Анфиса. — Не беспокойтесь, ничего без вашего ведома не выброшу.

— Пожалуйста, — разрешила я, — если не лень, можешь сколько угодно рыться в тряпках.

Через день Фиса позвала меня на чердак и показала две груды вещей.

— Слева то, что вообще никуда не годится, — отрапортовала она. — Три сломанных утюга, кастрюли с отбитой эмалью, обрезки ковролина, ватное одеяло с дырками...

— Выбрасывай немедленно. Зачем Ира хранила эту дрянь? — удивилась я. — Очень хочется позвонить в Париж и задать ей этот вопрос.

— Ирина хозяйственная, — защитила коллегу Анфиса. И решительно сменила тему: — Поглядите сюда, тут хорошие шмотки. Смотрите, какое красивое розовое платье для девочки лет пяти. Чье оно?

— Не помню, — протянула я. — Скорей всего Машино.

— Оно вам нужно? — спросила Анфиса.

— Нет, — ответила я, — можешь деть его куда хочешь.

— Постираю его и отдам своим соседям, — кивнула Фиса. — У них детей восемь штук, все в обносках ходят.

— Если обнаружишь в чуланах еще какую-нибудь одежку, подходящую для их ребят, смело забирай, — распорядилась я. А затем отправилась в сад, где легла на раскладушку и погрузилась в новый детектив Милады Смоляковой.

Оторваться от романа этой писательницы я не способна, если вцепилась в ее книгу, то не отложу, пока не узнаю, кто же виноват во всех описанных автором преступлениях. Представляете, как я испугалась, когда в самом напряженном месте, где главную героиню схватил неизвестно кто и запер неизвестно где, услышала нервный мужской голос:

— Мне надо срочно пройти к сараю.

Я подскочила на матрасе, поняла, что потихоньку наступили сумерки, которых я не заметила, уронила томик и заорала:

— Кто здесь?

— Это я, — ответил Юра. И повторил: — Мне нужно подойти к сараю. Вон туда!

Не дожидаясь моего разрешения, он быстро пошагал в глубь территории.

Я, еле справившись с сердцебиением, встала и поспешила за ним, недоумевая, что случилось с вежливым, воспитанным соседом. Почему Юрий столь странно себя ведет? Даже не поздоровался!

И что вообще ему нужно в нашем домике, где хранятся лопаты, грабли и прочая чепуха?

Юра, вероятно, услышал мои шаги, потому что остановился, обернулся, приложил палец к губам, а затем еле слышно произнес:

— Тише, умоляю! Она испугается и исчезнет.

— Кто? — шепотом осведомилась я.

— Асенька, — пробормотал Юрий. — Девочка первый раз показалась мне в районе полуночи и всегда от меня убегает. Сейчас еще светло, а она уже тут. У меня есть шанс поговорить с ней. Пожалуйста, не приближайся.

Пока он говорил, его лицо быстро бледнело и в конце концов приобрело землистый оттенок, а глаза запали. Я испугалась:

— Юра, тебе плохо?

— Стой тут! — неожиданно грубо велел Малинин и побежал к сараю.

Я опешила. Сосед заболел? У него поднялась температура? Начался бред?

Решив на всякий случай не двигаться, я стала наблюдать за Малининым. Увидела, как он домчался до стилизованного под избушку домика и сорвал с бельевой веревки висевшее на ней детское розовое платье. Некоторое время Юрий неподвижно стоял, потом отшвырнул платье, сел на землю и уткнулся носом в колени. Я бросилась к нему, выкрикивая на ходу:

— Тебе помочь? Сейчас позову врача!

Юрий поднял голову. Я вздрогнула. Лицо соседа приобрело бордовый оттенок, а белки глаз стали красными.

— Что это? — неожиданно спросил он, показывая на валяющееся на земле розовое платьице, то самое, найденное недавно Анфисой в чулане.

— Одежда для малышки лет четырех-пяти, — растерянно ответила я. И пустилась в объяснения: — Фиса разбирает старые вещи. Кое-что она постирала и по деревенской привычке повесила сушиться на свежем воздухе. Домработницу я наняла после того, как наша Ира уехала с Машей, Зайкой, близнецами и Кешей в Париж. Анфису рекомендовал мне садовник Миша, сказал: «Аккуратная работящая тетка, живет через три дома от меня, я прекрасно ее знаю, не пьет, не курит, не ворует». Михаил не соврал, Фиса замечательная горничная, но она не любит пользоваться функцией сушки в стиральной машине и...

Юрий неожиданно заплакал. Я в полной растерянности плюхнулась около него на землю, обняла его, стала гладить по голове и приговаривать:

— Ничего страшного. Погода меняется, похоже, гроза собирается, ветер стих, небо почернело, давление скачет, вот ты и разнервничался. Устаешь очень, надо отдохнуть, слетать на море. Хочешь, дам телефон хорошего невропатолога? Он подберет тебе правильные таблетки.

— Я больше не могу! — простонал Малинин. — Ася все время приходит! Лица нет, вместо него белое пятно, ни глаз, ни рта, ни носа... Волосы длинными локонами. Лена ей такую прическу часто делала — вот здесь прямо, а сзади...

Юра хаотично замахал руками вокруг своей головы. Потом спросил:

— Понятно?

— Конечно, — соврала я, — ты очень доходчиво объясняешь. А кто такая Ася?

— Моя дочь, — прохрипел Малинин. — Ей четыре года.

— У вас есть девочка? — изумилась я. — Полагала, в вашей семье один ребенок, Андрюша.

— Один ребенок, Андрюша, — эхом повторил Юрий. — Да, теперь так. Ася умерла. Я убил ее. Своими руками. Принял такое решение.

Мне стало страшно. Кажется, Малинин совсем слетел с катушек, надо срочно увести его в дом и позвать Лену. Я пару раз кашлянула и зачастила:

— Не стоит нам сидеть на земле, запросто простудимся. Пошли, попьем чайку с конфетами.

Сосед выпрямил спину.

— Думаешь, что беседуешь с психом?

Я возразила:

— Что ты, конечно, нет.

Юрий скривил рот.

— Три года назад в нашем старом доме случился пожар. Дело было ночью, я сквозь сон почувствовал запах гари, открыл глаза и понял: пришла беда. Ты меня слушаешь?

— Очень внимательно, — подтвердила я.

Юрий судорожно вздохнул и продолжил рассказ. Чем дольше он говорил, тем сильнее меня охватывала жалость. Не дай бог кому-нибудь пережить подобное.

Глава 4

Коттедж у Малининых, в котором они жили до приезда в Ложкино, был большим, почти тысяча квадратных метров. Спальни детей располагались на втором этаже, а родительские комнаты — на первом.

Словно назло, в ту роковую ночь Юра оказался в особняке с ребятами один. Домработница Екатерина, которая верой и правдой много лет служила у Малининых, была, как всегда, в начале мая отправлена хозяевами отдыхать на море. Катю заменила другая женщина, тоже хорошо известная Юрию Ивановичу, ее нанимали, когда требовалось сделать генеральную уборку или в случае приглашения большого количества гостей. У четырехлетней Аси не было няни, девочкой занималась мама, которой ради нее не пришлось бросать работу: Лена — художница, она работает в крупном издательстве и может рисовать иллюстрации к книгам дома. Но через день после того, как Катя села в самолет, у Юриной жены случился приступ аппендицита, и ее спешно прооперировали. А подменная работница не ночевала у Малининых, уезжала домой, когда на Первом канале телевидения начиналась программа «Время».

Юра выкупал Асю, покормил дочку и сына ужином, уложил их спать, позвонил в больницу, выяснил, что Лена пока в реанимации, однако уже завтра утром ее переведут в общую палату, и спокойно улегся спать. Устав от непривычных домашних хлопот, он неожиданно почти мгновенно заснул.

Проснулся Малинин внезапно, словно его кто-то сильно толкнул, тут же закашлялся, увидел, что спальня полна дыма, кинулся на второй этаж и попятился: на него двигалась стена огня. Юрию сразу стало понятно, что очаг пожара где-то там, в самом конце коридора, где располагалась детская Аси. Во всяком случае, пламя наступало именно с той стороны. Андрюшина же комната располагалась вблизи лестницы.

Юрий — по образованию математик, он успешный бизнесмен, поэтому привык, прежде чем принимать решение, сначала все просчитывать. Первым порывом отца было кинуться к Асе и попытаться спасти ее. Но шансов на то, что дочь жива, не было никаких, там, где находилась спальня малышки, бушевал огонь. В комнате Андрея, до которой пламя вот-вот доберется, стояла мертвая тишина, вероятно, мальчик наглотался дыма и потерял сознание. Если Юра каким-то образом и сможет прорваться сквозь полыхающий коридор, то он обнаружит труп дочери, погибнет сам и погубит Андрея. Если же прямо сейчас вытащит мальчика, то у них двоих есть шанс спастись. Асе уже не помочь, нельзя погибать всем. Так ему подсказывал разум.

Но Малинин, решив не слушать голос рассудка, все же сделал пару шагов по пылающему коридору. И тут прямо перед ним рухнула часть потолка, полностью перекрыв проход к комнате Аси. Юрий, не имевший ни огнеупорного костюма, ни каких-либо огнетушителей с пеной или порошком, отступил, вбежал в комнату Андрея, обнаружил его в бессознательном состоянии на кровати, схватил сына в охапку и выскочил из горящего коттеджа.

Дом Малининых располагался не в охраняемом поселке, а в обычной деревне. Когда Юрий очутился снаружи, на улице уже толпились зеваки. Вызвать пожарных и «Скорую помощь» никто не догадался. Юра плохо помнит, что делал дальше, и не мог объяснить, кто же все-таки набрал «ноль один». Наконец ярко-красная машина прибыла к месту пожара, однако от особняка уже почти ничего не осталось. Малининых отвезли в местную больницу, врачи пришли к выводу, что отец и сын физически не очень пострадали. Андрюша только наглотался дыма, а у Малинина-старшего были ожоги, не представлявшие опасности для жизни.

Намного хуже оказалась психическая травма. Когда спешно выписавшаяся из клиники Лена примчалась к мужу и ребенку в больницу, Андрей спал. Мальчик двое суток не мог очнуться, а проснувшись, вцепился в маму и заявил:

— Больше никуда не уходи. Видишь, что без тебя случается!

На руинах дома работали эксперты, которые дали заключение: причина возгорания не установлена, вероятно, дело в неправильно проложенной проводке. Особняк Малининых был сложен из бруса, а по статистике, причиной пятидесяти из ста пожаров, которые возникают в деревянных строениях, являются неполадки с электричеством. В стенах таких зданий необходимо просверлить каналы, куда закладывают металлические трубы, а в них потом прячут кабели. Но у Малининых электрики смухлевали, защитные короба сделали не везде. Да еще в ванной Аси прямо около умывальника горе-мастера установили распределительный щит, что тоже категорически запрещено правилами противопожарной безопасности. Строители, работавшие у Малининых, были из Молдавии, найти их спустя годы после постройки дома не представлялось возможным. Особняк был не застрахован, так что никакая компания не проводила своего дознания. От

Аси ничего не осталось. Эксперт сказал, что в случае смерти маленького ребенка в огне отсутствие останков неудивительно. Тем более что, по мнению специалистов, очаг возгорания находился именно в спальне малышки.

Малинины похоронили пустой гробик и спешно сняли квартиру в Москве. Потом Юрий купил дом Сыромятниковых, так семья появилась в Ложкине.

Собственно, именно из-за этой трагедии Лена и старается не отпускать далеко от себя Андрюшу.

Во всех комнатах дома Малининых в Ложкине есть мощные огнетушители, в ящики ночных тумбочек хозяйка положила защитные маски-капюшоны, а раз в три месяца она устраивает учения. Где-то в районе часа ночи Елена включает сирену, и тогда она сама, Юра, Андрюша и домработница должны натянуть маски, подойти к специальным шкафам в спальнях, достать оттуда огнеупорные костюмы с системой автономного дыхания, надеть их и выйти во двор. Лена довела процесс спасения до автоматизма.

Юра понимал, почему супруга так поступает, и не роптал. А вот Андрюша иногда начинал канючить. Но мать строго говорила:

— Не хочу потерять никого из вас. Изволь учиться молниеносно облачаться в спецодежду.

— Двух пожаров в одной семье не бывает, — возразил как-то раз Андрей. — Вдруг нас затопит? Или на кухне газовая труба взорвется?

Лена никак не отреагировала на слова сына, но на следующий день к ним по ее вызову приехали водопроводчики и представитель газовой службы для осмотра всего оборудования. Дальше — больше. Малинина перестала ходить в кино, театр, отказывалась посещать подруг, потом настал момент, когда ей стало страшно садиться в машину. Юра понял, что жена нуждается в помощи, и уговорил ее обратиться к психотерапевту.

Сеансы помогли, сейчас Елена ведет себя адекватно, вот только Андрея по-прежнему предпочитает держать «пристегнутым к своей юбке».

Супруги не вспоминают вслух о том, как погибла Ася. Лена ни разу не упрекнула мужа, не бросила ему в злую минуту в лицо фразу: «Ты не спас нашу дочь, не побежал в ее комнату». О том, как он, стоя в горящем коридоре, принял решение вытащить из огня именно Андрея, Юра рассказал жене, а та задала ему вопрос:

— Ты уверен, что спасти Асю было невозможно?

— Да, — подтвердил муж. — Когда я очутился на втором этаже, дальняя часть коридора полыхала, а потом обвалился потолок. Я мог попробовать прорваться сквозь огонь, но не жил бы в пламени и пары секунд, сгорел бы. Только все равно я считаю себя мерзавцем из-за того, что решил не бежать к Асе, чтобы иметь шанс спасти Андрюшу. Вопрос тогда стоял так: либо мы с ним тоже погибнем, либо... Прости меня. Когда я поднялся на второй этаж, Аси уже не было в живых.

— Ты не виноват, — тихо сказала Елена. — Произошло несчастье.

Больше Малинины о смерти дочери не разговаривали, жили, старательно делая вид, будто ничего не случилось. Огонь уничтожил все имущество семьи, погибли фотографии и вещи. Ни отец, ни мать не натыкались на игрушки или платьица Аси, у них не осталось ни одного снимка дочери. В конце концов Юра стал забывать, как выглядела девочка. Он мог описать ее длинные белокурые волосы, назвать цвет глаз, но общий облик размывался.

В мае нынешнего года Юрий Иванович вышел на балкон своей спальни... Тут следует кое-что пояснить. Малинин курит, а Лена терпеть не может запаха дыма, который исходит от мужа, только что побаловавшего себя сигаретой. К тому же он отчаянно храпит. Поэтому не стоит удивляться тому, что у супругов разные спальни. Дымит глава семьи исключительно на балконе, там стоит небольшой ящик с песком, куда он бросает окурки.

Так вот, Юрий вышел покурить, затянулся, выпустил дым и вдруг услышал странный звук, похожий на рассерженное цоканье белки. В Ложкине много этих милых зверьков, они почти ручные, лакомятся орехами, которые щедро насыпают в кормушки люди. Но ведь по ночам белки спят, а в тот момент часы показывали полночь, и Юрий удивился: неужели к нему прибежал зверек-сова?

Сердитое цоканье повторилось, оно неслось откуда-то слева.

Юрий повернул голову и в свете полной, низко висящей над садом луны увидел... Асю. Девочка, одетая в ярко-розовое платье с воланами, сидела на ветке ели на расстоянии метров пяти от него. На ногах у нее были белые колготки, туфельки отсутствовали, а руки оказались упрятаны в перчатки. Белокурые, красиво завитые локоны падали на плечи, в них сверкали заколки со стразами. Голову дочка опустила на грудь.

Малинин вцепился в ограждение балкона и от ужаса онемел. Потом попытался прочитать «Отче наш», но, будучи абсолютно нецерковным человеком, вспомнил лишь слова «хлеб наш насущный». Хотел произнести их вслух, но не смог пошевелить языком. Ноги тоже будто парализовало. Юра продолжал стоять, не отрывая взгляда от дочери, которая должна была давно лежать в могиле.

Оцепенение длилось несколько минут, потом Юрий заорал:

— Ася!!!

Девочка вздрогнула и... упала с дерева.

Несчастный отец кинулся на первый этаж, выскочил во двор, обежал дом, очутился под своим балконом, но никого не нашел. И снова впал в ступор. Сколько времени он провел в саду, Юрий не помнит. Очнувшись, вернулся домой и рухнул, не раздеваясь, в кровать.

Почему на следующий день он не рассказал Елене о явлении Аси? Не хотел травмировать жену сообщением о том, что в их саду разгуливает призрак погибшей дочки. А еще в голове у Юры роились сомнения: действительно ли он видел дочь? Малинин умный, трезвомыслящий человек, он не верит в жизнь после смерти, в призраков, подсмеивается над теми, кто ходит к экстрасенсам «чистить ауру» или обращается к колдунам-магам-ведьмам-гадалкам, дабы обрести богатство и узнать свою судьбу. В церковь Юрий тоже не заглядывает, он не исповедуется, не причащается, а отпеть Асеньку согласился исключительно ради того, чтобы у Лены стало хоть чуть-чуть спокойней на душе. Он прекрасно понимает, что его дочь мертва и никак не может появиться у их нового дома. Однако девочка в розовом платье казалась ему такой реальной!

Два дня Юра ходил сам не свой, потом обратился к невропатологу. Врач выслушал его и неожиданно сказал:

— Вы действительно видели ребенка.

— Ася жива? — обомлел Малинин.

— Нет, девочки больше нет, — мягко ответил доктор, — но ваше подсознание категорически не желает смириться со смертью малышки. А еще вы испытываете чувство вины, думаете, что могли вынести дочку из пожара, но не воспользовались этой возможностью. К истово верующим людям иногда являются святые и дают им советы, а к безутешным вдовам подчас с того света возвращаются мужья. Увы, Ася скончалась, а вы, стоя на балконе, сами того не желая, впали в трансовое состояние и увидели галлюцинацию. Обратитесь к психотерапевту, хороший специалист может вам помочь.

— Не хочу, чтобы у меня в мозгах копались, — буркнул Юрий.

— Некоторым помогает беседа со священником, — дал другой совет врач. — Наши бабушки считали: если привиделся покойник, необходимо заказать поминальную службу, сходить на кладбище.

— Выпишите мне какое-нибудь лекарство, — потребовал Малинин. — Сейчас на дворе не эпоха мракобесия, а двадцать первый век, есть пилюли на все случаи жизни.

— Ладно, — сдался невропатолог. — Начнем с минимальной дозировки антидепрессанта.

Юрий стал исправно пить таблетки. Но через пару дней после начала приема лекарства Ася снова привиделась отцу. И опять в районе полуночи.

Юра сидел у компьютера и услышал через открытую балконную дверь тоненький голосок:

— Папа!

Все любящие родители, услышав подобный зов, машинально оборачиваются. Так поступают даже те, чьи дети давно выросли. Малинин оторвался от экрана, посмотрел в сад... и оцепенел. Чуть поодаль на ветке раскидистой ели сидела Асенька. Она была одета в то же розовое платьице, колготки и перчатки, голова опущена на грудь. Но на сей раз Ася завела с ним разговор:

— Папочка, мне больно, — зачастил звонкий дискант, — ручки-ножки горят, щечки горят. Папочка, зачем ты меня бросил? Почему ты меня сжег?

Юра выбежал на балкон... и оцепенел. Хотел крикнуть, но звук из горла не шел. А дочь жалобно выводила:

— Я хочу домой, к маме. Забери меня отсюда. Здесь холодно, страшно...

Продолжая говорить, малышка завертелась, начала подпрыгивать, размахивать руками, ногами, подняла голову, и отец с ужасом понял: у нее нет лица! Копна белокурых локонов обрамляла нечто белое, на чем отсутствовали глаза, нос и рот. Малинин попытался сделать вдох и лишился чувств. Когда он пришел в себя, на ветке ели никого не было.

С того дня Ася стала появляться регулярно. Она плакала, умоляла вернуть ее к маме, жаловалась на боль во всем теле, на голод, холод. А потом говорила:

— Папочка, иди ко мне. С тобой мне здесь будет не так страшно. Ну, папочка, пожалуйста, помоги мне!

И всякий раз, когда Юрий протягивал руки к дочери, она исчезала с невероятной скоростью.

Сегодня Юрий пошел к гаражу и вдруг уже днем увидел на соседнем, то есть на нашем, участке малышку в розовом платье. Асенька словно танцевала в воздухе, а Малинин буквально слетел с катушек, ринулся к дочурке, добежал до нашего сарая и — увидел на веревке вздрагивающее от ветра розовое детское платьице.

Глава 5

Я, как могла, попыталась успокоить Юру и осторожно спросила:

— Лене ты ничего не рассказывал?

— Конечно, нет, — отрезал Малинин. — Я схожу с ума, теряю рассудок, зачем жене знать о том, что муж превращается в сумасшедшего? Чем она мне поможет? Уберет глюки? Мужчина обязан самостоятельно справляться с проблемами, а не перевaливать их на женские плечи. И не надо советовать мне обратиться к врачу, я принимаю прописанные доктором лекарства. Да только лучше не делается. Я живу, как в тумане, голова часто кружится, меня клонит в сон, а видения продолжаются. Лена еле-еле выкарабкалась из мрака отчаяния после смерти Аси. И, поверь, это был настоящий недуг, а не то, о чем другие говорят: «Ах, ах, не хочу идти на работу, у меня депрессия». Елена сутками лежала на кровати лицом к стене, не пила, не ела, не разговаривала, даже не вставала в туалет. Мне пришлось определить ее в клинику. Слава богу, там психотерапевт Светлана Терентьева вернула ее к нормальной жизни. Но перед тем как выписать жену, Света мне сказала: «Следует избегать любых травмирующих Елену ситуаций. Ни в коем случае нельзя строить новый дом на месте сгоревшего, уезжайте подальше от старого участка, заведите других друзей, не развешивайте повсюду снимки Аси. Я не предлагаю вам забыть ее, но советую не делать из своего дома мавзолей. У вас есть сын, заботьтесь о нем». Ну и как мне сказать теперь Лене о своих галлюцинациях? Нет, она слишком многое пережила, ей нельзя волноваться.

— Может, тебе тоже обратиться к той самой Светлане Терентьевой? — сказала я. — Она прекрасно помогла Елене, она опытный профессионал, справится и с твоей проблемой.

Сосед мрачно усмехнулся.

— Невозможно. Света теперь лучшая подруга Ленки. Терентьева не возьмется работать с мужем задушевной приятельницы, это неэтично. И не верю я мозгоправам. Они — костыли для слабых, сильные люди должны сами вылезать из ямы. Извини, в тяжелую минуту я рассказал тебе то, о чем посторонним знать не следует. Надеюсь, ты не побежишь к Лене с докладом об ее супруге-психе. Не волнуйся, я справлюсь. Вижу в твоих глазах немой вопрос: а не сиганет ли Юрка с балкона вниз головой, чтобы избавиться от навязчивых видений? Ответ: никогда. Я не имею права оставить жену и сына. Лена прекрасный человек, о лучшей спутнице жизни и мечтать не приходится. Но ты близко общаешься с нами и понимаешь: моя супруга не способна сама принимать решения. Она — как та рябина, которой надо расти возле дуба. Мы идеальная пара: я зарабатываю деньги и крепко держу в руках рычаги управления семьей, а Леночка обеспечивает тыл, преданно заботится о нас с Андрюшей. Если со мной что-то случится, семейная лодка Малининых, лишившись капитана, может налететь на рифы. Лена легко теряется, она приучена к послушанию, всегда подчиняется более сильной личности, так ее воспитал отец-генерал. И последнее. Мои жизнь и здоровье застрахованы на очень большую сумму, это «подушка безопасности» для Лены и Андрейки на случай моей внезапной кончины. При суициде ее не выплатят. Не волнуйся, я не думаю о самоубийстве, просто не имею на такие мысли права. Я намерен победить свою болезнь. Я сильный, железобетонный. Извини за истерику, сорвался.

После того как Юра ушел, я почувствовала себя очень некомфортно. Прекрасно понимаю, что есть недуги, с которыми человек, даже имеющий стальные нервы и силу воли олимпийца, самостоятельно не справится. Малинину нужно срочно отправиться к врачу. И Лене необходимо знать, что происходит с ее супругом. Но ведь я пообещала соседу молчать!

Пару дней меня терзали сомнения, как я должна поступить. Я ведь не лучшая подруга Елены, а всего-навсего соседка, с которой у нее установились хорошие отношения.

В конце концов пришло решение — в четверг после ужина я позвоню Юре и скажу: «Запиши телефон психотерапевта Владимира Гончаренко. Я ручаюсь за его профессионализм и порядочность.

Немедленно отправляйся к нему и обсуди с ним свою проблему. Если ты этого не сделаешь, я поставлю Лену в известность о твоих галлюцинациях. Можешь потом до конца жизни не разговаривать со мной, но я поступлю именно так. Если ты по-настоящему любишь жену и сына, то просто обязан отправиться к доктору. Причем без промедления». То есть я очень постараюсь убедить Юру созвониться с Володей, однако в случае неудачи «сдам» его Лене.

Но сегодня, когда Глория сказала про розовый куст, внезапно появившийся в лесной части нашего участка, я внимательно вгляделась в чащу и вдруг поняла: это не цветы, там их просто не может быть, а нечто живое. Оно сначала находилось на месте, а затем резво взобралось на дерево. В голову тут же пришла невероятная мысль: что, если там в самом деле находится Асенька?

Я великолепно разглядела детскую фигурку в пышном наряде. И теперь стою в полнейшей тишине, испытывая страх.

Наконец оцепенение спало. Надо идти домой. Кажется, скоро начнется дождь, вон какой ветер поднялся, качает ветви елей, гнет их в разные стороны. Я сделала шаг в сторону особняка, но тут новый порыв ветра сбросил с высокой ели прямо к моим ногам длинную, завитую штопором прядь волос. Сначала я отшатнулась, потом заставила себя присесть и дотронуться до находки. Локон был шелковистым, мягким и явно натуральным. Я быстро схватила его и понеслась к дому.

Юра рассказывал, что Ася приходит к нему в платье, которое очень подходит кукле Барби, и с прической, напоминающей ту, что носила Мэри Пикфорд, звезда Голливуда[1] начала прошлого века. А я сейчас совершенно точно видела девочку в ярко-розовом одеянии и бегу домой с клоком белокурых волос в кармане. Я тоже схожу с ума? Или в саду действительно только что побывал погибший несколько лет назад ребенок?

Достигнув окна, я влезла в комнату, хотела выйти в коридор, чтобы подняться в свою спальню, но неожиданно услышала из-за двери звуки, которые издает большинство мужчин, умываясь: громкое фырканье, плеск воды и нечто вроде покашливания. В ложкинском доме сейчас, в связи с отсутствием всех моих родных, можно разместить много гостей. Но в помещении, где я нахожусь в данный момент, никто не живет. Эта комната самая маленькая, а главное, при ней нет собственного санузла. Человек, поселившийся здесь, будет вынужден пользоваться общей ванной для тех, кто живет на первом этаже. Войти в нее можно с двух сторон: из холла между гостиной и столовой и через вторую дверь — из гостевой спальни. Когда ко мне приезжают друзья или приходят по делу посторонние люди, они посещают именно этот туалет. Но сейчас в доме находятся лишь те, кто живет тут постоянно, и у всех, включая недавно появившегося Игоря, есть личные сортиры и ванные. Так кто плещется за дубовой створкой? Пока я бегала по участку, кто-то приехал и Анфиса поселила нежданного гостя в единственной свободной комна-

[1] Мэри Пикфорд (1893—1979) — звезда Голливуда. Завершила карьеру в 1933 году, снялась более чем в 250 картинах.

те? Но мое отсутствие длилось менее часа, а Фисе не свойственно проявлять самостоятельность, она бы нашла меня.

Фырканье прекратилось, зато раздались характерные шлепки — похоже, некто затеял постирушку. Не справившись с любопытством, я постучала в дверь ванной.

— Простите, здесь есть кто-нибудь?

Дурацкий вопрос, правда? Глупее его только тот, что задают по телефону в пять утра: «Я тебя разбудил?»

За створкой стало тихо.

— Здравствуйте, вы что там делаете? — спросила я и смутилась.

Дашенька, что с тобой? Кто-то из гостей по лишь ему одному известной причине занял общий санузел. Ну, может, живот у человека прихватило и он понял, что не добежит до своего туалета. Потом он умылся. Крайне неприлично стоять у туалета, и уж совсем глупо интересоваться, чем занят его посетитель. Какой ответ я ожидаю услышать? «Ах, дорогая Дашенька, мне приспичило пописать»?

— Извините, — пробормотала я, отступив на полшага.

И тут раздался протяжный стон. Такой несчастный, что я схватилась за ручку и нажала на нее. Дверь легко распахнулась, она оказалась не заперта, и моему взору предстала шокирующая картина.

Перед ванной, в которую из крана тихо текла вода, стоял некто, смахивающий на сказочного домового, и сосредоточенно стирал... мужские носки.

Я захлопнула дверь и машинально перекрестилась. Глубоко вдохнула-выдохнула, затем снова заглянула в санузел в надежде, что видение испарилось. Ан нет. Странное существо продолжало сосредоточенно тереть маленькими коричневыми ручонками изделие из ярко-красного трикотажа. Выше запястий руки пришельца поросли густой шерстью, часть груди, видную в треугольном вырезе голубой маечки, тоже покрывал серо-коричневый мех.

— Ой, мама, — прошептала я, — настоящий домовой... Здрас-сти, дедушка! Может, вам покушать принести?

Звук женского голоса заинтересовал гостя, он перестал самозабвенно заниматься постирушкой, поднял голову и уставился на меня. Я увидела вытянутое личико, заросшее коричневым мехом, белые полоски бровей и черные волоски, окружавшие глаза. Создавалось ощущение, что этот не пойми кто нанес себе макияж под названием смоки-айс, и вообще он большой франт — на последней Парижской неделе моды многие модели вышагивали по подиуму с белесыми бровями.

Я проглотила ком, застрявший в горле, и решила наладить контакт с представителем потустороннего мира:

— Меня зовут Даша. А вас как?

Мохнатый гость чуть повернул голову с небольшими, овальными, торчащими вверх ушами, швырнул носки в воду и резко выпрямился. Я ойкнула. Домовой оказался ростом с трехлетнего ребенка, он был облачен в красные штанишки и голубую тишотку с надписью «I love sex» на груди. Я издала писк:

— Помогите!

Вторая дверь санузла, ведущая в общую часть дома, незамедлительно распахнулась, и появился второй персонаж. На нем красовалась розовая маечка с сообщением: «Eat all»[1].

Мне стало дурно. Наш дом захватили инопланетные пришельцы? В Ложкине приземлился звездолет с планеты Зум-Зум, и сейчас братья по разуму, закончив прачечные процедуры, отправятся в ГУМ и мавзолей? Мне надо позвонить... Куда? На радио? На телевидение? В газету? Что вообще полагается делать, если находишь в своем тихом уютном доме непонятной породы гостей, устроивших постирушку и с помощью одежды декларирующих о своей повышенной сексуальной активности и прожорливости? Что эта веселая парочка сделает со мной? Сначала утянет в спальню, а потом съест? И где Зоя Игнатьевна, Глория, Анфиса, собаки? Они живы?

Тот, что в розовой маечке, выронил из рук на пол что-то бежевое. Я невольно посмотрела на него и возмутилась:

— Эй, вы что себе позволяете? Это мой новый лифчик! Знаете, сколько он стоил?

За моей спиной послышалось сопение, правой ноги коснулось нечто мягкое, теплое. Я взвизгнула, подпрыгнула и закрыла глаза. Потом открыла и перевела дух. Нет, это не третий монстр, в санузел притопала одна из мопсих, черная Киса. Мопсы очень приветливы, а собаки Маневина обожают не только людей, но и всех земных тварей. Мыши, кошки, птицы, хомячки, гусеницы, кузнечики,

---

[1] Ем все (*англ.*).

улитки — кого ни назови, все они друзья Кисы и Розы.

Мохнатые гости заурчали, Киса завертела хвостом и бросилась к ним. Я не успела ахнуть, как сексуально озабоченный пришелец вцепился лапами в загривок Кисы, легко поднял ее и плюхнул в ванну. Его прожорливый собрат совершенно человеческим жестом схватил бутылку с шампунем, умело сдернул колпачок, вылил на Кису часть содержимого и сосредоточенно заработал лапами. Через мгновение к нему присоединился приятель, и уже четыре мохнатые конечности принялись тереть Кису и окунать ее головой в воду.

Знаете, если на меня нападут зеленые человечки, прилетевшие из недр галактики, я живо сдамся, потому что отлично понимаю: у слабой женщины нет сил сражаться с внеземными астронавтами, у которых, если вспомнить фантастические романы, непременно отыщется некое сверхоружие — бластеры, стреляющие антиматерией, или нейтронные пушки. Поверьте, я не имею ни малейшего желания проверять действенность арсенала инопланетян на собственной шкуре. Но если опасность угрожает моим животным (а ведь мопсихи Маневина теперь стали как бы моими), вот тут мне наплевать на плазменные мечи, самонаводящиеся уничтожители теплокровных существ и на ядовитую говорящую плесень, я все эти штучки готова порвать голыми руками.

Из груди вырвался крик:

— Ах вы дряни! Немедленно отдайте мне Кису!

Монстры на секунду замерли и переглянулись, а я ринулась к ванне спасать мопсиху.

Глава 6

Мохнатые твари сначала опешили, и мне удалось вцепиться в мокрую шерсть Кисы. Но уже через секунду враги опомнились и стали сражаться за свою добычу. Четыре лапы замельтешили в воздухе. Некоторое время мы молча выдергивали друг у друга совершенно не сопротивляющуюся собачку, но потом мне удалось одержать убедительную победу. Я выдрала мопсиху из цепких ручонок, хотела ринуться в коридор, но коварная богиня удачи отвернулась от меня. Ноги поскользнулись на мокром полу и разъехались в разные стороны, я шлепнулась на колени, выпустила Кису, попыталась схватиться руками за край биде, но ладони не удержались на гладком фаянсе. Я тюкнулась носом в дно биде и потеряла возможность видеть.

Инопланетяне взвыли от восторга. Я ощутила, как на мою макушку льется холодная вода, потом учуяла аромат клубники, и тут крохотные, но сильные лапки с довольно острыми коготками принялись таскать меня за волосы. На лицо и уши поползла пена, и я поняла: безумные пришельцы облили мою шевелюру гелем для тела под названием «Клубничный восторг со сливками». Несмотря на дурацкое наименование (ну как восторг может быть со сливками?), это средство хорошее и очень обильно пенящееся. Спустя секунду мое лицо стало тыкаться во что-то мягкое, теплое... Вода лилась за шиворот, блузка промокла насквозь, все попытки встать или сбросить с себя инопланетян были бесплодны: мохнатые пришельцы всякий раз оказывались проворнее. Я же ничего не видела, да еще пена отчаянно щипала глаза, забивалась в рот и уши. И тут к аромату клубники добавилась сильная нота корицы. Ясно, иноземные оторвы нашли банку с ароматической солью и азартно высыпали ее мне на голову. Потом они принялись дергать меня в разные стороны, при этом я билась лбом о бортик биде. Следом кто-то из разбойников посильнее отвернул кран и...

— Лиззи, Диззи! — заорал мужской голос. — Вы тут чем занимаетесь? А ну прекратили немедленно!

Инопланетяне разжали лапы, и я наконец-то смогла поднять голову. Не открывая глаз, пошарила рукой вокруг себя, нащупала упавшее в процессе драки на пол полотенце, удивилась, почему оно совсем не пушистое, быстро вытерла им лицо, намотала тюрбаном на макушку, встала и снова обрела способность лицезреть окружающий мир.

Первой, кого я увидела, оказалась страшно довольная Киса, лежавшая в ванне в облаке пены всеми четырьмя лапами кверху. Мопсиха обожает купаться и явно ничего не имела против банной процедуры, похоже, ее вовсе не стоило спасать. Я ухватилась за край рукомойника и с трудом перевела дух.

— Дарья, что с вами? — спросил Игорь.

— Боже, Дашенька, вам плохо? — поинтересовалась Лори, протискиваясь за братом в санузел. — О! Вы решили помыть Кису?

— Нет, — пробормотала я, — услышала плеск воды, заглянула сюда, а этот лохматый тут стирал носки. Потом появился второй, и они вдвоем напали на бедняжку Кису.

— Мопсиха выглядит прекрасно, — проскрипела из-за спины сына Зоя Игнатьевна. — Что произошло?

Я, проигнорировав ее вопрос, решила задать свой:

— Кто эти твари?

Зоя Игнатьевна принялась покашливать, Глория отвела глаза в сторону, а Гарик радостно воскликнул:

— Вы про Диззи и Лиззи?

Я покосилась на двух монстров, смирно стоявших у «мойдодыра», и кивнула.

— Это Диззи и Лиззи, — представил пришельцев-домовых Игорь.

— Супер! — выпалила я. — Сразу все стало понятно! Диззи и Лиззи. Просто Диззи и Лиззи. А теперь сделайте одолжение, расскажите об этих персонажах поподробнее. Откуда они взялись?

— Так я их купил и привез, — лучась радостной улыбкой, заявил сын Зои Игнатьевны. — С ними связан мой бизнес-проект, который принесет нашей семье огромную прибыль при минимальных затратах. Диззи и Лиззи — это новое слово в домашнем хозяйстве и банном деле. Они биологически чистые, абсолютно натуральные универсальные стиральные машины и самые лучшие помывщики людей. Диззи и Лиззи экспериментальные экземпляры, их пока двое, но очень скоро подобных им будет армия.

— Роботы? — поразилась я. — Автоматические прачки, сделанные в виде зверей?

Игорь расхохотался.

— Конечно, нет! Знакомьтесь, это гигантские еноты-полоскуны.

— Кто? — не поняла я.

— Две минуты — и вы въедете в суть дела, — пообещал Гарик.

— Вещайте, — велела я.

Сынок Зои Игнатьевны зафонтанировал словами. Сначала я не поверила своим ушам, а потом в недоумении уставилась на него. Он всерьез считает, что его замысел гениален? Впрочем, лучше перескажу по порядку, что придумал Игорь.

Еноты очень сообразительны и легко приспосабливаются к разным условиям. В неволе они аккуратны, приучаются, как собаки, гулять во дворе или, как кошки, пользуются лотком. Животные знают свои клички, к тому же всеядны. Интересная деталь: поймав добычу, енот отнесет ее к водоему и перед тем, как съесть, тщательно выполощет. Почему он так поступает? На сей вопрос Гарик ответа не дал.

Гениальная идея выдрессировать енотов, а потом продавать их людям вместо стиральных машин пришла ему в голову, когда Игорь побывал на представлении в цирке шапито и увидел выступление Николая Гвоздева с разными зверушками. У дрессировщика Коли есть номер, который неизменно вызывает восторг у зрителей всех возрастов. На арену ставят столик, на него водружают тазик, наливают воду, а потом из-за кулис выходит очаровательный зверек, одетый в платье с фартуком, ловко взбирается по лесенке, запускает лапу в тазик, вытаскивает из него красный носок и начинает яростно его полоскать. На самом деле внутри носка лежит кусок мяса, зверушка хочет славно пообедать и выполняет то, что заложено у него в генах. Все видят старательную «прачку» и умиляются. А когда представление завершается, быстро забывают о ней. Но Игорь сразу сообразил: вот он, верный шанс разбогатеть.

Я не знаю, как сын Зои Игнатьевны смог уговорить Гвоздева, эту часть истории Гарик не озвучил, но Николай продал ему двух гигантских енотов. Как правило, взрослые полоскуны достигают в длину сорока пяти — шестидесяти сантиметров, прибавьте к этому еще хвост размером с батон докторской колбасы. Обычно вес енота составляет от пяти до девяти килограммов, но когда Диззи взбирается на весы, стрелка колышется около отметки «пятнадцать». Лиззи чуть тяжелее и крупнее, достигает почти метра в длину. Как вы, наверное, уже догадались, несмотря на больший размер, Лиззи девочка, а Диззи мальчик. По какой причине они стали акселератами, Николай не объяснил, а Игорь и не спрашивал. Маневин продал свой мотоцикл, единственную ценную вещь, которая досталась ему после развода с Ниной, купил Диззи с Лиззи, взял у Гвоздева несколько уроков дрессуры, понял, что ничего хитрого в обучении енотов нет, некоторое время тренировал питомцев, потом посадил их в перевозки и поехал к матери.

А теперь скажите, кто из вас придет в восторг, увидев двух енотов и великовозрастного сыночка, который радостно заявит: «Мама! Ничего, что все мои многочисленные бизнес-проекты, созданные на твои деньги, лопались как мыльные пузыри. Неудачи позволили мне понять: до сих пор я занимался не теми делами. Сейчас же я совершенно уверен: еноты-полоскуны — вот перспективное направление».

Не знаю, как бы я отреагировала на визит Гарика, учитывая тот факт, что сыночек уже раз эдак десять повторял подобные слова, разве что раньше речь шла о грибах и голубях, и благополучно пустил по ветру не один десяток, если не сотню тысяч честно заработанных мною рублей. Ох, что-то мне подсказывает, что мое лицо навряд ли засияло бы радостной улыбкой. Но Зоя Игнатьевна заключила обожаемое чадо в объятия, пообещав ему свою помощь и полнейшую поддержку. Правда, учитывая то, что семья Маневиных находится сейчас в гостях, добрая мама предупредила отпрыска:

— Не следует разрешать твоим милым подопечным без присмотра разгуливать по чужому коттеджу. Они могут нанести хозяйке ущерб, разбить или испортить нечто ценное, нагадить на пол, укусить мопсов или кота.

— Никогда! — замахал руками Игорь. — Диззи и Лиззи совершенно безобидны, они обожают всех и вся. Еноты идеально выдрессированы мною, слушаются меня мгновенно. И им необходимо каждый день шлифовать свои навыки. Мама, я подумал, что работа в качестве стиральной машины не полностью раскроет творческий потенциал полоскунов, поэтому обучил их еще и банному делу.

Даже Зоя Игнатьевна, после того как услышала эти слова, выразила сомнение:

— Навряд ли эта парочка сможет обмахивать людей вениками. И как еноты выдержат высокую температуру в парной?

— Кому нужна русская баня? — поморщился Гарик. — Народу давно наскучило на полке лежать. Хаммам, вот что сейчас на пике востребованности!

Лиззи и Диззи прекрасно умеют орудовать губкой и научились мыть человеку голову. Хочешь посмотреть, как мои воспитанники ловко откручивают пробки с бутылочек с шампунями? Пошли, покажу, тебе понравится.

Зоя Игнатьевна не способна отказать Игорю ни в одной из его просьб, поэтому она собралась отправиться вместе с сыночком в ванную первого этажа. Гарик попросил мать пока посидеть в гостиной, а своих подопечных оставил в ванной стирать носок. Причем, как он сейчас уверяет, покинул Диззи и Лиззи на секундочку. «Секундочка» оказалась весьма продолжительной — я успела вернуться из сада и в прямом смысле слова угодила енотам в лапы.

— Они не хотели вас обидеть, — вещал Игорь. — Наоборот, желали доставить удовольствие.

— Понятно, — пробурчала я. — Но знаете, когда ваши «стиральные машины» схватили Кису, мне показалось, что они замыслили что-то совсем нехорошее.

Гарик покраснел.

— Конечно, нет! Как только такая мысль могла прийти вам в голову! Надеюсь, вы не станете возражать, если Лиззи и Диззи больше не будут сидеть в перевозках? Им нужно двигаться, физическая активность крайне важна для представителей фауны.

— Ладно, — пробормотала я, — если вы уверены, что полоскуны не нападут на наших животных, пусть ведут свободный образ жизни.

— Они тут все засрут! — подала из коридора голос Анфиса.

Гарик выскочил из ванной, Зоя Игнатьевна последовала за ним.

— Диззи и Лиззи чистоплотны, как монашки, — громко завозмущался бизнесмен-новатор. — Еноты выходят на улицу или залезают в лоток, дома никогда не гадят!

Глория тронула меня за руку.

— Дашенька, у тебя на голове наверчена... э... немного странная штука. Может, ее лучше снять?

Я обернулась к зеркалу и посмотрела на свое отражение. Посеребренное стекло продемонстрировало мое лицо с грязными потеками и коричнево-серый мешок, намотанный в виде тюрбана поверх волос.

— Вот безобразие, — возмутилась я. — Фиса!

— Чего? — спросила домработница, всовываясь в ванную. — Звали меня?

— Сто раз тебе говорила, не пользуйся ветошью, — зашипела я, избавляясь от «украшения». — Где ты только берешь эту гадость? Почему не возьмешь в кладовке нормальные накладки для швабры? Я купила штук десять разного цвета и качества.

— Мешковина лучше всего подходит для мытья пола, — уперлась Анфиса. — Влагу быстро впитывает, стирается отлично. А зачем вы рядно на башку намотали?

Хороший вопрос. И что, объяснять сейчас, как я, стоя у биде с закрытыми глазами, с трудом вырвавшись из лап енотов, нащупала на полу нечто мягкое и решила, что это упавшее полотенце? Спасибо, Глория не стала интересоваться, почему я вступила в драку со зверушками и отчего в светлую голову госпожи Васильевой залетела мысль о прилете в Ложкино инопланетян-домовых.

Глава 7

На следующий день около десяти утра я внезапно вспомнила о посылке, которую Маша отправила из Парижа, и набрала продиктованный ею номер телефона.

Мой слух некоторое время радовала песня, начинавшаяся словами «солнце на ладони». Затем включилась запись автоответчика: «Здравствуйте. Ваш звонок очень важен для нас. Если хотите узнать информацию о почтовом отправлении, нажмите цифру один, желаете соединиться со службой доставки, цифру два. Интересуетесь нашими правилами — три. Решили выяснить все о вакансиях — четыре...»

Я решила не ждать, пока механический голос доберется до последнего числа, и ткнула пальцем в кнопку с единицей. Но ничего не изменилось, сопрано продолжало вещать. Оно бубнило и бубнило, я почти заснула, слушая его, но вдруг раздался щелчок, и бойкий дискант произнес:

— Почта ОВИ. Мы работаем для вас. Что хотите?

Я обрадовалась — ну наконец-то я соединилась с диспетчером.

— Здравствуйте. Когда и где можно получить посылку?

— Из какого города вы звоните? — осведомилась служащая.

Я слегка удивилась.

— Из Москвы. А какая разница, где я нахожусь?

Диспетчер проигнорировала мой вопрос и задала свой:

— Можете назвать номер почтового отправления?

Я продиктовала.

— Ваша информация проверяется, — объявила девушка, и в моем ухе снова заиграла музыка, полилась песня: «Солнце-е-е на ладони-и-и...»

Я уставилась на трубку. Информация? Ну-ну. Сколько же времени ее будут проверять?

— Спасибо за ожидание, — взвизгнул дискант. — Посылка получена и находится на таможне. Завтра в десять восемнадцать она поступит в службу курьерской доставки и будет отправлена вам по заявленному адресу. Когда вы желаете получить ее? Назовите удобное время. В течение дня? С восьми до пятнадцати? С шестнадцати до двадцати двух?

— Лучше утром, — обрадовалась я. — Скажите...

Но договорить не успела.

— Спасибо за обращение в почту ОВИ, мы работаем для вас! — заученно выкрикнула диспетчер, и полетели короткие гудки.

Я не успела спросить, какова цена доставки бандероли в ближнее Подмосковье. Ну да это не беда, скорей всего курьер великолепно знает прейскурант наизусть.

Вдохновленная удачным началом дня, я посмотрела на часы. Десять утра. Слишком рано, чтобы звонить Малинину, Юра уезжает на работу около двенадцати. Кое-кому может показаться странным, что бизнесмен прибывает в свой офис, когда служащие уже думают об обеде, и я не знаю, почему у него такой график, но зато он очень часто возвращается домой в районе полуночи. Мне надо выждать пару часов, потом перехватить соседа около его гаража и рассказать ему, что я тоже видела девочку в розовом платье, которая раскачивалась на ветке ели, а потом перелезла через забор. Я не понимаю, каким образом она проделала этот трюк, но абсолютно уверена: ребенок не имеет ни малейшего отношения к трагически погибшей Асе. Увы, мертвые не восстают из могил. А еще я категорически не верю в привидения. Но даже если на секунду допустить, что на нашем участке был призрак, то как тогда объяснить упавшую с дерева прядь белокурых волос? Фантомы и галлюцинации не могут терять локоны, потому что эти субстанции нематериальны. Значит, на участке находилась живая малышка. Кто-то задумал довести Юрия Ивановича до нервного срыва, инфаркта, инсульта, решил причинить ему тяжелые моральные страдания. Пусть Малинин знает: над ним издеваются. А потом подумает, кому он мог досадить так, что этот человек решил столь диким образом ему отомстить.

Около полудня я вышла из дома, двинулась в сторону гаража Малининых и увидела у их калитки минивэн «Скорой помощи», а рядом с ним красивый седан. В душе сразу шевельнулась тревога.

Дверь в особняк соседа была открыта, я вошла в холл, услышала голос из столовой и побежала по коридору. За большим овальным столом сидела незнакомая мне яркая брюнетка в элегантном, явно очень дорогом красном платье, манжеты на рукавах которого были весьма необычно отделаны маленькими кисточками.

— Где Юра? — вырвался у меня вопрос.

Темноволосая дама прищурила глаза, сказала в телефон: «Я перезвоню», потом положила трубку на стол.

— Вы кто?

— Даша Васильева, ближайшая соседка Малининых, — представилась я. — Простите, с кем я беседую?

— Светлана Терентьева, — ответила незнакомка.

— Психотерапевт, подруга Лены! — воскликнула я.

— Да, — удивленно подтвердила психолог. — Мы встречались?

— Нет, но Юра о вас рассказывал, — пробормотала я. — Что происходит? Где хозяева? В доме беда?

Терентьева опустила глаза.

— Почему вы решили, что у соседей беда?

Я ответила:

— У ворот «Скорая помощь». Думаю, ход моих мыслей вам понятен.

— Юрий Иванович Малинин скончался, полиция подозревает самоубийство, — мрачно произнесла Светлана.

— Не может быть! — выпалила я.

— Вы что-то знаете? — моментально отреагировала она.

— Не далее как вчера Юра говорил мне, что никогда не лишит себя жизни, — объяснила я. — По его словам, он не может оставить Лену, которую считает несамостоятельной, и бросить Андрюшу. Кроме того, у Малинина есть страховка на крупную сумму, которая, по расчету бизнесмена, должна послужить в случае его внезапной гибели подушкой безопасности для семьи. А если человек сам сводит счеты с жизнью, страховая премия не выплачивается. Юра очень переживал смерть Аси, кто-то воспользовался этим и целенаправленно доводил его до сумасшествия.

— Не понимаю вас, — заметно занервничала Светлана. — При чем тут несчастная дочь Малининых? Присаживайтесь, пожалуйста.

— Полагаю, вам известно про пожар? — спросила я, опускаясь на стул.

Терентьева кивнула:

— Да. А что?

Я сообщила о девочке в розовом платье, которая являлась Юрию.

— Вот оно что... — протянула психотерапевт. — Огромное спасибо, что рассказали. Теперь полиция изменит свое мнение, отбросит версию суицида. Однако я поставлена в непростое положение и пока не понимаю, стоит ли передавать Лене вашу историю. Ей будет очень тяжело услышать о том, что муж помешался. Юра никогда не говорил о своих видениях. Но я знаю, он винил себя в гибели дочки. Лена сейчас в ужасном состоянии, да и понятно почему. Юрий успешный бизнесмен, добрый человек, верный, прекрасный муж, замечательный отец. Вчера вечером супруги мирно поужинали, Юра поиграл с Андрюшей в нарды, потом мальчик отправился спать. Муж сказал Лене: «Пойду, просмотрю кое-какие бумаги в кабинете», — и скрылся. Елена легла в постель и быстро заснула. Разбудил ее вопль садовника. Тот пришел в шесть утра на службу, начал срезать засохшие цветы и увидел на земле под балконом труп Малинина. Эксперт предположил, что кончина наступила около часа ночи. Лене стало плохо. Катя, домработница Малининых, сразу позвонила мне, я вызвала полицию. У Леночки сейчас врач, а я вот тут, в столовой, сижу. Была в полнейшем недоумении, пока вы не появились.

Светлана поежилась, взяла со стола бутылку минералки и начала пить прямо из горлышка. Я увидела, что головки кисточек на манжетах ее платья обернуты тканью с монограммой «М».

— Юра упал... — мрачно произнесла Терентьева и повторила: — Упал — и все!

— Второй этаж дома — не такая уж большая высота, — пробормотала я. — Мог остаться в живых.

Собеседница вздрогнула.

— Это так ужасно! Юра угодил головой на чугунную крышку люка канализации. Надеюсь, смерть его была мгновенной. Умоляю, если вы знаете еще что-то, сообщите мне, я передам ваши слова полиции, пусть отбросят версию суицида. Дело даже не в страховке, а в Лене и Андрее. Если Юрий сошел с ума, у них не будет потом чувства вины, которое возникает у родственников самоубийцы.

— Можно мне попить? — спросила я.

— Господи, конечно! — засуетилась Света. И позвала домработницу: — Катя, подай гостье кофе. И еще в холодильнике есть пирожные.

— Мы с Юрой говорили об Асе всего один раз. Хотите, я могу повторить свой рассказ, — предложила я.

— Если не трудно, — попросила Светлана. — Понимаете, я в шоке, могла чего-то не расслышать. История-то очень страшная и странная.

Я принялась заново передавать свой разговор с Малининым. А когда уже хотела произнести, что это все, из коридора послышался шорох и такой звук, как будто на пол упало нечто тяжелое.

Светлана вскочила, быстро открыла дверь, вышла в коридор и крикнула:

— Принесите воды! И, если есть, нашатырь!

Мы с домработницей Катей, чуть не столкнувшись, бросились на зов и увидели лежащего на полу Андрея. Над ним склонилась Терентьева, она хлопала его по щекам, повторяя:

— Милый, очнись.

— Что вы делаете? — возмутилась Катя. — Отойдите! Сейчас принесу лекарство...

Но Андрюша вдруг сам открыл глаза и, глядя на нас, прошептал:

— Моя сестра жива? Что она говорила?

— Нет, солнышко, — ласково ответила психотерапевт, — Асенька скончалась.

— Но... папа с ней разговаривал... недавно... — сказал мальчик. — Я под дверью подслушивал. Только не ругайте меня... Знаю, это некрасиво...

Светлана принялась гладить его по голове.

— Отлично тебя понимаю. Я бы тоже в такой ситуации не удержалась. Ты просто хотел узнать, что случилось с отцом.

— Да, да, — заплакал Андрей. — Мне ничего не рассказывают. Сказали, что папа умер, и все. Но он же здоровый, никогда не болел, в фитнес-зал три раза в неделю ходит... ходил... Аси точно нет в живых? А что она говорила папе?

— Нет, мой дорогой, — грустно покачала головой Терентьева, — Асенька сейчас на небесах, она ангел.

Мальчик резко сел.

— Вы уверены? Может, все-таки сестра приходила к папе с рассказом про пожар?

— Андрюша очень любил младшую сестру, — подала голос стоявшая за моей спиной Катя. — Один раз он ее от смерти спас. Няня Асю на минуту одну оставила... Вероника Егоровна всем очень ответственной женщиной казалась, ее нам Анна Леонидовна Трубецкая рекомендовала. Год Балкина в доме служила, ни малейших оплошностей не допускала, к Андрюше хорошо относилась, а уж Асеньку просто обожала. И тут бац! Слышу детский вопль из гостиной, такой отчаянный, аж сердце зашлось. Я в комнату опрометью бросилась, гляжу, Андрейка сестру из каминной топки вытаскивает. Уж как малышка умудрилась стеклянную дверку открыть, никому неведомо. Такая шебутная девчушка была! На ноги скорая, на руки быстрая... Повезло ей в тот раз, брат в комнате сидел, книгу читал, увидел, что сестричка в огонь ползет, и выхватил Асю. Да, видно, судьба ей была сгореть.

— Екатерина, перестань болтать, — сердито приказала Светлана. — Помоги Андрею дойти до детской, уложи его в кровать, принеси ему успокаивающий отвар, тот, что пьет Лена, и держи рот закрытым.

Катя обняла мальчика и увела.

Глава 8

Мы со Светланой вернулись в столовую, и я дорассказала свою историю.

— Ну, теперь абсолютно понятно: произошел несчастный случай, — сделала вывод психотерапевт. — Ко мне частенько приходят клиенты с галлюцинациями. Видения бывают очень яркими, реалистичными. Одному больному чудилась умершая мать. Она навещала его каждый вечер, садилась на край кровати и вела с ним долгие беседы, отвечала на вопросы, рассказывала, как там, за чертой жизни, живется, от нее пахло ее любимыми духами. Перед уходом она всегда целовала своего сына. Вероятно, Юра в очередной раз увидел глюк, услышал голос Аси, потянулся к ней, перегнулся через перила балкона и... упал.

— Юрий не мог совершить самоубийство, — тупо повторила я.

— Согласна, — подхватила Светлана. — Мы уже с вами поняли, что имел место несчастный случай. Юра принимал много лекарств — пил таблетки от давления плюс пилюли, купирующие головокружение, потому что имел проблемы с сосудами. Кроме того, невропатолог выписал Малинину антидепрессанты. К сожалению, как и многие мужчины, Юрий Иванович не любил лечиться. И он не отличался аккуратностью, мог забыть принять утром препарат, а вечером спохватывался и сразу глотал двойную дозу. Лена ничего не знала о пагубной привычке мужа, пока тот однажды ночью не упал в туалете, повредив голову. Врач, который приехал по вызову, расспросил Малинина и пояснил: «Ни в коем случае не глотайте на ночь столько медикаментов. Доза специально разделена на утреннюю и вечернюю, если употреблять все одним махом, получится отрицательный эффект. Давление упадет слишком низко, наступит резкая сонливость, у вас нарушится координация движений, что с вами сегодня и произошло. Этак можно получить смертельную травму». Лена пришла в ужас и повесила у мужа в спальне табличку: «Прими лекарства». Но Юра все равно забывал их пить по утрам, а на ночь...

Светлана махнула рукой. Минуту помолчала, затем продолжила:

— Юра был умный человек, но невероятно упрямый. Обследование он проходил в Германии, нашей медицине не доверял, считал российских докторов недоучками, на слова врача «Скорой» о правильном приеме препаратов внимания не обратил. И вот результат! Думаю, у него просто закружилась голова...

Терентьева снова замолчала. А я сказала:

— Галлюцинации индивидуальны, одинаковые видения не могут посетить двух людей. Я говорила вам, что тоже лицезрела малышку в розовом платье. Примчалась сейчас к Малинину, чтобы объяснить: он не сходит с ума, кто-то жестоко издевается над ним.

Психотерапевт отвела взгляд в сторону.

— Дашенька, Лена как-то раз вскользь заметила, что ее соседка мучается мигренями. Речь шла о вас?

Меня удивила столь резкая смена темы, но я подтвердила:

— К сожалению, да. Примерно раз в два-три месяца эта малоприятная болезнь приходит ко мне в гости.

— И вы часто ездите в Париж, — продолжала психолог.

— Верно, во Франции у нас дом, там сейчас живет моя семья, — кивнула я.

— Смею предположить, что вы обращались к доктору Габриэлю Денуа, посещали его кабинет на улице Фур, — улыбнулась Терентьева.

— Вы ясновидящая? — заморгала я. — Правильно, этого врача мне порекомендовала одна подруга.

— К сожалению, а может, наоборот, к счастью, я не обладаю талантом предвидеть будущее или заглядывать в прошлое, — посерьезнела Светлана. — Все намного проще. Денуа мировая величина в области лечения мигрени, вот я и подумала, что вы, раз бываете в Париже, его пациентка. Француз, вероятно, выписал вам мигрезол, оранил, невостерин и гомеопатические капли «цветы Прованса»[1].

Я молча смотрела на Терентьеву. А та, слегка понизив голос, продолжала:

— Спору нет, это прекрасная комбинация, и она хорошо помогает. Мигрезол действует на сосуды, оранил корректирует гормональный фон женщины, невостерин снимает тревожность, беспокойство, раздражительность, а «цветы Прованса» способствуют спокойному сну. Но! Вы владеете английским?

— Нет, — смущенно ответила я. — Понимаю, в наше время нужно выучить этот язык, да все както недосуг. Я свободно говорю на французском и могу изъясняться на немецком.

— Хотела посоветовать вам изучить журнал «Доклады научных конференций», — пояснила Светлана. — Он выходит в Америке и на европейские

---

[1] Данных лекарств не существует. Есть другие препараты от мигрени, но автор из этических соображений не дает их названий, так как самолечение при этой и других болезнях крайне опасно. (*Прим. автора*).

языки не переводится. Ладно, перескажу содержание некоторых статей. Штатники провели массу клинических исследований и выяснили: если человек применяет упомянутый набор медикаментов более года, он становится транссовместимым.

— Каким? — вздрогнула я.

— Простите, я машинально употребила термин, понятный лишь психологам и психиатрам, — смутилась собеседница. — Слышали когда-нибудь о трансовом состоянии сознания?

— Пару раз. В каком-то детективе Смоляковой читала об этом, — сказала я.

— Ох уж эта писательница... — поморщилась Терентьева. — Литераторы поверхностны, впрочем, журналисты тоже, услышат нечто, на их взгляд, занимательное, и ну строчить. Как правило, опусы писак имеют мало общего с действительностью. Попытаюсь ввести вас в курс дела. Транс — ряд измененных состояний сознания, он сопровождается определенными изменениями мозговой активности, в особенности — бета-волн. Состояние отличается от обычного направленностью внимания, человек концентрируется на образах, воспоминаниях, ощущениях, грезах, фантазиях, а не на внешнем мире. Некоторые медики считают транс целебным, полагают, что при нем человеческий организм получает приблизительно в два раза больше отдыха, чем во время сна. Некоторые люди умеют входить в трансовое состояние намеренно, такой транс многими духовными школами Востока называется медитацией. Есть мнение, что намеренное вхождение в транс — это одна из форм самогипноза. Но человек может впасть в транс под воздействием усталости, информационной перегрузки. Таким образом мозг защищает себя от стрессов, когда их количество и сила становятся чрезмерными. Что и случилось с Юрой. А вы, Дашенька, сколько времени пьете таблетки доктора Габриэля?

— Года четыре, — протянула я.

Терентьева вздернула брови.

— Длительный срок. Наверняка Юрий рассказывал о своих видениях страстно, напористо, и вы, регулярно употребляющая этот набор лекарств, заразились, так сказать, его глюком, транссовместились с Малининым и тоже встретились с Асей.

— Такое возможно? — усомнилась я.

— Конечно, — кивнула Светлана. — Это описано и в художественной литературе, и в летописях монахов. Последние документы полны свидетельств того, как один юродивый «заводил» целую толпу. Например, начинал кричать: «Вижу, вижу дьявола!» — и люди падали в ужасе на колени, им тоже являлся Сатана. Но в действительности никаких Люциферов не существует, народ просто инфицировался трансом сумасшедшего. Людей делала зависимыми вера в Бога, а вас — особые пилюли. Могу привести массу подобных случаев. Ну, скажем, в начале двадцатого века русские солдаты пошли неожиданно в атаку на немецкое войско, я говорю о Первой мировой войне. Часть рядовых погибла. И что? Как потом выяснилось, противника на поле сражения не было, командир приказал принять бой, и подчиненные бросились вперед. И офицер, и солдаты увидели врага, но в реальности таковой отсутствовал. Те, кто пал в битве, скончались не от пуль или штыковых ран, а от разрыва сердца. Трансовое состояние может быть очень опасным. Огромное вам спасибо, что сообщили правду о Юре. Я могу вас попросить потом пересказать эту историю следователю и представителю страховой компании? Сейчас все уверены, что Юрий Иванович совершил самоубийство, но это явно не так. И, Дашенька, примите мой совет. Я психотерапевт, имею профильное высшее образование, постоянно читаю научную литературу и могу правильно оценить ваше состояние. Но другие люди, те же полицейские, например, профаны в области психологии, поэтому лучше не рассказывать им о том, что вы тоже видели галлюцинацию. Вас, уж извините, просто сочтут сумасшедшей и не придадут значения словам такого свидетеля. Сообщите следователю только о том, что Малинин вам рассказывал, как к нему являлся призрак, этим вы поможете Лене получить деньги.

Я растерялась.

— Никогда не испытывала ни малейших проблем с психикой. Я не слышу голосов, у меня нет фобий, не страдаю шизофренией или маниакально-депрессивным психозом и вроде пока не подвержена болезни Альцгеймера.

— Конечно, дорогая! — подхватила Терентьева. — Но посмотрите на дело с точки зрения обычных необразованных людей. Они будут рассуждать так: «Васильева видела покойную Асю, которая сидела на ели? М-да... У нее точно съехала крыша». Если вы озвучите свою историю в официальной обстановке, вас точно посчитают за даму с огромными душевными проблемами. Вашим словам не поверят, и тогда возникнут огромные проблемы, но на сей раз уже у Леночки. Смерть Юрия признают суицидом — и прощай, страховая премия!

— Я вовсе не говорила, что видела Асю, — попыталась я внести ясность. — Думаю, это был настоящий ребенок, которому велели пугать Юру. Что, если кто-то намеренно издевался над Малининым? Один из людей, знающих о трагедии с Асей?

В столовой воцарилось молчание. Потом моя собеседница спокойно произнесла:

— На следующий день после пожара почти вся желтая пресса написала о трагической гибели четырехлетней девочки, которую отец не успел вынести из огня. Кто-то из пожарных или из медиков, прибывших на место происшествия, слил информацию племени стервятников. Юра обеспеченный человек, но отнюдь не миллиардер, не политик, не артист, известный всем. О таких, как Малинин, журналюги не судачат. Но смерть Аси показалась прессе лакомой новостью, она могла помочь увеличить тираж. Поэтому дня три-четыре «Желтуха» и «Треп» дуэтом пели о несчастном ребенке. А затем газеты забыли о нем.

— У Юры были враги? — задала я интересовавший меня вопрос.

— Если человек с нуля поднимает бизнес, то, конечно, он обязательно обзаведется недоброжелателями, — заметила Светлана. — Но я не слышала, чтобы мужа моей подруги кто-то люто ненавидел. У Малининых часто бывали гости, Юра тоже охотно выходил в свет. А вот Лена реже покидала дом — ей не хотелось оставлять Андрюшу. Правда, она не любит пропускать службу в церкви, поэтому все же часто отлучалась.

— Елена верующая? — удивилась я. — Мы довольно тесно общались, но Малинина никогда не заводила разговоров о Боге.

— Лена не демонстративный человек, — пояснила Терентьева, — и она умеет себя вести, понимает, что общение с соседями должно быть необременительным, легким, светским. А вот со мной она часто рассуждает о том, что ждет человека за гробом, о смысле жизни. В храм Лена пришла после смерти Аси, а раньше считала себя атеисткой.

— Вдруг кто-то из недругов решил довести Юру до самоубийства? — перебила я Терентьеву. — Узнал все из пасквильных листков и...

Я замолчала.

— И? — подхватила психотерапевт. — Дальше — что? Вызвал привидение несчастного ребенка и велел ему шастать по саду? Нанял какого-то малыша и приказал тому играть роль Аси? Дашенька, разве крошка сможет залезть на ель, бесстрашно качаться на ветке, а потом перескочить через бетонный забор?

— Нет, — ответила я. — Не понимаю, как малышка проделала в принципе невозможное.

— Правильно, душенька, — терпеливо сказала психотерапевт. — Это ваше сознание сыграло с вами злую шутку. Ребенка не было, это глюк. Пожалуйста, не распространяйтесь о нем, иначе Леночка лишится большой суммы. А вот о Юриных видениях я сообщу следователю, и вас, конечно же, опросят. Тогда, очень прошу, расскажите все детали, все подробности. Елена — вдова, на руках у нее сын-подросток, в прошлом у нее трагедия, в душе незаживающая рана. Что будет с Малининой, если ко всем ее проблемам прибавятся еще и финансовые трудности?

— А как объяснить прядь найденных мной волос? — вздохнула я.

— Вороны и сороки что угодно сопрут и в гнездо унесут, — нашла ответ Светлана. — Вон, в Кузякине парикмахерская работает. Елена там причесывается, не раз мастеров хвалила. Может, это оттуда добыча. Вы же не видели, что локон упал с головы девочки, он свалился откуда-то из ветвей. Сначала вам привиделся глюк, а потом из птичьего гнезда спланировал клок волос. Простое совпадение.

— Ясно, — пробормотала я.

— Хотите кофейку, Дашенька? — любезно предложила Терентьева.

Я правильно поняла психотерапевта.

— Большое спасибо, но нет, побегу домой.

* * *

У меня есть традиция — как только возвращаюсь в особняк после длительного отсутствия, всегда угощаю стаю лакомствами. Вот и сегодня после похода в магазин принялась раздавать вкусняшки. Афина и мопсы получили жильные кости, Фолоде достались колечки из курицы, Гектор живо схватил и унес зерновую палочку.

Я открыла шкаф, начала складывать туда пакеты, услышала тихое ворчание, оглянулась и увидела енотов. Диззи и Лиззи стояли на задних лапах, в упор глядя на меня, на их мордочках явственно читалась обида.

Меня охватило смущение.

— Простите, ребята, совсем о вас забыла.

Диззи хрюкнул, а Лиззи вытянула вперед обе передние лапки и тихонечко заныла. Я почувствовала себя самой подлой и злой на свете. Ну разве красиво раздать всем членам стаи вкусности, а про двух гостей и не вспомнить? Хуже только заявиться на день рождения к семилетнему малышу без подарка. Но что можно предложить дрессированным зверушкам?

Диззи свесил голову на грудь, Лиззи всхлипнула.

И тут меня осенило:

— Вы любите яблоки?

Еноты переглянулись и быстро подошли ко мне. Диззи взял меня за руку, Лиззи прижалась к моим ногам, и я чуть не зарыдала от умиления, мгновенно пообещав:

— Сейчас получите самый сладкий голден.

Затем распахнула дверцу холодильника, но не успела выдвинуть ящик, где хранятся фрукты, — еноты со скоростью молнии схватили с полки нарезку сыра и метнулись в глубь дома.

— Да вы воры! — возмутилась я. — Эй, вернитесь, пакеты надо вскрыть! Не собираюсь отнимать у вас добычу, просто достану сыр из упаковки.

Но Диззи и Лиззи испарились. Я хотела было найти Игоря и рассказать ему, что его подопечные утащили «Эдам», однако решила не «сдавать» сладкую парочку. Навряд ли им станет плохо от пятидесяти граммов сыра, каждому разбойнику достанется не так уж много угощенья. Если, конечно, они его честно разделят пополам.

Закончив с хозяйственными хлопотами, я поднялась в свою комнату, порылась в телефонной книжке и набрала номер Сергея Дьяченко.

— О, Дашута, привет! — радостно воскликнул приятель. — Как там Александр Михайлович? Скоро к нам вернется?

— Сейчас они с Темой в Испании, — пояснила я, — осматривают творения Гауди[1], в Москву приедут через две недели. У Дегтярева отпуск двадцать четыре дня. Пляшите, мыши, пока кошки нет.

Сергей решил, что светская часть беседы закончена, и задал конкретный вопрос:

— Чего ты хочешь?

— У тебя есть друг, он работает в коммерческой структуре, делает всякие исследования. В частности, если я правильно помню, определяет отцовство, — сказала я.

— Верно, — подтвердил Дьяченко, — Никита Лавренев отличный специалист. У тебя появился малыш, и ты подыскиваешь ему родного папу?

— Вроде того, — в тон собеседнику ответила я. — Родила царица в ночь не то сына, не то дочь, причем не известно, от кого. Не знаешь, можно ли провести экспертизу волос?

— Ну, я не спец в судебной медицине, но слышал, что для ДНК-теста подойдут образцы слюны, ногти, кровь, волосы. Только Никита даром работать не станет, — предупредил Сергей.

— Заплачу без проблем, — заверила я. — Можешь дать телефон?

— Записывай. Однако сразу не звони, выжди полчасика, — деловито распорядился Дьяченко. —

[1] Антонио Гауди (1852—1926) — испанский архитектор, большинство его причудливо-фантастических творений возведено в Барселоне.

Лавренев с улицы клиентов не берет, только по рекомендации, я его должен предупредить.

— Отлично, — обрадовалась я и уставилась на часы.

Никита Лавренев оказался немногословным человеком. И, похоже, он не любил тех, кто ведет долгие разговоры. Не успела я произнести:

— Добрый вечер, меня зовут Даша Васильева, ваш телефон мне дал... — как Никита перебил потенциальную клиентку:

— Знаю. Говорите по делу!

Далее наша беседа потекла в телеграфном стиле.

— Что у вас?

— Волосы. Можно ли определить, чьи они?

— Надо посмотреть на образец. В принципе, да.

— Когда мне приехать?

— Сейчас.

— Где вы находитесь?

— Улица Вторая Михайловская, метро «Молодежная».

— Мне ехать примерно час.

— Буду тут до восьми утра.

— Отлично, — обрадовалась я, — уже несусь. Сколько стоит исследование?

Никита озвучил сумму и отсоединился.

Глава 9

Эксперт оказался щуплым парнем, одетым в слишком широкий халат. Он взял у меня пакетик с прядью волос, вытряхнул ее на стол, достал лупу, потом спросил:

— Так что вы хотите?

— Определить человека, который потерял эти волосы, — ответила я.

Лавренев отложил увеличительное стекло.

— Недеградированную ядерную ДНК в волосе без луковицы найти нельзя. Прядь, которую вы принесли, отрезана, а не выдернута. В данном случае можно выделить лишь митохондриальную ДНК, которая тоже вполне информативна. Экспертиза останков царя Николая Второго и его семьи основывалась на результатах исследования именно митохондриальной ДНК.

У меня закружилась голова.

— Извините, я ничего не понимаю в вашей науке. Просто скажите: можете назвать человека, чьи волосы лежат в лотке?

Никита сдвинул очки на кончик носа.

— Вероятно. Давайте материал для сравнения.

— Что? — заморгала я.

Лавренев окинул меня оценивающим взглядом, потом вдруг спросил:

— Сергей сказал, что вы помогали поймать убийцу Ани Лавровой. Запутанное дело[1].

— Да, — смущенно кивнула я. — Так уж получилось, что я оказалась полезной.

Никита показал на круглую табуретку.

— Садитесь. Буду говорить просто.

— Уж пожалуйста, — обрадовалась я.

— Допустим, я найду в волосах ДНК, неважно какую, — голосом нянечки, объясняющей трехлет-

---

[1] Об убийстве Ани Лавровой рассказывается в книге Дарьи Донцовой «Пальцы китайским веером», издательство «Эксмо».

нему малышу правила поведения в ясельной группе, начал эксперт. — Вот смотрите.

Лавренев схватил коробку, высыпал из нее кучу маленьких разноцветных кубиков, показал на красный и осведомился:

— Это ДНК волос. Скажите, есть здесь среди прочих подобная?

— Конечно, — улыбнулась я, — вижу еще штук пять или шесть алых.

Никита аккуратно взял нужные, отодвинул в сторону сине-зелено-белую груду и ровным голосом произнес:

— Отлично. Вот вам группа родственников, остальные не нашего роду-племени. Понятно?

— Вполне, — кивнула я.

— Изменим условия, — вещал дальше Лавренев, запихивая пластмассовые кубики в коробку. — Имеем один-единственный объект. На кого он похож? Где у нас толпа, в которой мы будем разыскивать членов его стаи? Должна быть возможность сравнить полученный результат с другими образцами. Ну, например, берем волосы мамы, папы и ребенка, изучаем прядь малыша и делаем вывод: женщина — его родная мать, а отец крошке биологически чужой. Доступно объяснил?

— То есть вы не сможете сказать, с чьей головы этот локон? — приуныла я.

— Почему? — удивился Никита. — Если получу от вас еще несколько разных образцов, выявлю или не выявлю родство. Может, все-таки введете меня в курс дела? Кого вы ищете?

Я, не произнося вслух фамилию Малининых, озвучила историю про призрак Аси и завершила повествование словами:

— Только не смейтесь, пожалуйста, и не сочтите меня сумасшедшей. Хочу понять: я жертва французских таблеток или все-таки видела ребенка в реальности? Понадеялась, что вы сможете определить, с чьей головы эти волосы. А я съезжу, посмотрю на крошку и разузнаю, умеет ли она делать то, на что не способны другие дети, и выполняет приказы человека, который решил напугать Юру, или девочка просто была в парикмахерской в Кузякине и все случившееся — совпадение: ворона схватила на помойке прядь ее волос и принесла на ель.

Никита взял лупу.

— Сомневаюсь, что этот образец из гнезда птицы. В таком случае он должен быть загрязненным, а я визуально могу оценить волосы как чистые, ухоженные, некрашеные, аккуратно срезанные. Если хотите выяснить, принадлежит ли этот образец умершей девочке, то принесите мне ее расческу или зубную щетку. Иногда родители хранят молочные зубы своего ребенка и первую остриженную прядку. Тогда я дам вам ответ.

— А без этого из волос никакой информации не вытянуть? — огорчилась я. — Понимаете, я сомневаюсь, что они Асины.

— Ну, кое-что все-таки можно рассказать, — утешил меня Никита. — Давайте поступим так. Если хотите исключить Асю, поищите материал для сравнения, а я пока немного поработаю с тем, что вы принесли. Если, конечно, вас устроит сумма, которую придется заплатить.

— С оплатой проблем нет, — заверила я. — Только я не верю в воскрешение Аси. А зачем вам ее зубы и прочее? Дочь Малининых давно умерла. Я лишь хочу узнать, кто потерял эту прядь.

Лавренев кашлянул.

— Вы рассуждаете по-обывательски. А я ученый, поэтому обязан работать точно. Исключить Асю из числа тех, кто мог сидеть на ели, можно лишь эмпирическим путем. Сопоставили результаты, убедились, что не она, тогда заявляем: мы знаем, погибшей малышки не было на днях в вашем саду.

Я не смогла сдержать возглас:

— Бред!

Никита не обиделся на неуместное замечание.

— Нет, наука. Точность. Уверенность.

— Даже в случае, если мы точно знаем, что ребенок мертв? — протянула я.

— В любом случае, — спокойно сказал эксперт. — Приходим к выводу: Аси не было в саду, и работаем дальше.

— Мертвые не встают из могил! — выпалила я. — Глупо тратить время и силы на пустое занятие.

Никита почесал кончик носа.

— Никогда ни в чем нельзя быть уверенным на сто процентов. Мне исследовать волосы как положено или тяп-ляп?

— Да, — кивнула я, — пожалуйста, делайте все по инструкции.

— Хорошо, — согласился Лавренев. И повторил: — Если получится, принесете что-нибудь оставшееся от погибшего ребенка. А я пока покумекаю над тем, что вижу перед собой.

* * *

Домой я вернулась поздно — попала в пробку на МКАД, простояла без движения пару часов и страшно устала. Открывая дверь коттеджа, мечтала о том, как рухну в постель, и очень надеялась, что все мои гости уже лежат в своих уютных кроватках. Ни сил, ни желания болтать с кем-либо не было. Но не успела я войти в коридор, как раздался крик Анфисы:

— Вижу их в гостиной!

— Немедленно хватай! — заорал в ответ Игорь. — Накинь на голову плед.

— Нельзя ли что-нибудь сделать с запахом? — спросила Глория.

— Полагаю, надо распылить освежитель, — вклинилась в разговор Зоя Игнатьевна.

— Поймала! — заорала Фиса. — Держу!

— Скорей тащи в ванную! — завопил Гарик.

Я потрясла головой. Что случилось? Почему никто не улегся спать? Обычно в это время домработница давным-давно наслаждается в своей комнате просмотром телесериала, а Зоя Игнатьевна читает в постели книгу. Вот Лори может сидеть в кресле у камина, но она не станет визжать во всю глотку. И чем у нас так нестерпимо воняет? Прорвало трубу канализации? Ну и смрад!

До моего слуха долетело шипение, потом в поле зрения возникла Глория в светло-розовом халате. В высоко поднятой руке она держала баллончик освежителя и распыляла его содержимое во все стороны. Я мигом унюхала аромат чего-то на редкость противного и постаралась задержать дыхание, услышала громкий топот и узрела Анфису, облаченную в пижаму с принтами в виде ангелочков. Домработница, сжимая в руках шевелящийся розово-серый плед, ранее лежавший на одном из диванов, неслась из гостиной в сторону санузла.

— Что тут происходит? — крикнула я и, не дождавшись ответа, кинулась за Фисой.

Та влетела в ванную, я последовала за ней. Игорь, стоявший у наполненного до краев джакузи, бойко скомандовал:

— Швыряй его туда!

Фиса, недолго думая, запулила свою ношу в ванну.

Я подпрыгнула.

— Эй, вы решили постирать ночью одеяло? Между прочим, пледы из мохера нужно сдавать в чистку.

— Ш-ш-ш, — раздалось за спиной.

Я обернулась и принялась чихать.

— Перестань пшикать этой гадостью! — возмутился Игорь. — Мерзостный запах, меня сейчас стошнит.

— Это аромат яблочного ванильного пирога с корицей, — обиделась Лори. — Он заглушает вонь.

— В доме вполне приятно пахло, пока ты не притащила этот жуткий аэрозоль! — взвизгнул Гарик.

— Ты это всерьез сказал? — ехидно поинтересовалась Глория, продолжая нажимать на головку дозатора.

— Дорогой, ты принял правильное решение применить в создавшихся условиях дезодорант, — пропела из коридора Зоя Игнатьевна. — Молодец,

Игорек, никогда не теряешься. Я горжусь твоей находчивостью.

— Мама, идея задушить нас этой гадостью пришла в голову Глории, — демонстративно кашляя, уточнил сын.

Бабушка Феликса величественно вплыла в ванную.

— Лори, сейчас же перестань! Отвратительное амбре. Посмотри, до чего ты брата довела, у него начался приступ аллергической астмы. Нужно срочно открыть все окна и двери, устроить сквозняк. Фу, дышать нечем...

Мне стало смешно. Вот она, политика двойных стандартов во всей ее красе. Если распылитель принес Гарик, то он умница, а если Лори — значит, она совершила феерическую глупость.

Из ванны неожиданно донесся странный воющий звук. Я посмотрела в сторону его источника и ахнула. В воде, отчаянно сражаясь за свою жизнь, барахтался Фолодя.

Преодолев одним прыжком расстояние от «мойдодыра» до ванны, где терпел бедствие кот, я выхватила из воды несчастного, живо завернула его в махровую простыню и сурово спросила присутствующих:

— Вы с ума сошли? Фиса, за что ты решила утопить Фолодю?

— А как он тут оказался? — опешила домработница.

— Прекрасный вопрос! — рассердилась я. — Отвечаю: пару секунд назад ты на моих глазах швырнула его в наполненное водой джакузи.

— Так я думала, что поймала Диззи, — испуганно заморгала Анфиса.

— Енота? — уточнила я. — Понятно. А теперь сделайте одолжение, объясните, по какой причине в доме открыто сафари на живую стиральную машину?

— Лиззи и Диззи украли где-то сыр, — ответила Лори.

— Они не воры! — моментально бросился на защиту питомцев Гарик. — Очень воспитанные животные, ведут себя идеально, никому не грубят. Да от них слова плохого никогда не услышать! Не пьют, не курят, по ночным клубам не таскаются.

Мне удалось не рассмеяться.

— С последним заявлением я согласна на сто процентов. Трудно представить Диззи с бутылкой пива в одной лапе и сигаретой в другой. И так же нереально увидеть Лиззи, самозабвенно прыгающую на танцполе с воплем: «Супер! Диджей, жги!» Но давайте вернемся к истокам истории. Анфиса решила наказать зверька за то, что он стащил сыр? Надумала утопить нечистого на лапу зверька? Завернула его в плед и бросила в ванну, не подумав, что еноты чудесно плавают?

— Я что, похожа на живодериху? — обиделась Фиса. — Промежду прочим, я тихохонько все отмыла. Это Фолодя в истерику кинулся: дрался, плевался, чихал, ругался матом.

Я посмотрела на испуганного кота. Похоже, в Ложкине поселился вирус безумия. Сначала Игорь уверял меня, что его питомцы не употребляют алкоголь и не курят, а теперь домработница рассказывает про нецензурно выражавшегося кота.

— Моим подопечным нельзя употреблять ничего жирного. А сыр в особенности, — вклинился со своим замечанием Гарик. — У них от него начинается жуткий понос.

И Игорь с Фисой, перебивая друг друга, принялись сыпать словами.

Диззи и Лиззи очень аккуратны, поэтому Гарик думает, что когда у парочки от запретного лакомства прихватило животы, еноты дисциплинированно отправились к хозяину — хотели попроситься на улицу. Но Игорь принимал душ перед сном, закрыв дверь кабинки и включив на всю мощь воду, поэтому не услышал жалобных стонов питомцев. Что оставалось делать несчастным полоскунам, у которых в брюшках разыгралась буря? Оцените сообразительность зверушек — они дружно воспользовались кошачьим туалетом.

Наш Фолодя чрезвычайно интеллигентен, никогда не проявляет агрессии, толерантен ко всем. Приведу один пример. Во вторник я лежала в саду, читала книгу и грызла орешки. Потом мне понадобилось сбегать в дом, а когда я вернулась, моим глазам предстала дивная картина: на раскладушке развалился, вытянув лапы, громко мурчащий Фолодя, а рядом, тесно прижавшись к нему, сидела белка и нагло лопала мои орехи. Парочка чувствовала себя прекрасно, никто никого не боялся. Фолодя не ссорится с Афиной и Гектором, спокойно принял мопсов Маневина и разрешает им отдыхать в своем домике. Я знаю, что кошки, обитающие на одной территории с собаками, не шипят на них, но пить с ними воду из одной миски не станут. А Фолодя спокойно лакает из общей емкости. И может поделиться кормом с вороном. Но есть у него и свой пунктик — это лоток. Тот, кто посмел воспользоваться кошачьим туалетом, будет убит на месте. Расправившись с осквернителем сакральных туалетов (их у кота два), Фолодя примется громко орать, требуя смены всего, так сказать, сантехнического оборудования. Если вы полагаете, что можно вытряхнуть наполнитель, помыть пластмассовый короб, и проблема будет решена, то ошибаетесь. Кот не успокоится, пока ему не поставят абсолютно новый поддон с решеткой. Теперь представляете, что началось, когда Фолодя обнаружил, что еноты осквернили все уголки его сакрального места?

Недолго думая, кот кинулся на Диззи с хорошо понятным желанием наказать его. Полоскун эмигрировал в гостиную, где в ту секунду находилась Лиззи. Енотиха при виде разъяренного, раздувшегося, как воздушный шар, Фолоди запаниковала. А что происходит, если животное неожиданно пугается? Правильно, у него начинается приступ медвежьей болезни. Слава богу, по размеру еноты не Топтыгины, но куча, оставленная Лизи, оказалась внушительной. Диззи не смог вовремя остановиться, наступил на то, что выпало из Лиззи, поскользнулся, упал, перемазался, вскочил...

Можно я не буду в мельчайших деталях и ярких красках описывать ход дальнейших событий?

И вот все обитатели дома пытались найти, куда спрятались загаженные еноты. Никто не собирался наказывать бедолаг, их просто хотели отмыть. За пять минут до моего появления Анфисе удалось выследить Диззи. Домработница шустро накинула на него плед, схватила добычу и швырнула в воду. Но вот незадача! В ванне почему-то оказался Фолодя.

— Кем надо быть, чтобы перепутать котика с Диззи? — возмутился Игорь.

Анфиса огрызнулась.

— Подумаешь, с каждым случиться может.

Лори опять принялась распылять дезодорант. Зоя Игнатьевна попыталась ее остановить, а я бочком-бочком выбралась в коридор и направилась на второй этаж. Мне не хотелось участвовать в происходящем. Сейчас спокойно умоюсь, улягусь баиньки...

В спальне отвратительно пахло, и я бросилась открывать балконную дверь, недоумевая, почему вонь в моей комнате намного интенсивнее, чем на первом этаже. Впустив в помещение свежий воздух, я наполнила ванну, налила в воду жидкое мыло, надела халат и решила разобрать постель. Сдернула покрывало и невольно завопила:

— Что это, черт побери, такое?

На одеяле, грязные, как шахтеры после многочасовой смены, тихо лежали Диззи и Лиззи. Не моргая, еноты смотрели на меня, а я уставилась на них. Некоторое время мы играли в гляделки, потом я молча сгребла зверушек, усадила их в теплую воду и строго сказала:

— Теперь стирайте друг друга до тех пор, пока шерсть не заскрипит. На бортике полно бутылочек с шампунями, вы прекрасно умеете их открывать.

Пока Диззи и Лиззи приводили себя в порядок, я поменяла белье и проветрила спальню. Затем пришлось тщательно вытирать и сушить феном мокрых любителей сыра. В общем, под одеялом я оказалась лишь в половине первого. Опустила голову на подушку и пробормотала:

— Все, воришки, ступайте к хозяину. Я спать хочу.

Сон начал заволакивать сознание туманом, руки и ноги потяжелели, я зевнула, устроилась поудобнее... И ощутила, как прямо у лица оказалась мягкая шерстяная масса, одуряюще пахнущая жасмином. Потом стало тяжело макушке, и в нос ударил аромат ванили. Еноты от души попользовались моими любимыми шампунями и теперь, очевидно, в знак благодарности, решили остаться у меня на ночь. Сил прогнать нахалов не было. Я заснула, окруженная енотами, и последней мыслью перед окончательным отбытием во владения Морфея было сожаление о том, что я не отняла у Диззи и Лиззи украденную ими из холодильника упаковку сыра.

Глава 10

В районе десяти утра я постучалась в дом Малининых, услышала, как кто-то изнутри отпирает замок, и только тогда сообразила, что мне предстоит спросить у Лены, сохранилась ли у нее прядь волос или молочные зубы погибшей дочки. Ну и как задать убитой горем матери такой вопрос? Может, уйти, пока меня никто не видел?

Створка распахнулась, на пороге возникла горничная. Из моей груди вырвался вздох облегчения.

— Здрас-сти, — сказала Екатерина, — дома никого нет. Елена Сергеевна и Светлана Петровна уехали в полицию, Андрюша в школе. Одна я на хозяйстве.

— Вы ведь давно у Малининых работаете? — спросила я.

— Скоро двадцать лет будет. А что? — насторожилась Катя.

— Скажите, пожалуйста, не хранит ли Лена что-то, принадлежавшее Асе? — забормотала я. — Некоторые мамы отстригают у малыша первый локон и кладут в медальон.

— Нет, — отрезала горничная.

— Может, осталась какая-то Асина вещь? — забубнила я. — Старая соска? Молочные зубки?

— Вы в курсе, что прежний дом хозяев сгорел? — сердито поинтересовалась Катя. — Юрий Иванович в одном белье выскочил, вынес Андрюшу. Все добро Малининых погибло. Простить себе не могу, что в тот день меня с ними не было. Отпуск мне дали, отправили отдыхать в Эмираты на две недели. Я компьютером не пользуюсь, а звонить им хозяева запретили, Елена Сергеевна сказала: «Забудь о работе, купайся, загорай, за все заплачено». Ну, я и выполнила приказ. А когда вернулась...

Екатерина махнула рукой. Помолчав немного, спросила:

— Зачем вам вещи Аси?

Я колебалась некоторое время, но потом рассказала о белокурой прядке, упавшей с ели, и о девочке, посещавшей Малинина. Но о своей встрече с ней промолчала.

Катя перекрестилась.

— Чушь вам в голову взбрела. Мертвые из могил не встают.

— Верно, — согласилась я. — Но Юра-то был не сумасшедший, он видел живую девочку. Вот я и подумала, вдруг она, убегая, оставила волосы на ветке, а они потом упали к моим ногам? Найденный локон доказывает, что Малинину ничего не мерещилось, кого-то он видел. Вопрос: кого? По волосам можно установить личность человека. Я отнесла локон эксперту, а тот, редкостный зануда, желает действовать исключительно по инструкции, которая предписывает исключить из списка подозреваемых Асю. Бред, конечно, но он настаивает на своем, поэтому я и пришла. Надеюсь найти у вас что-то от погибшего ребенка. Понимаю, это звучит по-идиотски, но...

Катя слушала меня, прикрыв рот ладошкой, а тут, не выдержав, перебила:

— Думаете, Ася жива? Приходила к папе? Господи, спаси и сохрани!

— Нет, бедная девочка погибла, — остановила я домработницу. — А Малинин не прыгал сам с балкона. Он упал, когда пытался схватить девочку, которая прикидывалась его дочерью.

— Боже мой! — прошептала Катя. — Вот жуть! Зачем кому-то пугать Юрия Ивановича? Хозяин был очень хороший человек, просто замечательный.

— Ребенок к нему точно приходил, — продолжала я, — но не Ася, кто-то другой. Отец потянулся к малышке и свалился с балкона. Малинина нарочно пугали, смерть Юрия — не суицид, не несчастный случай, а хорошо спланированное убийство, циничное и жестокое.

Я задохнулась от нахлынувших эмоций. Катя начала ломать пальцы на руках.

— Девочка? На дереве? Ночью? Ася была очень маленькой, на четыре года не выглядела. Посторонние люди, увидев ее, очень удивлялись, говорили: «Такая крошечная!» Если на дереве находилась малышка, которую хотели выдать за дочь Малинина, ей должно быть не более трех лет. Как такая крошка могла лазить по елкам?

— Понятия не имею! — воскликнула я. — Но знаю точно: Юра не мог покончить с собой. Прядь волос — единственное доказательство преступного умысла, это улика. Эксперт хочет убедиться, что локон не принадлежал Асе. Понимаю, утверждать, будто к Малинину являлась умершая дочь, абсурдно, но нужно исключить все возможные и невозможные версии. Когда злоумышленника вычислят, локон станет уликой против него. Что-то мне подсказывает, что негодяй срезал его у кого-то из членов своей семьи или у друзей.

Катя выпрямилась и вдруг зевнула.

— Встречаются же на свете сволочи! Убивать таких мало! Очень хочу вам помочь, но не могу. Ничего от Асеньки не осталось. Хотя... Когда она появилась на свет, Юрий Иванович нанял няню, Веронику Егоровну Балкину. Приятная такая женщина, аккуратная, исполнительная. Год она у нас проработала, а потом ее уволили. Недоглядела за малышкой, та чуть в горящий камин не попала. У Вероники было хобби — она делала из бисера колечки, браслеты, цепочки, умела жениха приманить.

— Жениха приманить? — не поняла я. — Вы о чем?

Домработница улыбнулась.

— Наблюдала я, как Ника изделия мастерит, симпатичные получались. А про то, что она привороты делает, случайно узнала. Один раз я приметила, как Вероника через ограду с какой-то теткой переговаривается, берет у нее пакетик, ну и сделала ей замечание. Малининым могло не понравиться, что нянька с посторонними общается. Балкина смутилась, стала просить ничего хозяевам не сообщать. И призналась, что умеет мужиков привораживать. Ей для этого требуются волосы парня, которые надо вплести в украшение. Колечко или браслетик нужно носить не снимая, тогда объект твоей страсти непременно обратит на тебя внимание.

— Вот глупость! — вырвалось у меня.

— Кое-кто в это верит, — вздохнула Катя и отвела глаза. — Сейчас я подумала: вдруг это Ника решила так хозяину отомстить? Она же с детьми работает, обучила, может, кого.

— За что Балкиной ненавидеть Малинина? — не поняла я.

Екатерина зевнула и спрятала руки под фартук.

— Когда Юрий Иванович про камин узнал, он категорично сказал няне: «Вы у нас больше не работаете, собирайте вещи и не ждите хорошей рекомендации». Вероника Егоровна спорить не стала, только попросила разрешения покинуть дом на следующее утро. Происшествие-то с девочкой случилось вечером. Малинин разрешил, няня укатила в полдень, за ней сын приехал. Стоило машине со двора тронуться, как Ася в истерике заколотилась. И рыдала сутки. Елена Сергеевна даже врача вызвала. Никогда раньше с девочкой ничего подобного не случалось. Еле-еле малышку успокоили. Она потом неделю кислая ходила, хныкала, спала плохо, ела кое-как. Доктора говорили про вирус, лекарств понавыписывали гору. Ася выздоровела, я о том случае совсем забыла, а сейчас он на ум пришел, и вопрос возник: что, если Вероника у Асеньки прядку волос взяла и в колечко вплела, привязала к себе девочку? Сама дом покинула, а ребеночек от тоски по няньке чуть Богу душу не отдал. Вероятно, Вероника Егоровна рассчитывала, что увидят родители, как Ася по ней убивается, и ее назад кликнут. Малинин хорошо Балкиной платил, подарки делал. Обидно такое место потерять.

— Нет ли у вас адреса Балкиной? — оживилась я.

— Сейчас скажу, — пообещала Катя и снова зевнула, — и телефон дам. Но данные старые, я не в курсе, живет ли Вероника на прежнем месте и тот ли у нее сотовый. Уж извините, спать все время хочется, прямо справиться с собой не могу. На нас с Андрюшей в последнее время сонная болезнь какая-то напала, в мае началось. Я обычно в девять кефирчику выпью, Андрею его любимый йогурт вручу, он его в кровати перед сном пить любит, и в своей спальне телик смотрю. Елена Сергеевна у нас интернет-человек, она в компьютерах, как профессионал, ориентируется. Увлеклась Сетью после гибели Аси и теперь постоянно в свободное время перед монитором сидит. Юрия Ивановича это не раздражало, он жене всякие новомодные штуки покупал. У Елены и ноутбук есть, и такой, в виде экранчика, в него еще пальцем тычут, как его...

— Айпад, — подсказала я.

— Точно! — подхватила Катя. — К чему я про любовь хозяйки к Интернету вспомнила? А, телевизор... Елена Сергеевна какую-то черную коробочку к моему телику подсоединила и пульт дала, я теперь все-все фильмы в удобное для себя время гляжу, не волнуюсь, что из-за работы очередную серию пропущу. А в мае меня сон валить начал. Лягу в кровать, включу кино и — брык, уже дрыхну. С Андрюшей то же самое происходит. Я его иногда по утрам поднять не могу, трясу, а он глаз разлепить не в состоянии. Потом оба весь день напролет зеваем.

— Может, вам витамины попить? — предложила я. — Слышала, что их нехватка приводит к сонливости.

— У нас в доме есть и фрукты, и овощи, — протянула Катя, — всего в избытке.

— Сейчас, к сожалению, из пищи нужного количества витаминов не получишь, — вздохнула я, — надо принимать аптечные препараты.

Катя поправила упавшую на щеку прядь волос.

— Наверное, стоит купить. Елене Сергеевне тоже предложу, а то и она с начала мая в девять вечера уже в спальню уходит, говорит: «Пойду прилягу, сморило меня».

— Посоветуйтесь со Светланой Петровной. Подруга Малининой — врач, подскажет, какое средство лучше, — сказала я.

Катя поджала губы.

— Я ее совсем не знаю. Имя слышала, в курсе, что Елена к ней на прием долго ходила, а потом они подружились, но сюда Светлана Петровна ранее не прикатывала. Хозяйка с ней по Интернету общалась и в городе встречалась. Воочию Терентьеву я только в день смерти Юрия Ивановича увидела, утром. Ей Елена Сергеевна в панике позвонила, вот она и примчалась. Сейчас распоряжается в доме, словно это она здесь хозяйка. Елена Сергеевна хороший человек, только слабая, за нее все муж решал. Ей командир нужен, вожатый, она привыкла подчиняться, совсем несамостоятельная. А Терентьева прямо генерал. Вы правы, надо витамины пить. А то чехарда какая-то с организмом. С мая месяца я от сонливости мучилась, а вчера, наоборот, сна ни в одном глазу, промаялась до четырех утра. Теперь вот опять зеваю. Чего-то в организме не хватает, вот он и капризничает. Погодите минутку, сейчас координаты Балкиной сообщу...

Глава 11

Не успела я нажать на звонок, как металлическая дверь распахнулась и на пороге появилась опиравшаяся на костыль симпатичная женщина лет шестидесяти. Она приветливо спросила:

— Вы Даша?

— Да. Мы недавно разговаривали по телефону, вы разрешили приехать к вам в любое время, сказали, что целый день сегодня дома, — ответила я.

— И завтра, и через неделю тоже, — усмехнулась Вероника Егоровна, приподнимая палку. — Куда с такой ногой?

— Очень вам сочувствую! — искренне воскликнула я. — Хуже нет сломать что-нибудь.

Хозяйка поковыляла в глубь квартиры.

— Пойдемте на кухню. Мне операцию сделали, мениск удалили, — пояснила она на ходу, — вот и прыгаю, словно подбитая ворона. Неудобно, но пережить можно. Хотите чаю?

— Не стоит вам вокруг незваной гостьи хлопотать, — смутилась я.

— Экий труд — в чашку пакетик бросить, — улыбнулась бывшая няня Аси. — Так что случилось? Вы сказали, речь пойдет о Малининых. Вроде у них беда и я могу помочь?

— Сейчас изложу все по порядку, — пообещала я и начала рассказ.

Балкина ни разу не перебила меня. А когда я наконец замолчала, со вздохом произнесла:

— Действительно, я умею привязывать людей друг к другу. Можно верить в это или нет, но метод работает. Только я всегда предупреждаю: женатых из семьи не увожу. Вот если мужчина свободен, то — пожалуйста. Несите прядь его волос, сделаю колечко, браслет, цепочку, вплету туда локон, и очень скоро парень заинтересованно посмотрит в вашу сторону. Ну, а уж дальше все зависит от женщины. Как она себя поведет, так события и развернутся. Но детей привораживать нельзя. Асенька рыдала не потому, что я ушла. У нее, наверное, обожженная ручка болела. Ну и испугалась она, вероятно... Да ладно, это дела давно минувших лет.

— Пожалуйста, если вы что-то знаете, расскажите! — взмолилась я. — Лене сейчас очень плохо, она потеряла любимого мужа, до этого лишилась падчери. Вполне вероятно, что Юру специально пугали, хотели довести до самоубийства.

Вероника Егоровна взяла в руки чайник.

— Могу подтвердить, что Елена действительно очень любила Юрия и Асю. А вот к Андрюше относилась... Прямо не знаю, как и сказать, тут надо очень правильно подобрать слово. Холодно? Нет, не подходит. Мать заботилась о мальчике, тот всегда был накормлен, одет, обут. Лена тщательно следила за успехами сына в школе, едва тот стал получать тройки, наняла ему репетиторов. Андрея не обижали, не третировали... Но я никогда не видела на лице Елены такого выражения, какое бывает у матери, когда она смотрит на обожаемого ребенка. Малинина в моем присутствии ни разу не повысила на сына голос, не шлепнула его. Вот сейчас мне пришли на ум, что Елена Сергеевна вела себя по отношению к Андрейке, как безукоризненная, профессиональная няня, все делала правильно, вовремя и тщательно. Нанятый воспитатель не имеет права выходить из себя, он корректен, и Елена была именно такой. Она первая не целовала и не обнимала мальчика. Если Андрей подходил к ней приласкаться, возникала секундная пауза, потом мать гладила его по голове или плечу. Мне казалось, что Малининой приходилось мысленно говорить себе: «А ну, сейчас же продемонстрируй любовь», и тогда ее руки протягивались к Андрюше.

Вероника на секунду замолчала, что-то явно припоминая. Затем продолжила:

— И вот еще что. Она сохраняла трезвую голову в такой момент, когда любая мать закатит истерику. Однажды Андрюша упал с велосипеда и сильно поранил колени. Мальчик весь в слезах, с окровавленными ногами вошел в дом. Домработница Катя схватилась за сердце и закричала: «Боже! Ребенок убился насмерть! Помогите! Врача!» Я тоже в первый момент растерялась, хотя по образованию медсестра, в детской больнице не один год проработала, насмотрелась на травмы. Одна Елена повела себя безукоризненно правильно. Она велела Кате заткнуться, приказала мне принести в ванную необходимые средства, мы вдвоем промыли раны ребенка, обработали их. Потом Лена повезла мальчика в больницу сделать на всякий случай рентген и прививку от столбняка. Мать действовала совершенно разумно, но... Понимаете, я видела стольких родительниц в кабинете у хирурга, и все словно из одного яйца вылупились. Попросишь их: «Подержите ребенка, пока я брюки на его ноге разрежу», они начинают плакать: «Ой, ой, не могу ему больно сделать. Ой, ой, не мучайте моего малыша. Ой, может, не делать укол от столбняка? Это же так больно». От матерей никакой помощи медсестре, лучше их вообще в кабинет не впускать. А Елена недрогнувшей рукой убирала губкой грязь с разбитых ног незадачливого велогонщика. Андрюша начал рыдать, а она остановила его: «Мужчины никогда не хнычут. Если сейчас не удалить землю из раны, может начаться нагноение, бактерии проникнут в кровь. Потерпи. Ты же хотел радиоуправляемый вертолет? Я его тебе куплю, когда будем возвращаться из клиники домой. Если проявишь мужество — самый большой летательный аппарат твой». И она действительно приобрела ему игрушку. Андрюша потом мне признался: «Очень больно было, но я старался не плакать, хотел «Черную акулу» получить». Ну какая мать сохранит самообладание, когда окровавленный ребенок заливается слезами?

Я решила защитить Лену.

— Наверное, та, которая понимает, что ее истерика напугает сына и ни к чему хорошему не приведет. В момент опасности необходимо сконцентрироваться, взять себя в руки и действовать хладнокровно. Очень похвально, что Лена не принадлежит к категории истеричек.

Вероника Егоровна кашлянула.

— Через месяц после падения Андрюши Ася стукнулась лбом о пол. Девочка сидела на одеяльце, потянулась за игрушкой и не удержала равновесия. Ничего ужасного не случилось, но малышка зарыдала, в основном от обиды, больно ей вряд ли было. Лена в тот момент оказалась неподалеку. Услышав вопль дочери, она примчалась в детскую, увидела слезы на личике Аси и закричала: «Скорей звоните врачу! У малышки сотрясение мозга, ей плохо! Господи, доченька моя...» Потом мать бросилась к уже замолчавшей девочке, начала ее целовать, тискать, плакать, ругать меня, домработницу, Андрюшу, который в недобрый час заглянул в комнату — посмотреть, что произошло. Досталось всем. Хозяйка рвала и метала, напугала Асю, и та истошно заревела. Через час в дом прибыли три профессора — хирург, невропатолог и терапевт. Все в один голос заверили: здоровью крошки ничто не угрожает, даже синяка не будет. Но Лена все равно остаток дня носила дочь на руках, а спать ее уложила в свою постель. В общем, хочу отметить, что по какой-то причине Елена Сергеевна относилась к сыну прохладно, а к дочери совсем иначе. В первом случае она была безупречным воспитателем, а во втором — сумасшедшей, без памяти любящей свое дитя матерью. Андрей это чувствовал, потому и случилось...

Вероника Егоровна быстро захлопнула рот, но я была начеку.

— Что случилось?

Бывшая няня снова закашлялась. Потом все же решила продолжить разговор:

— Андрюша немного упрямый мальчик, способен вредничать, лениться. Но у нас с ним сложились доверительные отношения. Я понимала, что он отчаянно ревнует родителей к сестре. Он увидел, как могут любить ребенка, и еле-еле справлялся со своими эмоциями. Когда Лена или Юра целовали, ласкали дочку, у Андрея в глазах мелькало... Ну, что-то нехорошее... Скажите, Даша, у вас есть в доме камин?

Я кивнула.

— Да. Один на первом этаже в гостиной, другой в моей спальне.

— Пламя открытое? — продолжила любопытствовать Вероника Егоровна.

— Конечно, нет. Сейчас же не восемнадцатый век, — улыбнулась я. — Никому не хочется устроить пожар и вдыхать дым, который даже при хорошей тяге пойдет в комнату. Сейчас топки закрыты.

— Верно, — согласилась Балкина. — И у Малининых был именно такой камин. Чтобы открыть стеклянную дверцу, требовалось сначала нажать на ручку, слегка утопить ее, а потом резко поднять. Операция не из простых, заслонка идет вверх тяжело, это сделано специально для того, чтобы дети не могли обжечься. А вот вниз заслонка, если не придержать, не зацепить за специальное крепление, падает мгновенно. Производители топок сделали все возможное, чтобы исключить несчастный случай с ребенком. Когда Ася чуть не угодила в огонь, ей исполнился год и один месяц. Скажите, могла крошка сама проделать сложную операцию по открытию дверцы? Нажать на ручку, поднять ее, толкнуть заслонку вверх, закрепить... А защитный экран, когда я подбежала, стоял на стопоре.

— Нет, — обескураженно протянула я, — это маловероятно. Может, камин случайно не закрыли?

Вероника Егоровна начала переставлять на столе чашки.

— Мы сидели с Асей в гостиной, я читала ей книгу. Камин находился в полном порядке, пламя билось за стеклянной загородкой. Потом девочка намочила памперс. Я оставила ее на диване и пошла за сухими штанишками, отсутствовала менее пяти минут. Каким макаром Ася успела слезть с софы и добраться до огня?

— Ну... маленькие дети необычайно проворны, — пробормотала я. — Ахнуть не успеешь, как натворят дел.

Няня отвернулась к окну.

— А вот мне в голову пришло другое. Когда Юрий Иванович объявил мне об увольнении, я попросила разрешения переночевать в доме, но вовсе не потому, что побоялась уйти поздним вечером, а хотела побеседовать с Андреем. И около полуночи тайком вошла в спальню к мальчику. Знаете, он меня ждал. Сразу заплакал, стал просить прощения. Меня охватил ужас.

— Хотите сказать, что брат не вытаскивал сестру из огня, а, наоборот, толкал в него? Когда же в гостиную вбежали вы, мальчик прикинулся спасителем?

Вероника Егоровна перекрестилась.

— Господь с вами! Андрейка не убийца. Нет, он задумал стать в глазах родителей героем. Решил, если изобразит, что храбро вытащил Асю из жарко пылающей топки, его похвалят, расцелуют, купят подарки, то есть наконец-то он получит столь необходимое ему внимание и поощрение от родителей.

— Ну и ну! — только и сумела произнести я. — Почему взрослые не задались вопросом, как Ася открыла топку?

Бывшая няня развела руками.

— Елена страшно перенервничала, накричала на меня. Между прочим, совершенно справедливо, я не имела права оставлять малышку. Мать не думала ни о чем, кроме как о дочери. Когда с работы вернулся Юрий Иванович, он впал в ярость. А Андрей сказал: «Я сидел в столовой, увидел, что Ася лезет в огонь, и помчался к ней». У Малининых столовая и гостиная являлись по сути одним пространством, просто обеденная зона была чуть приподнята. Родителям и в голову не могло прийти, что маленький мальчик способен столь изощренно лгать. Кроме того, они никогда не понимали, что творится у сына в душе.

— И вы просто ушли? — поразилась я. — Не сообщили старшим Малининым правду?

— Нет, — вздохнула Балкина. — Пожалела ребенка. Андрюша напугался до смерти. По малолетству он не подумал, что меня выпрут, плакал, умолял о прощении. Выложил мне все свои детские обиды и тайны. Я узнала про каких-то старшеклассников, которые его третируют на переменах, отнимают сокровища вроде наклеек и жвачки. О детях из параллельного класса, которые мучителям других малышей прислуживают, поняла, что Андрейка мечтает стать одним из таких ребят-лакеев, потому что их все уважают из-за близости к хулиганам. Услышала про учительницу математики, обзывающую Андрюшу «Пифагор без тормоза», выяснила, как он боится диктантов, контрольных работ и разных проверок, а еще больше дрожит перед родителями. Мать хочет видеть в дневнике сына только пятерки, а отец получил в свое время золотую медаль и удивляется, зачем сыну нужны репетиторы. Я поняла, в какой ад превратится жизнь ребенка, если истина выплывет наружу, и покинула дом Малининых без сожалений.

— Не всякий человек так поступит, — пробормотала я.

Вероника Егоровна пожала плечами.

— Мне нравился мальчик. Но у них в семье что-то неладно. Не спрашивайте, что именно, понятия не имею. Я, грешным делом, подумала, вдруг Андрей неродной сын Малининых. Знаете, как бывает — не может женщина родить, семья берет малыша из детдома, а потом раз — и наступает долгожданная беременность. Но однажды в гости к хозяевам приехала подруга Лены и давай умиляться, глядя на мальчика: «Ах, как ты вырос! До чего на папу-маму похож. Родинка на щечке, как у Леночки, ушки с раздвоенной мочкой, как у папы. Ой, помню, как мы тебя из роддома забирали! Я в кулек с новорожденным глянула, а оттуда Ленины глаза смотрят». Ну и так далее. Я после ее отъезда повнимательней к Андрею присмотрелась и поняла: общая у всех Малининых кровь, верно знакомая Елены Сергеевны подметила. И родинка у него, как у мамы, и уши странные, внизу раздваиваются, от отца достались. Очень надеюсь, что взрослые поняли свои ошибки и стали к Андрейке лучше относиться.

— После гибели Аси Лена мальчика от себя вообще не отпускает, — брякнула я и замерла.

Очевидно, все мысли были написаны на моем лице, потому что Вероника Егоровна решительно произнесла:

— Господи! Конечно, нет! Андрей не способен на такое. Он любил Асю и никогда не нанес бы сестре вреда. В газетах много писали о том пожаре, он вспыхнул из-за проблем с электропроводкой. По малолетству Андрюша хотел изобразить из себя героя, но, став постарше, он бы подобное не совершил. Мальчик, еще разговаривая со мной, понял, что натворил. Я принесла из своей комнаты икону и заставила его на ней поклясться, что более он никогда не станет рисковать чужой жизнью. Извините, наверное, я ничем вам не помогла. Волос или каких-либо вещей Аси у меня нет.

— Это я должна просить у вас прощения за то, что отвлекла от дел, — возразила я, направляясь в прихожую. — Скажите, Юрий Иванович вас вот так просто рассчитал, и все? Тихо и мирно расстались? Он не угрожал вам?

Вероника Егоровна взяла костыль в другую руку.

— Сначала он рассвирепел, хотел мои вещи в окно вышвырнуть. Но его остановила Катя.

— Домработница? — удивилась я.

— Да, — кивнула Балкина. — Екатерина имеет огромное влияние на хозяев, она не простая прислуга, а как бы член семьи, к ее мнению прислушиваются. Не знаю, как сейчас, но раньше, когда я няней при Асе состояла, Катя все хозяйство твердой рукой вела. Елена Сергеевна на кухню даже не совалась. Екатерина сама решала, что домашние едят-пьют, следила за гардеробом Андрюши, покупала ему одежду. Хотите мой совет? Разговорите горничную, она в курсе всех проблем Малининых. Катя больше Андрейку любила. Нет, она прекрасно относилась к девочке, но мальчика обожала, и это бросалось в глаза.

Когда бывшая няня договаривала последние слова, в моем кармане затрещал мобильный. Я вынула трубку и увидела на экране слова «Никита Лавренев».

Глава 12

С экспертом я связалась, сев в машину. Сразу сказала ему:

— К сожалению, никаких вещей девочки не осталось. Но мне в голову пришла идея: Ася, как все маленькие дети, наблюдалась у педиатра. Если я найду ее историю болезни, то...

— Не надо, — перебил Лавренев. — Прядь не принадлежит ребенку Малининых. Волосы, представленные вами, взяты с головы Марины Бойко.

На секунду я оторопела, а потом начала сыпать вопросами:

— С чьей головы? Кто она такая, эта Марина?

Никита откашлялся.

— Мне запрещено давать рабочую информацию по телефону. Подъезжайте вечером в кафе «Синий фламинго», там и побеседуем.

— До вечера долго ждать, — возразила я.

— Не могу нарушать инструкцию, — отрезал Никита, чем до крайности обозлил меня.

— Полагаю, вам так же не разрешено использовать лабораторное оборудование в личных целях и брать левый гонорар. Сказав «а», следует произнести и «б». Выкладывайте, что выяснили, деньги вы получили сполна.

Никита издал смешок.

— Меня предупредили, что у вас крутой характер.

— Точно, — подтвердила я. — И его крутость в том, что, отдав энную сумму, я хочу получить взамен заранее оговоренную услугу. Начинайте.

Лавренев откашлялся.

— Хорошо. Марина Бойко, двадцать один год, блондинка, глаза голубые, рост метр восемьдесят, вес пятьдесят три килограмма, работала танцовщицей в клубе «Дансинг». Пропала пять лет назад. Проживала вместе с гражданским мужем Федором Скуковым, управляющим вышеупомянутого заведения. Его убили через четыре месяца после исчезновения Бойко.

— Как вы догадались, что принесенная мною прядь с головы Марины? — недоумевала я.

Лавренев чихнул прямо в трубку.

— Лаборатория существует при коммерческом объединении, которое занимается разными проблемами, в том числе и поиском пропавших. К нам обратились родители Бойко, они принесли образцы ДНК дочери.

— Зачем? — снова не поняла я.

— Не всегда найденное тело можно опознать визуально, — объяснил эксперт. — Если труп пролежал...

— Понятно, спасибо, — остановила я его.

— В нашей базе хранятся материалы по Бойко, — продолжал Лавренев. — Отец и мать девушки до сих пор надеются установить, что случилось с дочерью. Я просто прогнал результат исследования волос по базе, и выпало совпадение. Можно утверждать, что Эмма Глебовна Бойко и Марина Викторовна Бойко — мать и дочь.

— Так исчезнувшая жива? — воскликнула я.

— На этот вопрос ответа нет, — меланхолично произнес Лавренев.

Я решила заехать с другой стороны:

— А сколько лет волосам?

— Уточните вопрос, — попросил Никита. — Что вы имеете в виду: какое время они росли на голове или когда их срезали?

Я подпрыгнула на сиденье от нетерпения.

— Второе.

— Здесь я бессилен, — признался Никита. — Правда, недавно был предложен метод, основанный на деградации ДНК из корней волос. Давность до трех месяцев теоретически можно установить. Но до практического применения метода семь верст лесом скакать.

Я приуныла, но быстро сообразила, как действовать дальше.

— Дайте телефон родных Бойко.

— Ну... — протянул Лавренев.

— За отдельную плату, — живо добавила я.

— Нет, — отказал эксперт, — данную услугу я оказать не могу. Если еще понадоблюсь, обращайтесь.

Я подержала в руке пищащую трубку, потом позвонила Сергею Дьяченко и попросила:

— Помоги отыскать адрес Эммы Глебовны Бойко. Года рождения не знаю, вероятно, женщина не моложе сорока и не старше шестидесяти пяти лет.

Имя не самое распространенное, думаю, в Москве дам с таким именем немного. Пожалуйста, не говори, что трудно посмотреть в компьютере. Это даже я могу сделать, если приобрету нужную программу. Просто времени нет.

Сережа засопел, зашуршал чем-то, потом официальным тоном заявил:

— Искомое лицо скончалось четыре месяца назад. Проживало по адресу: Дегтярный переулок, дом пятнадцать.

Я приуныла, но решила не терять надежды:

— А муж Бойко жив?

Дьяченко закряхтел, несколько раз кашлянул и заявил:

— Зарегистрированный по тому же адресу Виктор Юрьевич Бойко умер... погоди... Они с женой отправились на тот свет в один день. Может, попали в аварию?

— Спасибо, — мрачно поблагодарила я приятеля, понимая, что тоненькая ниточка оборвалась.

— Пожалуйста. Остальные тебе не нужны? — вдруг спросил Сергей.

Я вздрогнула.

— Кто?

— В квартире также прописаны Глеб Викторович Бойко и Анжела Михайловна Осипова, — объяснил Дьяченко. — Первый — сын умерших, а вторая, полагаю, их невестка. Была еще Марина Викторовна, но она тоже покойница.

— Дай мне их телефон! — закричала я. — Вернее, все номера, по которым можно отыскать Глеба и Анжелу.

— Зачем они тебе? — решил позанудничать подчиненный Дегтярева.

— Немедленно называй номера! — потребовала я. — Найди домашний и мобильные. Если ты этого в ближайший час не сделаешь, я навру Александру Михайловичу, что ты в его отсутствие катался на рыбалку с Андреем Владимировичем Гудковым, главным недоброжелателем Дегтярева, на все выходные.

— Полковник тебе не поверит, — без особой уверенности в голосе заявил приятель.

— Отлично знаешь, как я бываю убедительна и прекрасно нахожу аргументы для Александра Михайловича, — наседала я. — Кстати! Сама могу нарыть информацию, умею пользоваться Интернетом, просто ноутбука под рукой нет.

— Зачем сразу в бутылку лезть? — забубнил Дьяченко. — Я же тебе не отказал. Интеллигентная женщина, а шантажом занимаешься. Сейчас эсэмэской инфу пришлю.

— Спасибо, — обрадовалась я. — И еще малюсенькая просьбочка. Проверь там по своим замечательным базам бизнесмена Юрия Ивановича Малинина, проживающего в Ложкине. Конфликтовал ли он с законом, может, был осужден или стал жертвой преступников. Очень-очень-очень надо!

— М-м-м... — пробормотал Сергей.

— Буду твоей должницей, — не останавливалась я. — Если понадобится моя помощь по любому вопросу, только свистни. Когда Александр Михайлович вернется из Испании, скажу ему, что ты Гудкову в салат пузырек слабительного вылил.

— Ну когда ты повзрослеешь? — фыркнул Дьяченко. — Детский сад, штаны на лямках. Мне такая глупость в голову не взбредет. Я лучше колесо у его машины проколю или картошку в выхлопную трубу засуну.

* * *

Глеб Викторович не отзывался, его телефон на французском языке сообщал о недоступности абонента. Похоже, брат Марины находился за границей. А вот его жена ответила сразу. Я услышала протяжное: «Аллоу», — и быстро представилась:

— Добрый день, вас беспокоит Даша Васильева. Мы с вами...

— О! Рада вас слышать! — неожиданно зачастила Осипова. — Сколько лет, сколько зим! Давненько не встречались. Я уж нервничать начала, где моя дорогая Дашенька, не случилось ли чего, не заболела ли? Хотела позвонить, но постеснялась, еще подумаете, что я навязываю свои услуги. Хотите сегодня подъехать? После обеда у меня образовалось окошко, с четырнадцати до восемнадцати. Нам хватит времени.

— М-м-м... — пробормотала я, сообразив, что Анжела, видимо, с кем-то меня перепутала. — Хорошо. А где вы находитесь?

— Только не говорите, что забыли наш адрес! — засмеялась Осипова. — Иначе я зарыдаю от горя.

— Конечно, нет, — начала выкручиваться я, — но офисы иногда переезжают.

— Мы на старом месте, — удивленно ответила Анжела. — Универмаг «Мум», последний этаж, вип-зона. Жду не дождусь нашей встречи.

Я завела мотор своей букашки. «Мум»? Випзона? Когда Зайка работала на телевидении ведущей спортивной программы, она довольно часто ездила в старейший магазин Москвы, открытый еще в царские времена. У кабельного канала, где трудилась Ольга, был договор с торговым домом, он давал напрокат звездам эфира одежду для работы. Зайка тогда находилась на пике славы, у нее брали автографы на улицах, и, естественно, «Мум» предоставил ей особое обслуживание. Помнится, я несколько раз каталась с женой Кеши в «Мум» и вроде даже купила там пару-тройку вещей.

Добравшись до места и оставив машину на подземной парковке, я вознеслась на лифте, увидела даму в элегантном костюме, сидевшую за столом, и сказала:

— Я к Анжеле Михайловне Осиповой.

Администратор бросила взгляд на экран ноутбука и залучилась сладкой улыбкой.

— Рады видеть вас снова, госпожа Васильева! Анжела вся в нетерпении.

Реакция дежурной меня не удивила. Конечно, она не может запомнить всех клиентов вип-зоны, в особенности тех, чьи лица не мелькают на телеэкране, а фото не тиражируются прессой. Просто Осипова предупредила администратора, что скоро к ней придет Дарья Васильева. Теперь сотрудница ресепшен изображает, будто отлично знает неизвестную ей посетительницу.

— А вот и Анжела! — защебетала дежурная.

Я повернула голову. Ко мне спешила стройная блондинка в голубом платье. Безупречно сшитый наряд деликатно прикрывал ее колени, не обнажал руки, не имел декольте, его украшала лишь скромная нитка жемчуга. Серьги Анжелы были в пару к ожерелью, часов, браслетов и колец она не носила. Большие синие глаза Осиповой подчеркивались тонкой подводкой, на губах переливался розовый блеск. Ни капли вульгарности, ни налета агрессивной сексуальности. Просто элегантно одетая продавщица, не пытающаяся с помощью украшений и тряпок встать на одну доску с богатыми и знаменитыми клиентами.

Глава 13

— Дорогая Дашенька, — зачастила Анжела, — ну наконец-то мы снова увиделись. Пойдемте скорей. Помня ваши пристрастия, я взяла на себя смелость кое-что отобрать. Лариса, принесите чаю, черного с лимоном. Дашенька не очень любит кофе и никогда не пьет растворимый. Так ведь?

Я, изумленная, кивнула. Анжела привела меня в просторное помещение с зеркальными стенами, усадила на бархатный диван и вдруг спросила:

— Как Машенька?

— Прекрасно, — пробормотала я, — она сейчас в Париже учится.

— Да, да, — закивала Осипова, — мы с Заюшкой иногда по скайпу болтаем. Вы, наверное, скучаете по детям и по собакам тоже. Я обожаю Хуча! Самый очаровательный мопс в мире!

Я закашлялась. Хорошо, что именно в этот момент появилась худенькая девушка с подносом, и я начала судорожно глотать чай.

— Наверное, вы устали? — заботливо осведомилась Анжела. — Отдохните немного, и посмотрим шмоточки. Помнится, в прошлый раз, когда вы были у меня вместе с Заюшкой, она купила зеленый брючный костюм. Вам он тоже очень понравился, а я вас отговорила от покупки. Не обижайтесь, Дашенька, но цвет юного салата здорово бледнит. И, между нами говоря, надеюсь, меня никогда не услышит наш босс Олег Семенович, зачем вам брать то, что есть у невестки? Если захочется облачиться в зеленое, спокойно пойдете в ее гардеробную и натянете Заюшкины брючки. Фигуры-то у вас одинаковые!

В моем мозгу стали оживать воспоминания. Действительно, мы с Ольгой как-то приехали в «Мум», и я помню тот костюм цвета молодого огурца.

Я хотела поддержать беседу о вещах, но неожиданно ляпнула:

— Вы родственница Марины Викторовны Бойко?

Анжела замерла. Потом тихо ответила:

— Да. Откуда вы знаете?

Я одним глотком допила чай.

— Сестра вашего мужа пропала несколько лет назад. Вы не в курсе, где она сейчас? Почему-то в документах указано о смерти Марины. Думаю, это ошибка.

Осипова села в кресло.

— Дашенька, вы пришли не за обновками, так?

Я смутилась.

— Извините, но когда я набирала номер вашего телефона, не предполагала, к кому попаду. Эмма Глебовна и Виктор Юрьевич умерли. Глеб Викторович, похоже, за границей. А вы ответили и сразу меня узнали.

Анжела положила ногу на ногу.

— Муж сейчас в Марселе на конференции. Свекор со свекровью погибли в автокатастрофе. Судьба Марины неизвестна до сих пор. Однажды вечером она ушла из дома и больше не вернулась. Отец с матерью искали ее, обращались к разным специалистам, нанимали частных детективов, ходили к экстрасенсам, колдунам, уйму денег потратили, и все зря. Девушку признали умершей. Почему вы ею интересуетесь?

— Она потеряла в моем саду прядь волос, — ответила я и, лишь сказав это, поняла, как глупо прозвучала фраза.

Анжела вздрогнула и обхватила себя руками.

— Когда?

Мне не хотелось отвечать точно.

— Ну... совсем недавно.

Осипова затряслась, потом вскочила и, пробормотав:

— Простите, пожалуйста, мне надо лекарство принять, — вышла из комнаты.

Я незамедлительно поднялась, выглянула в коридор, увидела дверь с табличкой «WC для дам», толкнула ее и очутилась в большом предбаннике, отделанном розовой плиткой. Из одной закрытой кабинки раздалось попискивание, затем тихий голос Анжелы произнес:

— Борис Леонидович, это Осипова. Где Марина? Вы уверены? Фу-у... Нет, просто одна особа глупостей наболтала и напугала меня. Конечно, понимаю. Да, естественно, но я на секунду поверила, что невестка могла сбежать. Извините! Конечно. Спасибо.

Я молча слушала не предназначенную для моих ушей беседу. Ну почему большинство женщин поступает так глупо? По какой причине они торопятся в сортир, если хотят с кем-нибудь поговорить по телефону без свидетелей? Отчего полагают, что гарантированно сохранят тайну, закрывшись в закутке с унитазом? Это напоминает поведение страуса, который, спрятав голову в песок, чувствует себя в полнейшей безопасности.

Послышался шум спускаемой воды, дверь распахнулась, из кабинки выпорхнула повеселевшая Анжела. Но уже через секунду после того, как она заметила меня возле рукомойника, улыбка сползла с ее безукоризненно накрашенного лица.

И все же надо отдать ей должное. Осипова мгновенно взяла себя в руки и фальшиво-радостно защебетала:

— Дашенька! Простите, я оставила вас на минуточку...

— Марина жива, — перебила ее я.

— Не понимаю, о чем вы, — прикинулась дурочкой Анжела.

— Я слышала вашу беседу с Борисом Леонидовичем, — остановила я Осипову. — Нам надо поговорить. Если не хотите, настаивать не стану. Но как только выйду из «Мума», сразу соединюсь с полковником Дегтяревым. Полагаю, вы в курсе, что я дружу с Александром Михайловичем. Дальнейшее — дело техники. Узнать, кому вы сейчас звонили, не только просто, а очень просто. Кто такой Борис Леонидович, выяснится через пятнадцать минут, и к нему помчится полиция. Думаю, он быстро сообщит правду о местонахождении Марины, не пожелает...

Анжела схватила меня за руку.

— Дашенька, вы же хороший, добрый человек. Зачем вам потребовалось баламутить болото? Марина умерла и...

— Но она жива, — перебила я. — Навещала Ложкино и потеряла в моем саду прядь волос. Между прочим, речь идет о смерти человека! Марина обязана рассказать...

Анжела схватилась за раковину.

— Вы все знаете!

— Конечно, — на всякий случай подтвердила я.

Бойко кивнула и поманила меня пальцем. Мы молча вышли в коридор, и она защебетала:

— Ну, давайте приступим к примерке. Я отложила вам розовый костюм, синюю юбку с потрясающим рисунком, кучу блузок.

— Прекрасно, — подхватила я, — обожаю шопинг.

Зайдя в примерочную, Осипова тщательно заперла дверь и, опустившись на пуфик, устало произнесла:

— Здесь повсюду видеонаблюдение, звук тоже записывается. Камер нет лишь в туалете и кабинках для переодевания. Можем беседовать тут сколько душе угодно, никто нас не побеспокоит, не поторопит, не помешает.

У меня в сумке неожиданно затрезвонил телефон.

— Мусик! — закричала Манюня. — Ты получила посылку?

— Какую? — не поняла я.

— Мою, — уточнила девочка.

— Ах да, почта обещала ее сегодня до полудня доставить, — спохватилась я. — Наверное, уже привезли.

— Ты где? — полюбопытствовала Маша.

— В зоне особого обслуживания «Мум», — призналась я.

— Ага, охотишься за шмотками, — засмеялась Манюня. — Удачи! Звякни, когда разберешь мои подарки.

Я спрятала трубку и посмотрела на Анжелу. Та, втянув голову в плечи, завела рассказ...

Марина была младшим ребенком и несчастьем семьи Бойко. Сын Глеб не доставлял родителям никаких хлопот, он прекрасно учился, поступил в МГИМО, закончил институт с красным дипломом, устроился на престижную, хорошо оплачиваемую работу, женился в двадцать два года и живет с супругой счастливо. Анжела почтительная невестка. Она происходит из обеспеченной московской семьи, все члены которой из поколения в поколение работали в торговле. Старшие Бойко, оба доктора наук, рафинированные интеллигенты, не стали презрительно морщить носы, узнав, что сын решил связать свою судьбу с продавщицей. Наоборот, Эмма Глебовна очень радовалась и с гордостью говорила подругам:

— Наша Желичка обладает безупречным вкусом. Благодаря ей я наконец-то стала элегантной дамой, а Виктор превратился в настоящего франта.

Свекровь избавила Анжелу от ведения домашнего хозяйства, никогда не упрекала невестку в том, что она никак не может забеременеть. Семейство можно было бы назвать счастливым, но... В каждой бочке меда всегда найдется ложка дегтя.

У Бойко кроме Глеба был еще один ребенок, дочка Марина. Девочка родилась намного позже брата, ее воспитывали с любовью, но не баловали бездумно. Эмма Глебовна сама приглядывала за детьми, никаких нянек в доме не было. Мариночку не отдавали в детский сад — мама боялась, что там малышка начнет болеть. Но без дела крошка не сидела — занималась балетом, учила английский язык, рисовала картины. В школу Марина пошла, умея читать-писать, и класса до третьего приносила домой сплошные «пятерки». Но потом она начала потихонечку скатываться на «тройки», грубить домашним, перестала слушаться учителей. В седьмом классе Бойко-младшая вставила серьгу в нос. Эмма Глебовна, увидев дочь с украшением в ноздре, конечно, ужаснулась и воскликнула:

— Немедленно вытащи эту гадость!

А та в ответ заявила:

— Моя морда, что хочу, то с ней и делаю.

— Не трогай ребенка, — велел жене Виктор Юрьевич, — у девочки подростковый возраст. Перерастет и снова прежней станет. Все дети с двенадцати до шестнадцати лет невыносимы. Если сейчас слишком давить на Рину, потеряем с ней контакт навсегда. Будь умнее девчонки с бурлящими гормонами.

Эмма Глебовна всегда слушала мужа, не спорила и в этот раз. Отец и мать стали ждать, пока их доченька перебесится. Но, увы, с каждым годом ситуация усугублялась. Аттестат Марина получила только потому, что директриса школы уважала ее родителей. В институт девушка поступать не стала, пару лет бегала по вечеринкам, нигде не работала, клянчила у матери деньги. Наконец Виктор Юрьевич не выдержал и категорично заявил:

— Хватит! Ты уже не маленькая, изволь зарабатывать сама.

Тогда из дома начали пропадать вещи.

Отец разозлился и хотел отселить дочь, но Эмма Глебовна взмолилась:

— Пусть живет с нами. Сейчас я хоть как-то могу ее контролировать, а если Марина получит собственную квартиру, то неизвестно, что и с кем она там будет делать.

Когда младшей Бойко исполнилось двадцать лет, она неожиданно устроилась на работу — танцовщицей к одному известному поп-певцу. И неплохо зарабатывала. Эмма Глебовна боялась радоваться случившейся перемене. Неужели Мариночка все же взялась за ум? Правда, матери категорически не нравилась ее работа — дочь уходила из дома, когда весь остальной народ завершал трудовой день, и возвращалась около девяти утра. Но ведь у артистов совсем иной график, чем у простого люда. Изменилась Марина и внешне. Она стала постоянной клиенткой солярия, набила пару татуировок, сильно похудела. И вдруг заговорила об увеличении груди и изменении формы носа.

Эмма Глебовна испугалась:

— Доченька, ты же у нас красавица. Вон какие у тебя чудесные огромные глаза. А волосы? Копна белокурых локонов, на пятерых хватит. Помнишь, как ты в девятом классе хотела постричься под мальчика? Хорошо, что не позволила тогда тебе глупость сделать. Да о такой гриве, как у тебя, многие женщины только мечтают.

— Не понимаю, при чем тут прическа? — недовольно процедила дочь. — Как раз ее я менять не собираюсь. Говорила про бюст и нос.

— Умоляю, не ходи к пластическому хирургу! — чуть не зарыдала Эмма Глебовна. — Вспомни о своем желании постричься и остановись. Через пару лет поймешь: ты необычайно хороша собой, скальпель лишь изуродует твою природную красоту.

Марина нахмурилась, но неожиданно промолчала. Через неделю после этой беседы она укатила на гастроли, предупредив родителей:

— У нас тур на семь месяцев. Сначала летаем по России, потом отправимся в ближнее зарубежье.

Далекие от мира шоу-бизнеса родители не удивились. Ясно ведь, что звезда эстрады не может постоянно петь в Москве.

Марина уехала. Домой она звонила крайне редко, причем отделывалась парой фраз типа:

— У меня все о'кей. Больше говорить не могу, очень занята.

А потом буквально в один день произошли два события, которые потрясли всех членов семьи.

Институт, где работал ректором Виктор Юрьевич, отмечал свое сорокалетие. Бойко решил устроить сотрудникам праздник, был снят ресторан и приглашены артисты, в основном певцы, которым предстояло развлекать публику. Бойко разработкой сценария вечера не занимался, он лишь попросил тех, кто организовывал корпоратив:

— У нас одно из лучших учебных заведений Москвы. Проследите, чтобы на концерте не выступали полуголые люди и не творилось нечто отвратительное. Я не хочу слышать ни мата со сцены, ни антисанитарного зрелища на подмостках.

Устроители поклялись, что все будет прилично. Лишь сев за столик, Виктор Юрьевич понял: гвоздь программы — тот самый исполнитель, у которого занята на подтанцовках Марина.

Сначала Бойко удивился. Он-то думал, что сладкоголосый тенор сейчас мотается по городам и весям Сибири. Но потом наивный ректор решил, что артист ради солидного гонорара прилетел на денек в Москву. Ведь двадцать первый век на дворе, не на лошадях же целый месяц до столицы скакать. Виктор Юрьевич стал ждать выхода дочери. Но когда певец появился на сцене, оказалось, что у него в балетном коллективе шесть мальчиков, которые и выделывали разные па.

Отец Марины насторожился. Под предлогом того, что хочет поблагодарить певца за прекрасное выступление, он пошел за кулисы, осторожно побеседовал с личным помощником «соловья» и узнал шокирующую информацию: артист терпеть не может женщин, в его ближайшем окружении их нет. Танцоры, музыканты, визажисты, костюмер — все мужчины. Более того, сейчас тенор сидит в Москве, уезжать из столицы собирается только летом, и не в тур по России, а в Майами, где у него дом.

Виктор Юрьевич понял, что дочь обманула родителей, и разгневался. Но чуть позже, когда первые эмоции улеглись, отца охватила тревога. Где же Марина? Чем она занимается? Кто платит двадцатилетней девчонке большие деньги? А главное — за что та их получает?

Когда встревоженный Бойко-старший вернулся домой, он нашел на кухне сына и жену с перевернутыми лицами. Глеб тоже узнал о сестре малоприятные сведения.

Глава 14

По случайному совпадению Глеба Бойко в тот же день пригласили на мальчишник, который накануне собственной свадьбы устраивал его коллега по работе Максим Ремизов. Жених снял ресторан и устроил шумный праздник. Сначала компания ела-выпивала, потом Макс, хитро улыбаясь, сказал:

— А сейчас, парни, стриптиз. Четыре горячие киски из лучшего клуба «Дансинг».

Присутствующие радостно зааплодировали, в банкетный зал впорхнули сильно раскрашенные девицы, и представление началось. Танцовщицы были так густо заштукатурены, что Глеб лишь через четверть часа понял: одна из красоток — его сестра Марина. Разом протрезвев, он кинулся за кулисы, но бдительная охрана не пропустила его в служебное помещение. Глеб распрощался с Максом, поехал в «Дансинг», заплатил одной из местных стриптизерок хорошую сумму и выяснил шокирующую правду. Оказывается, Марина работает в этом заведении почти год, а еще она любовница Федора Скукова, управляющего.

— Федька тут со всеми перетрахался, а Марина думает, она одна уникальная, любовь Скукова на всю жизнь, — злорадно сплетничала коллега сестры по танцам у шеста. — Но скоро ее счастье закончится. Наш Федюнчик долго никем не увлекается, сначала он ласковый, золотые горы обещает, подарки дарит, затем злой делается и вон любовницу гонит. Девки, что поумнее, сами уходят, а дурам, которые за Скукова цепляются и ноют: «Дорогой, я тебя больше жизни обожаю», — приходится плохо. Вон, Галка Фролова липла-липла к Федьке, просто пластырь горчичный, а не девчонка. И чего вышло? Приехали в клуб полицейские, всех нас обшмонали, у Фроловой в сумочке наркоту нашли. И где теперь Галя? Никто понятия не имеет. Одни говорят, посадили ее, другие утверждают, что она с собой покончила. Но одно всем ясно — Федюнчик полицаев и пригнал. И он же Фроловой тот пакет с белым порошком подсунул. Галина кретинка была, танцевала, как корова, задница у нее семь на восемь метров, но ни к кокаину, ни к героину она никогда не прикасалась. Короче, парень, если тебе сестра дорога, забирай ее отсюда живехонько, иначе через пару месяцев на ее могилке рыдать будешь.

Едва молодой человек доложил родителям неприятные вести, Эмме Глебовне стало плохо. Ее с подозрением на инфаркт увезли в больницу. А ночью «Скорая» приехала за Виктором Юрьевичем — у него случился гипертонический криз.

На следующий день вечером Глеб поймал Марину у служебного входа в клуб и строго велел возвращаться домой. Девица расхохоталась ему в лицо. Брат изменил тактику, стал просить пожалеть родителей, подумать об их здоровье. Марина сердито ответила:

— Да они меня переживут! Я взрослая, имею право работать, где хочу.

— Тогда отец перестанет давать тебе деньги, — пригрозил Глеб.

— Пусть подавится своими жалкими грошами! — воскликнула сестра. — Я выхожу замуж за Федю, у нас будет загородный дом, два «Мерседеса» и много миллионов. «Дансинг» — самый крутой клуб Москвы.

Глебу пришлось уйти. Но он не хотел сдаваться и попросил свою жену побеседовать с золовкой. Назавтра та примчалась к клубу. Долго стояла у служебного входа, но так и не увидела Марину. Тогда Анжела зашла внутрь, достала кошелек и от одной из официанток узнала, что ночью в заведении случился скандал — Федор крепко повздорил с любовницей и выгнал ее вон. Марина опрокинула пару коктейлей и уехала с каким-то мужиком. Кто такой спутник девушки, Анжеле выяснить не удалось.

Целый год от Марины не было ни слуху ни духу. Родители безуспешно искали дочь, а вот полиция не захотела заниматься розыском.

— Девушке давно исполнилось восемнадцать, — равнодушно сказал Виктору Юрьевичу следователь. — К тому же гражданка Бойко не исчезла, а уехала, взяв с собой паспорт, деньги и вещи. То, что она не желает поддерживать отношения с семьей, нас не касается.

Ректор обратился в коммерческую структуру. Там не отказали, и следующие двенадцать месяцев Бойко-старший и его супруга регулярно ездили в морги, где им показывали обезображенные трупы молодых женщин.

Через два года после того, как Марина исчезла в неизвестности, в их квартире раздался телефонный звонок. За окном стояла теплая июльская ночь. Старшие Бойко жили на даче. Услышав звонок, Глеб недовольно поморщился и попросил:

— Анжела, ответь.

— Почему я? — заспорила жена. — Уже лежу в кровати.

— Наверняка звонит какая-то из твоих ненормальных клиенток, — заявил муж, — хочет о шмотках потрепаться.

Желичка надела халат и пошла к телефону. Через минуту Глеб вновь увидел супругу.

— Спрашивают тебя, — прошептала та.

Глеб схватил трубку и услышал хриплый голос:

— Слышь, мужик, Марину Бойко знаешь?

— Да, это моя сестра, — ощущая между лопатками холод, ответил Глеб. — Что случилось?

Незнакомец коротко выругался, затем приказал:

— Прикатывай живо на Нижнестроительную улицу, склад номер девять. Да поторопись, а то худо будет!

Ничего не понимающий Глеб схватил деньги, ключи от машины и помчался в гараж. Улицы были пустынны, большая часть москвичей спасалась от июльской духоты на фазендах, Бойко докатил до места за пятнадцать минут.

На пороге склада его встретил крепкий мужчина в темном костюме с галстуком. В ухе у него торчала пластиковая «кнопка», от которой тянулся витой шнур, уходящий за воротник рубашки. Глеб сразу сообразил, что перед ним охранник. Секьюрити отвел его внутрь помещения и показал на пол пальцем.

— Твоя девка?

На рваном ватном одеяле лежала его сестра, одетая так, что совершенно не возникало сомнений, чем она зарабатывает себе на хлеб с сыром: кожаные мини-шортики, сетчатые колготки, ярко-красный корсет и, несмотря на жару, белые ботфорты из искусственной кожи на высоченном каблуке. Лицо Марины было вульгарно размалевано, только волосы остались прежними. Копна белокурых локонов разметалась по грязной подстилке.

— Твоя? — повторил охранник.

— Моя, — одними губами ответил Глеб.

— Забирай ее отсюда, — деловито велел мужик. — Да поживей! Скажи мне спасибо, что позвонил. Другой бы бросил девку и уехал. Кому эта шлюха нужна? А я пожалел, молодая больно.

Бойко зачем-то задал вопрос:

— Что случилось?

Охранник недовольно поморщился.

— Захотел мой хозяин экзотики, надоели ему элитные проститутки, решил в народ сходить, снял двух шалав... Выгнал шофера из машины, тот к нам в джип сел. Сидим, курим. Вдруг тачка хозяина как рванет с места...

Глеб молча слушал щедро сдобренный матом рассказ.

Секьюрити, не особенно вдаваясь в подробности, сообщил, что иномарка шефа нежданно-негаданно вылетела на шоссе, а потом впечаталась в стену дома. Босс не получил ни царапины. Марина на первый взгляд тоже казалась целой и невредимой, лишь пожаловалась на боль в голове. Но потом вдруг побледнела, упала и еле слышно попросила: «Позвоните Глебу, брату, номер в телефоне, пусть приедет и заберет меня». И после этого потеряла сознание. С тех пор лежит, не открывая глаз.

— Может, спит? — предположил охранник. — Короче, увози ее и помалкивай. Вторая шлюха насмерть при аварии убилась. А за рулем твоя сеструха сидела. Если не хочешь, чтобы она на зону за убийство и занятие проституцией попала, не разевай пасть. Утаскивай ее давай, мне склад закрыть надо.

Глеб унес Марину в свою машину. Попытался ее разбудить, однако не добился успеха. Начал названивать приятелям и через два часа доставил сестру в подмосковную клинику, владелец которой гарантировал своим клиентам не только наилучшие медицинские услуги, но и соблюдение полнейшей анонимности. Врачи довольно быстро поставили пациентке диагноз: инсульт. Но от чего он случился, определить не смогли.

С тех пор Марина находится в больнице. Она в сознании, хотя последнее слово не совсем верно. Сестра Глеба бодрствует днем и спит ночью, ее возят в инвалидной коляске гулять, кормят-поят, дают разные лекарства, занимаются с ней лечебной физкультурой. Но о чем думает Марина, есть ли вообще в ее голове хоть какие-то мысли, не знает никто. Она не разговаривает и вяло реагирует на окружающий мир, ничего не просит, не выражает никаких эмоций, с одинаково безучастным видом ест, глотает таблетки, моется. И никого не узнаёт.

Глеб с Анжелой регулярно навещают ее и всякий раз ежатся, увидев ее пустой, потухший взгляд. Единственное, что осталось от прежней Марины, это волосы, ее роскошная белокурая шевелюра.

— Они у нее буквально штопором вьются! — воскликнула Анжела, заканчивая рассказ. — Была когда-то такая актриса немого кино Мэри Пикфорд. Нынче о ней забыли, а в начале двадцатого века ее имя гремело и в Америке, и в Европе, и в России. Вот у Пикфорд была точь-в-точь такая прическа. Только, думаю, голливудской диве кудри накручивали щипцами, а Маринке эта красота от рождения досталась. Я ей здорово завидовала, когда наблюдала, как она, вымыв голову, руками пряди туда-сюда ворошит, а они сами собой укладываются. Мне-то требуются и пенка для объема, и фен, и брашинги, и лак... Использую все средства, гляну в зеркало — и расстраиваюсь, как было три волосины, так и осталось столько же.

Я машинально поправила свою прическу.

— Вы сказали, что ходите к золовке.

— Верно, — подтвердила Анжела.

— А родители тоже посещали дочь? — спросила я.

Осипова опустила глаза.

— Нет. Они... э... э... ну... понимаете...

— Не знали, где девушка? — подсказала я ей.

Анжела сложила ладони домиком.

— Дашенька, дорогая, поймите! Свекор со свекровью еле-еле встали на ноги после того, как оба заболели, узнав о том, чем занимается их дочь. Доктора нас с мужем предупредили: новый мощный стресс убьет пожилых людей. Ну что мы им могли сказать? Что Марина снимала клиентов на дороге?

Что устроила аварию, в результате которой погибла другая девушка? Что их дочь — не только проститутка, но и убийца, а сейчас находится в клинике, и врачи уверены: остаток жизни Марина проведет в состоянии овоща? Да кому нужна такая правда! Представляете реакцию отца с матерью? Мы с Глебом решили ничего им не сообщать.

— Я поняла, что старшие Бойко неустанно искали дочь, — сказала я.

— Последний год перед своей смертью уже нет, — почти прошептала собеседница, — ее признали умершей. Свекор со свекровью погибли в автокатастрофе, не узнав правды о дочери.

— Но Марина жива! — воскликнула я.

Осипова дернула плечом.

— Доктора говорят, что ей недолго осталось, летом резкое ухудшение началось.

— Значит, сестра Глеба никоим образом не могла очутиться в Ложкине в моем саду, — подвела я итог беседе. — Но как же туда попала прядь ее волос?

Анжела вскочила и забегала по примерочной.

— Сама ничего не понимаю. Борис Леонидович меня заверил, что моя золовка, как всегда, находится в палате. Она уже не может садиться в инвалидное кресло, лежит в кровати. Может, в лаборатории ошиблись? Или перепутали образцы?

— Исключено, — решительно возразила я. — Когда вы в последний раз видели Марину?

Анжела слегка смутилась.

— В декабре прошлого года. Я поздравляла ее с наступающим праздником, привезла ей конфеты и красивую шаль.

— А Глеб навещал сестру весной или в начале лета? — допытывалась я.

— Нет, — неохотно призналась Осипова. — Зачем ездить к человеку, который никого не узнает? Я бываю там под Новый год, а Глеб в августе, в день рождения сестры. Но Борис Леонидович раз в месяц нам звонит, подтверждает получение денег, рассказывает о ее состоянии здоровья...

— Вдруг Марины там нет? — перебила я Анжелу. — Что, если врач с зимы вводит вас в заблуждение?

— Но он же на связи, — растерялась Осипова.

— Наговорить можно что угодно, — фыркнула я. — И вообще, вы уверены, что беседуете с доктором?

— Конечно, — кивнула Анжела. — Он всегда представляется, называет имя, отчество, фамилию.

— Но лица человека по телефону не видно, — протянула я. — Вдруг Марина где-то в другом месте? Может, даже неподалеку от поселка Ложкино? Что, если ей стало не хуже, а, наоборот, лучше, и она сбежала из-под надзора? Кстати, где находится это заведение?

— Ленинградское шоссе, деревня Верхние Волочки, — ответила Анжела.

— В принципе, не так далеко от Новорижской трассы, которая проходит рядом с нашим поселком, — задумчиво протянула я. — Если ехать по дороге, да еще по МКАД, то приличный путь получается. Но человек — не автомобиль, может пойти пешочком напрямую через лес и через пару часов очутиться в Ложкине.

Анжела ойкнула.

— Полагаете, Марина удрала? Она могла выздороветь?

— В жизни разное случается, — пожав плечами, заметила я. — Есть лишь один способ узнать правду. Необходимо срочно поехать в эти самые Верхние Волочки и найти вашу золовку. Вас могут сейчас отпустить с работы?

Анжела глянула на часы.

— У нас в июле полный штиль, постоянные клиенты греются на море. Пожалуй, я могу сбежать. Скажу, что вы наняли меня как личного консультанта по шопингу и попросили проехаться с вами по филиалам магазина. Наш отдел оказывает вип-клиентам такую услугу.

Глава 15

Стараясь не упустить из вида голубую малолитражку Анжелы, я вырулила на МКАД и незамедлительно попала в пробку.

Помнится, в середине нулевых, когда заторы на дорогах стали для москвичей настоящей проблемой, я, куда-то опаздывая, очень нервничала. Но сейчас я обычно сохраняю на трассе олимпийское спокойствие. А какой смысл дергаться? От того, что перенервничаешь, поток машин быстрее не поедет. Если не можешь повлиять на ситуацию, нужно расслабиться и получать удовольствие. Сейчас у меня в машине всегда есть термос с чаем, коробочка шоколадных конфет, бананы, диски с любимой музыкой, маникюрный набор и спицы с клубком. Я провожу время в пробке с пользой — перекусываю, поправляю лак на ногтях и даже пытаюсь научиться вязать варежки. Кстати, уже сделала несколько рядов. А еще можно поболтать с подружками или узнать, как обстоят дела у Анфисы и животных.

Я набрала домашний номер и спросила у домработницы:

— Посылка пришла?

— Ничего не привозили, — отрапортовала та.

— Странно. А обещали доставить до полудня, — расстроилась я. — Может, ты не услышала звонок в дверь?

— Конечно, я же дура глухая, — незамедлительно обиделась Фиса. — И слепая вдобавок. Между прочим, я каждый шорох слышу, полевка по кухне пройдет, меня мигом с кровати сносит. Да у меня уши, как у орла!

— У нас в доме есть мыши? — напряглась я, пропустив мимо ушей последнее странноватое заявление Анфисы.

— Кто вам такую глупость сказал? — возмутилась прислуга. — Да кабы я увидела в коттедже хоть одно хвостатое, я б его мигом придавила-отравила! Гаже грызунов только гости, которые без спроса заявляются и ночевать остаются.

— Значит, посылки нет, — остановила я раскипятившуюся Фису. — Сейчас позвоню на почту и выясню, почему ее не доставили.

— Вот это правильно, — одобрила она. — А то налетели на меня, глухой обозвали, отругали. Эй, брось сейчас же! Оставь, кому говорю! Стой!

Я услышала топот, кряхтение, звон, треск. Потом в трубке снова прозвучал голос Анфисы:

— Вот ироды лесные!

— Что у тебя там происходит? — удивилась я.

— Зоя Игнатьевна, Глория и Игорь уехали, а еноты-то чертовы остались! — пожаловалась домработница. — Пакостят везде!

— У Диззи и Лиззи до сих пор нелады с желудком? Зверушек надо показать ветеринару, — забеспокоилась я.

— Да они здоровы, как цыганские коровы, — запричитала Фиса.

На секунду меня охватило недоумение. Разве вольнолюбивые ромалы держат коров? Вроде они специализируются на лошадях. Анфиса повысила голос:

— Шастают по дому, ни секунды не сидят спокойно, все хватают и в джакузи складывают, постирать хотят. Надоели хуже горчицы! Ни посидеть, ни поесть, ни телик поглядеть, только и ношусь за ними.

Мне стало смешно.

— А ты дай им какие-нибудь ненужные тряпки, включи воду, и пусть занимаются любимым делом.

— Ща попробую, — прогудела домработница и отсоединилась.

Посмеиваясь, я набрала телефон почты ОВИ, послушала музыку, сообщение о важности моего звонка, узнала, какие кнопки нужно нажимать, и лишь потом прорезался человеческий голос:

— Оператор Николай. Чем могу помочь?

— Мне обещали сегодня доставить посылку, но не привезли ее, — объяснила я. — Хочется узнать, почему.

— Откуда вы звоните? — поинтересовался оператор.

— Какая разница? — удивилась я. — Проверьте лучше, куда подевалось почтовое отправление.

— Вопрос о вашем местонахождении задается для улучшения качества обслуживания клиентов. Если вы отказываетесь на него отвечать, то...

— В Москве, — перебила я парня.

— Назовите номер квитанции.

Я быстро озвучила записанные цифры и буквы.

— Сейчас уточню, — пообещал Николай, и в ухо вновь полилась песня: «Солнце-е-е на ладони-и-и...»

Спустя пару минут парень бодро заявил:

— Спасибо за ожидание. Ваш звонок очень важен для нас. Я не могу выполнить ваше пожелание.

— Простите? — не поняла я.

— Не могу выполнить ваше пожелание, — повторил оператор. — Не отвечу на вопрос о доставке вашей посылки.

— По какой причине? — изумилась я.

Далее диалог потек в ритме фокстрота.

— Не обладаю необходимой информацией.

— Так получите ее.

— Невозможно.

— Почему?

— Доставкой посылок клиентам занимается отдел доставок посылок клиентам. Обратитесь к ним, они непременно выполнят ваше пожелание.

— А что входит в ваши служебные обязанности? — удивилась я.

— Сообщить информацию клиентам.

— Прекрасно. Что с моей посылкой?

— Уже ответил вам. Обратитесь в отдел доставки.

— Минуточку! Вы же обязаны отвечать на вопросы тех, кто к вам обратился! — возмутилась я.

— Вы получили от служащего почты ОВИ полную и исчерпывающую информацию: обратитесь в отдел доставки. Это вся имеющаяся у меня информация.

— Хорошо, — сдалась я, — переключите меня на этот отдел.

— Не могу выполнить ваше пожелание, — отчеканил Николай.

— И что вам мешает? — вскипела я.

— В мои служебные обязанности входит оказывать клиентам исчерпывающие информационные услуги, — занудил парень.

— Отлично. Как связаться с отделом доставки?

— Ваш звонок очень важен для нас, — обрадовался Николай. — Наберите общий номер, там объяснят.

Я перевела дух. Потом опять начала тыкать пальцем в кнопки. Выслушала песенку про солнце на ладони и наконец-то соединилась с нужным сотрудником.

— Оператор Елена, ваш звонок очень важен для нас. Чем могу помочь?

Я набрала полную грудь воздуха и заново сообщила про недоставленную посылку.

— Из какого города вы звоните? — поинтересовалась девушка.

— Из Москвы, — покорно ответила я.

— Пожалуйста, оставайтесь на линии, сейчас уточню, — пообещала Елена.

«Солнце на моей ладони-и-и, — снова заунывно завел дискант, — как оно мне нужно-о-о, вам не расскажу-у-у...»

У меня задергалось веко, потом зачесалось ухо.

— Спасибо за ожидание, — проворковала наконец Елена. — Мы не смогли выполнить ваше пожелание.

Мне стало жарко.

— Почему?

— Ваша посылка на данном этапе пересекает границу Латинской Америки. Расчетное время прибытия в Россию — понедельник, пятнадцать часов семь минут и девять секунд московского времени, — объявила оператор. — Спасибо за обращение в почту ОВИ.

— Стой! — завопила я, сообразив, что сейчас она отключится и мне снова придется наслаждаться напевом про солнце на ладони. — При чем здесь Латинская Америка? Я жду подарок из Парижа!

— Ваш звонок очень важен для нас. Почта ОВИ выбирает наиболее оптимальный маршрут передвижения ваших отправлений. Мы учитываем...

— Девушка! — закричала я. — Вам не кажется, что лететь из Франции в Москву через Латинскую Америку немного странно?

— Не могу ответить на ваш вопрос, — зачастила Елена, — не имею необходимой информации. Наш отдел занимается доставкой полученных посылок. Отслеживание их передвижения — работа логистиков.

— Дайте телефон данной службы! — прошипела я.

— Не могу выполнить ваше пожелание, вам нужно соединиться с отделом информации. Это их работа.

Я установила кондиционер на сильный холод, вытерла рукой вспотевший лоб и в который раз принялась терзать несчастный телефон. «Солнце-е-е на ладони-и-и...»

— Оператор Нина, ваш звонок очень важен для нас.

— Нужен телефон логистиков, — стараясь сохранять спокойствие, отчеканила я.

— Откуда вы звоните?

Мне потребовалась вся сила воли, чтобы не заорать, а тихо произнести:

— Из Москвы.

— Ваш звонок очень важен для нас, подождите на линии.

Я начала яростно чесаться, потом принялась икать.

— Спасибо за ожидание, ваш звонок очень важен для нас, я не могу выполнить ваше пожелание, — на едином дыхании произнесла Нина.

— По-че-му? — простонала я.

— Отдел логистики не имеет городского номера, — неожиданно вполне разумно сообщила собеседница.

— Но как же тогда мне выяснить судьбу посылки? — чуть не зарыдала я.

— Могу выполнить ваше пожелание.

Я не поверила своим ушам.

— А оператор по имени Николай отказался ответить, где находится бандероль.

— Ваш звонок очень важен для нас, сообщите номер отправления.

Когда я снова услышала про «солнце на ладони», я не разозлилась, а даже обрадовалась. Наконец-то удалось соединиться с милой девушкой, которая хочет мне помочь. Может, отправить ей букет цветов?

— Ваш звонок очень важен для нас, спасибо за ожидание. Посылку доставят сегодня в двадцать три часа девятнадцать минут, — отрапортовала Нина. — Если будет отсутствовать получатель, тому, кто захочет забрать отправление, необходимо иметь доверенность из ЖЭКа. Только ее и никакую другую. Бумаги, заверенные у нотариуса, не принимаются.

— Даже генеральная доверенность на ведение всех дел не подходит? — изумилась я.

— Нет. Исключительно бумага из ЖЭКа, подтверждающая факт прописки получателя по месту прибытия посылки. Ваш звонок очень важен для вас. Почта ОВИ работает для клиентов.

Я уставилась на замолчавший телефон. Надеюсь, что к полуночи я буду дома. Потому что если нет, то Анфисе не отдадут отправленную мне Манюней бандероль. Бред какой-то! Кстати, Фиса не прописана в Ложкине, а я понятия не имею, где находится наш ЖЭК.

В окошко двери постучали. Я повернула голову и, к своему изумлению, увидела Анжелу. Ну надо же, я так увлеклась беседой с операторами почты ОВИ, что не заметила, как приехала в клинику и остановилась у двухэтажного здания! Во всем плохом всегда есть хорошее. Сегодня время в дороге пролетело совершенно незаметно.

Глава 16

Борис Леонидович, толстый мужчина в дорогом костюме, не выказал ни малейшего удивления, когда мы с Анжелой вошли к нему в кабинет.

— Дорогая Анжела Михайловна, рад видеть вас вместе с очаровательной спутницей, — тоном профессионального ловеласа промурлыкал главврач. — Приехали навестить Мариночку?

— Она у вас? — нервно спросила Анжела.

— Где ж еще? — поднял бровь доктор. — Как всегда, отдыхает в своей палате.

— Можно нам пройти к больной? — бесцеремонно вклинилась я в их беседу.

Борис Леонидович встал из-за стола.

— Естественно, я сейчас провожу вас.

Мы пошли по длинным коридорам и очутились перед дверью, выкрашенной в белый цвет. Врач без стука толкнул ее.

— Ой! — воскликнула Анжела, подходя к кровати. — Что вы с Риной сделали?

Борис Леонидович сложил руки на животе.

— Я поставил Глеба Викторовича в известность об ухудшении здоровья его сестры. Смею вас заверить, в нашей клинике созданы идеальные условия для пациентов, но, увы, мы не боги. К сожалению, случаются больные, которым...

— Я говорю о волосах, — занервничала Анжела. — Какого черта вы ее обрили? Где шикарные локоны Марины? Да, она ничего не понимает, и с первого взгляда видно, что недолго бедняжке жить осталось. Но это же не повод человека уродовать!

Доктор наклонил голову.

— Дорогая Анжела! Сейчас вызову сюда Ольгу Сергеевну, которая ведет вашу золовку, и зададим этот вопрос ей. Но я совершенно уверен, что она ответит: «Волосы с головы убрали в целях гигиены».

Осипова топнула ногой.

— Да, да, я хочу встретиться с Ольгой Сергеевной!

Борис Леонидович оказался прав. Спешно прибежавшая докторша объяснила:

— У Мариночки были роскошные волосы, мы ей тут все завидовали и очень тщательно за ними ухаживали. Но потом девушка слегла, локоны стали путаться, образовались колтуны. Вот и пришлось после Нового года ее обрить.

— Ясно, — прошептала Анжела и тихо заплакала.

— Солнышко, пойдемте, попьем чаю, — бросилась утешать ее Ольга Сергеевна. — Кондитер сегодня испекла волшебные булочки.

Врач нежно обняла Анжелу и увела ее из палаты.

Борис Леонидович откашлялся и обратился ко мне:

— Не желаете пополдничать? У нас прекрасный повар.

— Спасибо, лучше подышу свежим воздухом на улице, — отвергла я любезное предложение.

— Прекрасное решение, — оживился врач. — Наш сад лучший в Подмосковье. Пройдитесь по тенечку, не стоит жариться на солнце, ультрафиолет губителен для кожи. Анжела успокоится, и вы поедете домой. Печально, когда люди умирают, трагично, если из жизни уходят молодые. Но есть случаи, когда кончина — благо, избавление от мук. Марина давно не с нами, ее душа у Бога, на Земле лишь бренная оболочка.

* * *

Сад и вправду был прекрасен. Я полюбовалась на цветущие кусты и услышала, как Борис Леонидович произнес:

— К сожалению, должен вас покинуть, служба зовет. Вы не заскучаете?

Я улыбнулась.

— Не хочу отвлекать вас от работы.

Доктор живо удалился.

Пройдя по аллее, я увидела фонтан, села на скамеечку и закрыла глаза. Марина найдена, но волос на ее голове нет. И что? Не могут же они пойти гулять сами собой. Ольга Сергеевна обмолвилась, что Бойко остригли вскоре после Нового года, а сейчас июль. Как ее прядь очутилась в Ложкине?

За спиной раздалось тихое покашливание. Я резко повернулась и увидела толстую девушку в синем халате.

— Здрас-сти, — сказала она. — Сумка, смотрю, у вас красивая, я тоже такую хочу. Цвет прикольный, шоколадный, самый трендовый.

— Симпатичный ридикюльчик, — согласилась я, — мне и самой нравится.

— Кем вы Марине приходитесь? — проявила неуместное любопытство незнакомка.

— А вы кто? — вопросом на вопрос ответила я.

— Лера, санитарка, — представилась толстушка. — Вообще-то, я учусь на стоматолога, а на каникулах тут подрабатываю. Нехорошее место, темное, прямо кожей беду в нем ощущаю. Зарплату приличную дают, деньги вовремя выплачивают. Но все равно обманывают.

Я зачем-то ввязалась в беседу:

— Так не бывает, либо вам честно платят, либо нет.

— Рубли отсчитывают до копеечки, только работы столько, что уж и деньги не радуют, — пробормотала Лера. — Надо же, по сто раз на дню мой им полы... Обещали, что тут две санитарки будут, а пашу я одна. Вы Марине кто?

— Тетя, — соврала я, надеясь, что чрезмерно любознательная девица от меня отстанет.

Но санитарка не собиралась уходить. Наоборот, села рядом на скамейку и вдруг сказала:

— Если подарите мне свою сумочку, расскажу всю правду про Маринку.

Я моментально сделала стойку:

— А что вы знаете?

Лера показала пальцем на сумку.

— Сначала она, потом истина.

— Где гарантия, что ваше сообщение того стоит? — прищурилась я.

Толстуха закинула ногу на ногу.

— Дам намек. Ольга Сергеевна брешет. Она вообще офигенная врунья! Я знаю, почему Марина волос лишилась и куда они подевались. Вы, между прочим, можете на больницу в суд за махинацию подать.

— Слушаю вас внимательно, — оживилась я.

— Сумка! — коротко потребовала девица.

Я раскрыла свою торбочку и достала из нее полиэтиленовый пакет. Никак не могу отвыкнуть от идиотской привычки таскать его при себе на случай, если понадобится что-нибудь купить. И ведь знаю, что мое приобретение непременно упакуют, однако все равно не могу расстаться с кульком. Но сегодня он мне наконец-то понадобился.

Я аккуратно переместила в пакет кошелек, зеркальце, телефон, косметичку, расческу, горсть мятных конфет, ручку, гору фантиков, таблетки от головной боли, пачку бумажных носовых платков, три неизвестно как попавшие ко мне махрушки для волос, непонятно откуда взявшуюся пустую жестяную коробку с изображением очаровательной собачки на крышке и несколько смятых чеков. После чего поставила пустую сумочку на скамейку и велела:

— Начинайте. Если сведения действительно интересные, ридикюль ваш.

Лера покраснела, открыла рот и заговорила без остановки, пересыпая свою речь жалобами на невыносимо тяжелую службу.

Она нуждается в деньгах, поэтому на каникулах прикована к швабре. Платят за черновую работу хорошо, но требования очень высоки. Стоит студентке присесть, чтобы перевести дух, как кто-нибудь из медсестер орет:

— Где санитарка? Почему на полу капли?

Кроме Валерии на этаже, отведенном для больных, которые живут в клинике постоянно, есть еще одна уборщица, Инна. Но ей никто не делает замечаний, хотя нахалка нагло «забила» на работу. Инна является на смену не к шести утра, как положено, а когда врачи заканчивают обход, в районе одиннадцати. Лентяйка покрутится в коридорах часок и исчезает. Где она ходит, чем занимается, Лере неведомо, да и думать на эту тему некогда, приходится пахать за двоих. Инна иногда возникает в коридоре, делает вид, что в поте лица трудится, но на самом деле направляется в сестринскую, куда Лере вход заказан. Там наглая девчонка пьет чай со средним медицинским персоналом, лакомится тортами-конфетами, которые приносят родственники больных, и без малейших угрызений совести отбывает домой до официального завершения рабочего дня.

Валерия скривилась и задала мне вопрос:

— Знаете, почему эта хамка на особом положении?

— Теряюсь в догадках, — смиренно ответила я.

— Ольга Сергеевна, заведующая лежачим отделением, спит с Борисом Леонидовичем, — заявила студентка. — Главврач женат, но кому это мешает? Вроде они давно трахаются.

— Давайте вернемся к Марине, — я попыталась остановить юную сплетницу.

— Так я о них и рассказываю, — заморгала она. — Ольга Сергеевна в клинике царица, как скажет, так Бориска и сделает. Ее тут все боятся. Не понравишься змеюке — и вон с треском вылетишь. А Инна родная доченька подстилки начальника.

— А-а-а, — протянула я, — понятно.

— Ни фига вам не понятно! — фыркнула Валерия. — Инка скотина, больная на всю голову, игроманка. Все деньги в автоматах спускает.

Я молча слушала Леру, а та тараторила без остановки. Минут через пять мне стало до слез жаль Ольгу Сергеевну — не дай бог иметь ребенка с такой проблемой.

Инна со школьных лет спускала мамины деньги в игровых автоматах, которые раньше кучно стояли в павильонах у метро. Чего только не делала бедная мать, пытаясь избавить дочку от дурной привычки. Инну водили к психологу, гипнотизеру, ее наказывали, запирали дома, даже лупили, но ничего не помогало. Потом, к радости Ольги Сергеевны, эти так называемые казино уничтожили. Но недолго врач ликовала, дочурка нашла себе новую забаву — принялась ездить на бега и делать ставки на тотализаторе.

В конце концов доктор оформила дитятко к себе в отделение санитаркой и старается не спускать с чада глаз. Инна прикидывается послушной, нежно разговаривает с мамой, а сама только и ждет момента, чтобы поехать на Беговую улицу и кинуться к кассам ипподрома. Одно хорошо, дочь не ворует у матери вещи или деньги, зато свою зарплату спускает в день получки. Поэтому у нее никогда нет наличных средств, а в долг ей давно никто не дает. Люди знают — возвращать взятые ею тысячи придется Ольге Сергеевне. Если подойти к врачу и сказать, что Инна взяла у вас некую сумму, та немедленно вернет долг, не будет проверять, говорите ли вы правду, но кредиторам становится неудобно. Одной Инне все по барабану. Деньги она клянчит даже у Валерии.

Лера нанимается санитаркой в клинику на каникулы уже третий год подряд. С лентяйкой-напарницей она встретилась этой зимой, в конце января, когда в очередной раз подрядилась мыть полы, а Инну приняли в больницу на работу в прошлом ноябре. Спасибо местной аптекарше Наталье Андреевне, которая сразу предупредила Валерию, что дочери Ольги Сергеевны денег давать никак нельзя, поэтому студентка не попала в глупое положение. А вот пахать Лере пришлось за двоих, что, конечно, разозлило ее.

Во время зимних каникул Валерия случайно подслушала разговор Инны с одной из больных, Майей Михайловной Остролистовой.

— И когда ты сделаешь, что обещала? — сердито спросила дама. — Бабки я уже заплатила. Где волосы?

— Подождите до вторника, — заныла Инна, — Альбина Георгиевна в отпуск уйдет, тогда я все сделаю.

— Ну смотри, если в среду не получу локоны, тебе плохо придется, — пригрозила Остролистова.

Поначалу Лера не придала ни малейшего значения этому диалогу. А потом стали происходить удивительные вещи. Нянечка Альбина Георгиевна, в чьи обязанности входит мыть лежачих пациентов, отправилась отдыхать на две недели, и старшая медсестра объявила, что банными процедурами временно будут заниматься санитарки. Лера приуныла, сообразив, что лентяйка Инна даже не приблизится к ванной комнате, очень уж это тяжелая и нудная работа — тереть губкой человека, который с трудом может пошевелиться. Но совершенно неожиданно наглая девица предложила Лере:

— У нас четверо «овощей», давай их поделим по-честному. Я возьму Марину Бойко и Веру Селезневу, а ты Надю Коткину и Галину Михайловну Андрееву.

— Согласна, — не веря своим ушам, ответила студентка.

И что самое удивительное — Инна на самом деле выкупала Марину. А вот про Веру благополучно забыла, и в конце концов ту приводила в порядок Валерия.

А на следующее утро после того, как Инна проявила чудеса трудолюбия, в клинике разразился скандал.

В девять утра Ольга Сергеевна, как всегда, зашедшая проведать Марину, выскочила из ее палаты с перекошенным лицом и налетела на Леру с воплем:

— Как ты посмела?

Студентка испуганно попятилась.

— Чего я сделала-то?

— Она еще спрашивает! — захлебнулась негодованием завотделением. Затем втолкнула ничего не понимающую Валерию в палату к неподвижно лежащей Бойко и гневно спросила: — Где ее роскошные волосы?

Лера ойкнула и прошептала:

— Мамочки, она лысая...

— Не фиглярствуй! — резко оборвала ее доктор. — Ты у нас больше не работаешь. Убирайся вон!

— За что? — ахнула Валерия.

Ольга Сергеевна показала на Марину.

— За издевательство над беспомощным человеком. У Марины были шикарные волосы, ни у кого я таких не видела, но их трудно мыть и расчесывать, а ты решила облегчить себе работу, взяла ножницы и, чик-чирик, обкорнала кудри. Не смей отрицать очевидное. Тебе вчера велели помыть Марину, а ты...

— Ее купала ваша дочь! — выпалила Лера. — Сама вызвалась!

Ольга Сергеевна осеклась было, но тут же вскипела по-новой:

— Не смей врать! Я разговаривала с Инной, и она призналась, что поленилась заниматься банными процедурами, убежала из корпуса. А вот ты...

Валерии стало обидно до слез.

— Точно, ваша дочурка не любит себя утруждать. Очень я удивилась, когда она Марину мыть вызвалась.

— Вон! — заорала Ольга Сергеевна. — На выход! С вещами! Ни копейки за свою работу не получишь! Сообщу в твой институт! Таким, как ты, не место в медицине!

На крик в палату заглянула Олеся, старшая медсестра.

— Что случилось? — поинтересовалась она.

Врач, не обращая внимания на новое действующее лицо, продолжала орать на санитарку. Леся постояла молча, а потом вдруг сказала:

— Ольга Сергеевна, пожалуйста, успокойтесь. Нам надо кое-что обсудить. Валерия, ступай в сестринскую, отрежь себе кусок торта, попей чаю.

Лера вытерла слезы и поплелась в комнату отдыха. С одной стороны, ей было невыносимо обидно, с другой, она очень удивилась. Олеся всегда держит дистанцию между медсестрами и, как она говорит, техперсоналом, санитаркам строго запрещено даже заглядывать в помещение, где отдыхают помощницы врачей, исключение сделано лишь для Инны. И вдруг любезное предложение полакомиться тортом...

Через час Ольга Сергеевна подошла к Валерии.

— Извини, пожалуйста, я ошиблась. Оказывается, у Марины образовались колтуны. Инна пыталась их распутать, но не сумела, пошла за советом к Олесе, а та приняла решение остричь волосы. Я попрошу Бориса Леонидовича выписать тебе за хорошую работу премию. Надеюсь, ты не держишь на меня зла?

Лера заверила ее, что давно забыла о неприятном инциденте, и обрадовалась неожиданному финансовому подарку. Вот только она не поверила врачу. Она отлично поняла, что случилось. Ленивая Инна не пожелала заморачиваться мытьем шевелюры Марины и безо всякого сожаления изуродовала ее. А Ольга Сергеевна, готовая сжечь на костре Леру за несовершенный ею проступок, свою обожаемую доченьку решила не наказывать. Вот только непонятно, какого черта Инна вообще вызвалась купать Бойко?

Глава 17

Ответ на этот вопрос неожиданно нашелся в начале апреля. Леру отправили на практику в одну коммерческую стоматологическую клинику, и она совершенно неожиданно увидела ту самую Майю Михайловну, которая ругалась в больнице с Инной.

Остролистова лечилась у Бориса Леонидовича от невроза — в результате болезни у нее выпали волосы, она стала почти лысой. Доктор старался помочь пациентке, но так и не смог ее вылечить. Когда Валерия в первых числах февраля перестала работать в клинике, голова Майи Михайловны походила на полуоблетевший одуванчик. А сейчас в кабинет дантиста вошла дама с роскошными, белокурыми, вьющимися штопором локонами. Сначала Лера подумала, что женщина просто похожа на Остролистову, но потом заглянула в медкарту, прочитала фамилию, поразилась до глубины души и сказала пациентке:

— Здравствуйте. Вы шикарно выглядите, намного лучше, чем раньше.

— Спасибо, деточка, — кивнула дама. — Разве мы прежде встречались?

— Да, — обрадованно подтвердила Лера, — зимой, в центре неврозов и психиатрии у Бориса Леонидовича, я там на каникулах санитаркой работала. Вы здорово похорошели и...

Договорить Лера не успела, потому что получила от стоматолога пинок чуть пониже спины. Остролистова нахмурилась и вдруг обратилась к дантисту:

— Маргарита Яновна, совсем забыла! Меня срочно ждут! Извините, я убегаю! Непременно запишусь на прием в другой день...

Когда Майя Михайловна ушла, хозяйка кабинета накинулась на Валерию:

— Из-за тебя я потеряла клиентку!

— Что я сделала плохого? — заморгала Лера.

— Разрази меня гром, если еще раз соглашусь взять на практику студентку! — в сердцах воскликнула врач. — Вас, похоже, не учат этике. Никогда нельзя говорить, что видела человека в какой-либо клинике, тем более, если это центр неврозов и психиатрии. Ты будущий медик, обязана хранить тайну.

— Я не рассказывала о ее проблемах, — попыталась оправдаться Валерия, — похвалила ее внешний вид.

— И что получилось? — продолжала гневаться стоматолог. — Майя ушла, думаю, навсегда. Изволь держать свой болтливый язык на привязи! Вот не дам тебе положительный отзыв за практику, тогда призадумаешься.

— Пожалуйста, не надо! — испугалась Лера. — Меня же стипендии лишат! Я совсем не трепачка, просто удивилась. В феврале Остролистова совсем лысой была, а сейчас у нее столько роскошных длинных волос. Как они так быстро выросли?

Маргарита Яновна усмехнулась.

— Что удивительного? Небось купила парик.

— Да? Мне это в голову не пришло, — растерялась Валерия. — Шевелюра как настоящая!

— Ты меня поражаешь, — фыркнула врач. — Никогда не слышала про накладки из натуральных волос? Правда, они стоят очень дорого, а если еще такие длинные и шикарные, как у Остролистовой, то вообще заоблачно. Но Майя Михайловна богата, может себе любую вещь позволить. Небось у какой-нибудь нищенки волосы приобрела и теперь в чужой красоте щеголяет.

И тут у Леры в голове словно зажегся свет. Так вот почему Инна решила вымыть Марину Бойко! У дочери Ольги Сергеевны никогда нет денег, и она нашла способ поживиться. Игроманка остригла Бойко и продала волосы Майе Михайловне. Вот что требовала от нее Остролистова во время разговора, случайно подслушанного Валерией!

Санитарка замолчала и посмотрела на меня. Я протянула ей свою сумку.

— Держи. К ней еще прилагается кошелек. Вот он. Хочешь и его в придачу?

— Конечно, — обрадовалась Лера, — давайте.

— В обмен на телефон или адрес Остролистовой, — ответила я. — Думаю, у вас на ресепшен есть данные больных.

Толстуха вскочила.

— Сидите тут, никуда не уходите, вернусь через минуту.

Я задумчиво посмотрела вслед умчавшейся девице. Конечно, мне на руку, что Лера готова за сумку предоставить любую информацию о пациентах. Но вот захочется ли мне лечиться у доктора с такими наклонностями?

Ох, наверное, нехорошо пользоваться услугами этой подлой особы. Однако мне необходимо понять: девочка, которую я увидела в своем саду, результат моего трансового состояния, о котором говорила Терентьева, или реально существующая малышка? И вот сейчас пришло понимание: нет, лекарства от мигрени не вызвали у меня галлюцинаций. Теперь я уже не сомневаюсь: смерть моего соседа — не самоубийство, не случайность, а тщательно спланированное преступление. Кто-то, знающий о трагической гибели во время пожара маленькой Асеньки, желал смерти Юрия Малинина, надеялся, что он потянется за призраком дочери, упадет и разобьется. А еще, кажется, нашлось объяснение тому, как прядь волос Марины очутилась в моем саду. Тот, кто задумал убийство, купил розовое детское платьице, похожее на то, что носила Ася, а еще надел на свою малышку-подручную парик. И Катя, домработница Малининых, и сам Юра говорили, что у Аси были красивые, необычно длинные и густые для ребенка четырех лет волосы, которые Лена завивала при помощи щипцов. А у Марины Бойко волосы вились от природы.

Я вздохнула и переменила позу. Очень хочется задать Майе Михайловне несколько вопросов. В частности, такой: как ее парик оказался на голове крошки, которая с конца весны регулярно наведывалась в сад к Малининым? Но очертя голову к даме нестись не стоит. Сначала надо осторожно выяснить у матери Аси, знакома ли она с Остролистовой. Вдруг Малинина скажет: «Да, да, мы общались, а теперь поругались»? Сразу станет понятно, в каком направлении нужно копать. В некоторых случаях поспешать надо медленно.

— Вот, принесла, — сказала запыхавшаяся Лера, подбегая к скамейке. — Тут все, и телефон, и адрес. Где мой кошелек?

Я протянула санитарке портмоне и не удержалась:

— Лера, вообще-то — не очень красиво болтать о пациентах. Врач не должен распускать язык.

Она прищурилась:

— Круто! Сами попросили, а теперь, когда все получили, мораль читаете?

— Ты ко мне первая подошла, — напомнила я, — предложила свои сведения в обмен на сумку.

— А вы, раз такая правильная, могли бы послать меня куда подальше, — заржала Валерия. — Так нет, согласились. И кошелек сами отдать решили. Вы меня на нарушение толкнули, а я честная и хорошая. Между прочим, ваша родственница уехала, я только что видела, как Борис Леонидович ее в машину сажал.

— Кто? — не поняла я.

— Осипова Анжела Михайловна, — уточнила Валерия. — Укатила тетка, вас кинула.

Санитарка живо развернулась и исчезла из вида.

Я медленно пошла на парковку и убедилась, что Валерия не солгала, — голубой малолитражки Анжелы на стоянке уже не было. Осипова была столь сильно шокирована внешним видом золовки, что напрочь забыла о своей спутнице.

* * *

Дверь в дом Малининых стояла нараспашку. Я, слегка удивленная этим обстоятельством, вошла в просторный холл и позвала:

— Катя!

Но вместо домработницы в прихожую вышла растрепанная, с покрасневшим лицом Светлана. При виде меня она на секунду замерла с открытым ртом, попятилась, дернула плечами и воскликнула:

— Дашенька, как дела? Хотите чаю? Я испекла булочки с изюмом.

Я решила не отказываться.

— Спасибо, с удовольствием.

Мы прошли в столовую. Светлана показала на блюдо с плюшками.

— Угощайтесь.

Я взяла одну, откусила и похвалила:

— Замечательно вкусно. Вы превосходно готовите.

Психолог улыбнулась.

— Вообще-то, повариха из меня как из паровоза самолет. Я купила замороженный полуфабрикат. Хотела Леночку побаловать, да пока булки в духовке сидели, она уснула. Будить ее я не стала. Интересно, смогу ли я на завтрак Андрюше овсянку сварить? Мальчик, конечно, обрадовался бы бутербродам с колбасой, но Лена боится за желудок сына. Я ее пытаюсь убедить, что иногда нужно ослабить поводья, нельзя подростка постоянно воспитывать.

— А где Катя? — удивилась я. — Зачем вам мучиться с кашей, ее домработница сварит.

Светлана закатила глаза.

— О Катя... Прислуга ушла.

— Уже поздно, — удивилась я. — Куда же Катерина отправилась, если до сих пор не вернулась?

— К новым хозяевам, — отрезала психолог.

Я не поверила своим ушам.

— Она не будет больше работать у Лены?

— Вот такие встречаются подлые бабы! — гневно ответила Терентьева. — Нашла самый подходящий момент! Мы с Леной вернулись днем из полиции, устали, перенервничали, наплакались. Подруга сразу поднялась наверх, а я заглянула на кухню, внезапно очень есть захотелось. Думала, найду на плите горячий обед. А там ничего. Сунулась в холодильник — пусто, на полке одна кастрюля с остатками чего-то. Меня возмутило поведение Кати, я пошла к ней в комнату и говорю: «Где еда?» А нахалка в ответ: «Не смейте мне замечания делать, не имеете права в чужом доме распоряжаться. Не вы платите мне деньги, вот и заткнитесь».

— Очень странно, — пробормотала я. — Екатерина всегда была вежлива, она воспитанный человек, отнюдь не грубиянка.

— Сама до сегодняшнего дня считала ее такой, — согласилась психолог. — Лена о ней только хорошее говорила. И вдруг агрессия! Дальше — больше. Пока я соображала, как на ее пещерное хамство реагировать, Екатерина заявила: «Ухожу от Малининой, мне предложили место за большой оклад. Юрий Иванович умер при странных обстоятельствах, не хочу, чтобы о его прислуге плохо думали. Прощайте». Хвать здоровенные чемоданы и бежать. Я не из тех людей, кого легко выбить из колеи, но тут прямо дара речи лишилась.

— Обалдеть! — выдохнула я.

— Иначе не скажешь, — подхватила Светлана. — Вещи она заранее сложила. Наверное, рассчитывала тайком особняк покинуть. Оставить на столе записку — и тю-тю. Да мы с Ленусей рано домой вернулись и помешали хамке задуманное осуществить. Я, если честно, в шоке.

Глава 18

— С трудом верится, что Екатерина так поступила, — пробормотала я. — Куда она отправилась?

— Мне не доложила, — нахмурилась Терентьева.

— Очень странно.

— Вот и нет, — парировала психолог. — Часто так бывает, человек кажется милым и хорошим, а потом — ба-бах, проявляется натура подлеца. Отлично знаю, что многие горничные убегают из домов, где случилось несчастье, не хотят портить свое резюме. Одно дело, когда в нем написано: «Ушла по собственному желанию», и совсем иное, если указано: «Уволена, потому что хозяин покончил с собой и семья лишилась средств на содержание прислуги». Знаете, что наниматели думают? Зачем нам женщина, у которой в биографии темное пятно имеется? Что там случилось с ее прежним хозяином, достоверно не узнаешь, но лучше эту особу в дом не впускать.

— Недели не прошло, как Юра скончался. Каким образом Катя ухитрилась найти новую работу? — не успокаивалась я.

— Скорей всего, наврала она, — отмахнулась психолог. — Никуда пока не устроилась, просто смылась. Теперь на первую попавшуюся вакансию согласится, полгода там отбарабанит, получит прекрасную характеристику и зарегистрируется в агентстве. Поняла, гадина, что Лена ее скоро уволит. У моей подруги не очень хорошо с деньгами, придется дом продать, перебраться в небольшую квартиру. Юра умер, а сама Лена особняк содержать не способна.

— Мне казалось, что у Малининых с деньгами полный порядок, — снова удивилась я. — Они жили на широкую ногу — большой коттедж, две машины, отдых за границей, Лена прекрасно одевалась, к Андрею приходили репетиторы...

— Я тоже думала, что у них все в ажуре, — призналась Терентьева. — А когда понадобились деньги на похороны, оказалось, что на карточке у Лены пшик. Она решила, что банк просто не перевел со счета средства, и позвонила менеджеру... — Светлана отвернулась к двери, которая вела на террасу. — Не хочется на эту тему говорить. Если коротко, то семейная касса пуста. Гроб и все прочее я приобретала на свои деньги. Но из любого положения есть выход. Лена продаст особняк, переедет в симпатичную квартирку, ей хватит двух комнат. Положит средства, оставшиеся от ликвидации загородной собственности, в банк под хорошие проценты. У меня много знакомых, я устрою Лену на высокооплачиваемую работу. Сейчас художники, которые в сфере компьютерных технологий работают, много получают. Нечего ей от издательства месяцами заказов на оформление книг ждать. Жизнь у Малининой наладится, я ее никогда не оставлю.

— Хорошо иметь подругу, которая всегда рядом, — согласилась я, понимая, почему в начале беседы у Светланы горели щеки, а прическа была растрепанной — Терентьева разозлилась из-за разговора с Катей и никак не могла прийти в себя. — А вам не кажется, что Лене лучше приобрести трехкомнатные апартаменты? Боюсь, ей после огромного дома будет некомфортно на маленькой площади. На мой взгляд, им с Андрюшей нужны две спальни плюс гостиная.

— Мальчик в конце августа улетает на учебу в Лондон, в России будет появляться лишь на каникулы, — сообщила Светлана.

— У меня сегодня просто вечер новостей, — оторопела я. — Юра ничего не говорил о желании отослать сына за рубеж.

— Так он и жене не сразу сообщил, — чуть громче, чем следовало, воскликнула Терентьева. — Объявил накануне своей смерти, вечером после ужина. Вся семья пила чай. Лена попросила Андрюшу налить ей еще чашечку, он пошел на кухню, уронил банку с заваркой. Абсолютная ерунда, но Юра прямо озверел, начал орать, обругал сына безруким. А когда Леночка попыталась вмешаться, накинулся на нее, заявил, что она испортила мальчишку своей, как он выразился, «обезьяньей заботой». Затем отрезал: «Андрей двадцать третьего августа улетит в Лондон. Я уже оплатил его пребывание в Англии до получения аттестата об окончании школы. Это не обсуждается». И как хлопнет дверью! Лена не побежала за ним. Она прекрасно знает: если Юра впал в агрессию, лучше оставить его в покое. Муж отходчив, утром он нормально пообщается с ней. Но на рассвете садовник нашел его на земле мертвым.

Я опять, в который уже раз за время нашего непродолжительного разговора, выразила удивление:

— Семейная касса пуста, а глава семьи отправляет отпрыска на несколько лет учиться за границу, причем в одну из самых дорогих стран мира? Может, поэтому на счете нет средств?

Светлана пожала плечами.

— Кто знает, что было у Юры на уме. Он никогда не делился с супругой своими планами, сообщал об уже принятом решении. Леночка замечательный человек, но из разряда ведомых, ей нужен командир. Сейчас она в полнейшей растерянности, поэтому решения приходится принимать мне. Я позвонила в агентство, которое оформляло документы Андрея, но там категорично ответили: «По условиям договора денежные средства никогда не возвращаются. Едет мальчик или нет, нас это не касается». Ну, я и подумала, что Андрюше лучше пожить вдали от дома. Ему скоро стукнет пятнадцать, а он несамостоятелен, все еще держится за юбку матери. Кто из него вырастет? Инфантильный мужчина. Так что пора ему оторваться от родительницы. У Лены начинается сложный в финансовом плане период, она не сумеет обеспечить сыну прежний уровень жизни. И что получится? Мальчик будет питаться макаронами с картошкой и скатится на «двойки», потому что репетиторы маме не по карману. А в Англии полный, уже оплаченный пансион, замечательные педагоги, дети ходят в форме, значит, не требуется затрат на одежду. И, главное, там прекрасная перспектива — можно после школы попасть в престижный колледж, взяв кредит на образование под два процента, а не под пятнадцать, как в России. Улавливаете ход моих мыслей?

— Вам не позавидуешь. Брать ответственность за другого человека — трудное дело, — посочувствовала я Терентьевой.

— Альтернативы нет, — устало произнесла Светлана. — Я с детства привыкла к самостоятельности. Моя мама характером напоминала Лену. Отец скончался, когда мне стукнуло двенадцать, вот с той поры я всему и научилась: как выжить на три копейки, что купить в дом, в какую больницу положить мать. Я никогда не пряталась за чужой спиной. Хотя, признаюсь, очень хочется опереться на крепкого богатого мужчину и сидеть дома у телевизора с вязанием в руках.

— Это только кажется привлекательным занятием, — усмехнулась я. — Думаю, через пару месяцев ничегонеделания вы бы стали сходить с ума.

— Точно подмечено, — согласилась Светлана. — Я люблю свою работу, сознательно выучилась на психолога, чтобы помогать людям. Понимаю, слабых много, а нас, сильных, мало. Мы обязаны тащить вверх тех, кто сам не способен в гору шагать. Я хорошо зарабатываю и, поверьте, лишена чувства зависти. Но знаете, один раз я услышала, как Юра сказал Лене: «Зайка, не думай о деньгах. Это моя забота — кормить семью. Ты создавай уют, люби нас с Андрюшей и знай, что муж всегда принесет в родное гнездо бутерброд с икоркой. Да, я иногда говорю: «Сейчас надо ужаться. Не трать много». Это временные, быстро проходящие трудности. Бизнес — дело тонкое, сегодня густо, завтра пусто. Но я не позволю вам с Андрейкой очутиться в нищете». Так вот, в тот момент я наконец-то поняла, что такое зависть. Мне таких слов никто никогда не говорил. Я из породы ломовых лошадей, а Ленуся очаровательный декоративный цветок. И этим все сказано. Извините, пойду гляну, как там она. Может, согласится перекусить.

Светлана вскочила.

— Разрешите мне осмотреть комнату Кати? — попросила я.

— А зачем? — встрепенулась Светлана.

— За день до смерти Юры Катя взяла у меня диски с фильмами по книгам Агаты Кристи, которые мне дочь купила, — соврала я. — Надеюсь, горничная не прихватила их с собой. Неудобно будет перед Машей, она может обидеться, что я отдала ее подарок чужому человеку.

— Конечно, — разрешила Терентьева, — поищите спокойно.

* * *

Комната горничной показалась мне нежилой. В шкафу не было никакой одежды, в тумбочке и на столе отсутствовали лекарства и всякие милые сердцу мелочи. Я заглянула в маленькую ванную комнату, которой пользовалась горничная. Но и тут не нашла ничего примечательного. Крохотная раковина, абсолютно свободная стеклянная полочка над ней и пластиковые дверцы, за которыми прятался душ. На специальной подставке висело три одинаковых канареечно-желтых полотенца. Вероятно, они были хозяйские, поэтому Катерина сочла нужным их оставить, как, впрочем, и круглый коврик в виде улыбающейся рожицы.

Я вернулась в комнату, села на диван, оперлась локтем о подушку и вдруг почувствовала под ним что-то твердое. Расстегнула молнию на гобеленовой наволочке, увидела ворох набивочного материала, порылась в нем и вытащила небольшую коричневую книжку в обложке из искусственной кожи. Ни названия, ни имени автора на переплете не было. Я откинула книжку и поняла: это фотоальбом. Начала его листать, и передо мной стала разворачиваться история жизни Андрюши.

Похоже, Катя очень любила сына хозяев, что меня не удивило. Я знала, что Екатерина воспитывала мальчика, совмещая две должности, няни и домработницы.

Я внимательно рассматривала снимки. Первой была традиционная фотография, которая есть почти в каждой семье, — Лена стоит на пороге родильного дома с букетом в руке, рядом со счастливо-растерянным лицом маячит Юра, крепко прижимающий к груди кулек, перевязанный голубыми лентами, около новоиспеченных папы и мамы толпятся, вероятно, лучшие друзья. Самая крайняя слева — Катя. У нее очень бледное, осунувшееся лицо с синяками под глазами. А на заднем плане стоит немолодая женщина, одетая в простое темно-серое платье. Скорей всего, это прохожая, которая остановилась полюбоваться на чужую радость и случайно попала в объектив.

А вот новогодний праздник в детском саду. Андрюша наряжен зайчиком, на нем черные брючки, белая пушистая кофточка, шапочка с длинными, торчащими вверх ушками и варежки из козьего пуха цвета снега. Малыш стоит у елки, его за руку крепко держит Юра. Чуть левее маячит принаряженная Катя, а поодаль пенсионерка в давно немодной мохеровой кофте. Наверное, одна из воспитательниц или нянечка.

Ну и конечно, в альбоме были снимки, запечатлевшие день первого сентября, и по ним видно, как взрослел мальчик. Вот Андрюша смешной, коротко стриженный шестилетка с огромным букетом гладиолусов.

В России происходят глобальные перемены, меняются политические режимы, гремят гражданские войны, их сменяют годы мира, застоя. Все течет, все изменяется, как говорили древние философы. Но кое-что остается постоянным — первого сентября дети России отправляются на торжественную линейку именно с гладиолусами. Мне кажется, эти цветы специально выращивают для этой цели. Я ни у кого ни разу не видела в доме букетов из гладиолусов, лично мне их никто не дарил, я тоже не преподносила шпажники[1] своим знакомым. Но маленькая Даша Васильева всегда в первый день сентября шла на занятия именно с этими цветами.

На фото около сына возвышается Юра, он держит за лямки новенький ранец, с другой стороны стоит Катя, которая ради торжественного случая накрасила губы и сделала прическу. А за ее спиной видна тетушка в бордовой куртке, возможно, чья-то бабушка, которую невольно захватил фотограф.

Я переворачивала страницы. Вот сын Малининых идет во второй класс: Андрей, Юра, Катя и не-

---

[1] Gladius (гладиолус) — латинское название, переводится как «шпага». Цветок слегка на нее похож, поэтому иногда его еще именуют шпажником. (*Прим. автора*).

знакомка в зеленой шляпе. В третий: Андрей, Юра, Катя и женщина в плаще. В четвертый: Андрей, Юра, Катя и старушка в платочке. В пятый: Андрей, Юра, Катя и пожилая тетушка в синем платье. Малининым не везло, к ним постоянно пристраивался кто-то из посторонних. Или...

Я вздрогнула и начала еще раз изучать фотографии. Вскоре мне стало ясно: незнакомка в возрасте на всех кадрах, включая тот, где Андрюшу забирают из роддома, одна и та же женщина, только поразному одетая. Она старается держаться в отдалении от Малининых, но явно хочет быть запечатленной вместе с ними.

Я вытащила последнее фото, сделанное, как гласила подпись под ним, в прошлом году, положила его в карман платья, открыла окно, осторожно бросила альбомчик в траву, закрыла раму и вернулась в столовую. Там над чашкой чая сидел хмурый Андрюша, перед ним лежал мобильный телефон, дорогой сенсорный аппарат, точь-в-точь как тот, что мне подарила на Новый год Манюня.

— Добрый вечер, — поздоровалась я. — Ты не спишь? Уже поздно.

— Я не маленький, — огрызнулся подросток. Потом добавил: — Уроки делал. Мама запретила выходить, пока математику не решу, заперла меня в комнате. Никогда так раньше не поступала! А задание очень трудным оказалось.

— Конечно, ты уже не маленький, — согласилась я, — но знаешь, я, даже став взрослой, стараюсь лечь в кровать пораньше. Наверное, у меня в роду были бурые медведи, потому я и уродилась соней.

Андрей, проигнорировав мое замечание, начал громко хлебать чай. И вдруг сказал:

— Меня отправляют в Англию.

Я кивнула.

— Уже знаю.

— Скорей бы, — бормотнул Андрей.

Я решила поддержать разговор:

— Хочешь в Лондон?

— Да, — ответил мальчик. — Надоело в Москве. Учителя тупые, одноклассники отстойные.

— Надеюсь, в Великобритании тебе повезет, и ты встретишь там отличных педагогов и обзаведешься хорошими друзьями. От всей души тебе этого желаю! — воскликнула я. — Можешь ответить на один вопрос?

Андрюша взглянул на меня, я положила перед ним снимок.

— Кто тут сфотографирован?

— Тест на интеллект? — с издевкой осведомился младший Малинин. — Папа, я и Катя. Отец всегда меня первого сентября в школу провожал, как маленького. Я просил его больше так не делать, а он в ответ: «Традиции нельзя нарушать». Ребята оборжались — прошлой осенью я один со взрослыми пришел.

— Фото, наверное, всегда делала мама, — предположила я.

Андрей поморщился.

— Почему вы так решили? Нет, она никогда в школе не появлялась. Всегда только отец перся.

— И Катя. Я думала, Лена вас фотографировала, — сказала я.

Андрюша покосился на свой телефон.

— Не-а. Папа просил кого-нибудь из учителей или ребят нас щелкнуть. Глупая идея. В библиотеке на втором этаже целый альбом таких снимков есть. Надо его сжечь!

Я показала пальцем на пожилую женщину на фото.

— Знаешь ее?

— Ни разу не видел, — отрезал мальчик. — А чего?

— Я подумала, что эта дама — ваша родственница, — объяснила я.

— Нет, — протянул Андрюша, — у нас таких нет.

Я хотела взять фото.

— Постойте! — вдруг попросил мальчик. — Хм, вроде похожа.

— На кого? — быстро спросила я.

— На сумасшедшую из деревни. Пристала ко мне липучкой... — без особой уверенности произнес Андрей. И тут же замолчал, сделал вид, что занят изучением печенья в вазочке.

— О какой деревне ты ведешь речь? — спросила я.

— Ну... так, ерунда, мне показалось... — пробормотал парень, упорно не глядя мне в глаза.

Я секунду колебалась, потом спросила:

— Ты умеешь хранить тайны?

Андрей молча кивнул.

— Ты ведь любил папу, да? — продолжила я.

Он дернул плечом, но глаза его не отрывались от горки курабье в хрустальной лодочке.

— Вероятно, старушка была в хороших отношениях с Юрием Ивановичем, — сказала я, — поэтому может сообщить интересную информацию.

— Какую? — вскинулся Андрей.

— Разную, — обтекаемо ответила я. — Но очень нужную, возможно, она прольет свет на то, что случилось с твоим отцом. Или эта женщина — близкая подруга Кати. Тогда она может объяснить, куда уехала домработница. Послушай, я никому не скажу, что ты ходишь один в Кузякино.

— Откуда вы это взяли? — испугался Андрей. — Мама меня никуда не отпускает.

— Ты сказал «сумасшедшая из деревни, пристала ко мне липучкой», — напомнила я. — Поблизости находится лишь Кузякино. В присутствии взрослых никто к тебе подойти не решится. В школу и домой тебя возит мама. Легко сделать вывод: ты нашел способ тайком бегать в Кузякино. Я тебя не выдам, но расскажи об этой женщине.

Мальчик молчал.

— Выбирай, или честно говоришь о старухе, или я иду к твоей матери и рассказываю ей, что ты удираешь из дома, — жестко сказала я.

— В Кузякине большой магазин, кинотеатр... — начал перечислять Андрей и замолчал.

— Верно, — согласилась я, — с тех пор как на станции ликвидировали ларек с газетами, я иногда езжу в деревню за прессой. Ты тоже туда заглядываешь?

— Ладно, — кивнул Андрей, — расскажу. Но если кто-то сюда войдет, сразу замолчу. И пообещайте, что не растреплете вообще ничего маме.

Я подняла руку.

— Клянусь молчать. Но только если пойму, что ты не врешь.

Глава 19

Андрюша, конечно, не помнит, каким было его раннее детство, зато не может забыть, каково это — ходить в детский садик. В пять лет мальчика отдали в сад, и начались мучения. Его поднимали в семь утра, в любую погоду, несмотря на снег или дождь, вытаскивали на улицу, переводили через шумный проспект и сдавали на руки воспитательнице, от которой всегда отвратительно пахло.

За год, проведенный со сверстниками, Андрейка ни с кем не подружился. Он постоянно плакал, хотел домой, не мог есть невкусную еду и всегда оказывался самым глупым на занятиях. Дети не желали играть с ревой, на прогулках малыш стоял в сторонке, потом кто-нибудь его толкал, и он падал, заливаясь слезами.

Почему обеспеченные родители, которые вполне могли оставить отпрыска дома под присмотром Кати, обрекли сынишку на муки? По какой причине записали его в муниципальный садик, где в группе было двадцать с лишним детей, а не пристроили в частное заведение? Елена посчитала, что их сыну нельзя расти изнеженным. Андрюша хоть и был мал, но прекрасно запомнил, как мама твердила:

— Если детей баловать, ничего хорошего из них не получится. Андрею скоро в школу идти, а он сам ботинки завязать не может, Катерина его одевает-умывает, игрушки за барчуком убирает. Мы что, растим наследного принца, за которым всю жизнь будут бегать лакеи? Нужно научить ребенка самостоятельности, иначе мы наплачемся, когда он в школу пойдет. И Андрей бука! Все время хмурится, дуется, обижается...

Но детский сад не сделал Андрюшу ни веселым, ни активным и не научил его общаться со сверстниками. Мальчик лишь стал ненавидеть общественные учреждения.

В первом классе, как и предрекала мама, стартовали проблемы. В принципе, они были те же самые, что и в садике, — с Андреем никто не дружил, над ним смеялись, давали ему разные обидные прозвища, а иногда даже поколачивали. Не нравился ученик Малинин и педагогам, потому что неважно успевал, мямлил у доски, смотрел исподлобья.

Кроме того, Андрюша постоянно обижался на мать за то, что уделяла ему мало внимания. Нет, Елену ни в коем случае нельзя было назвать жестокой, она прекрасно обращалась с ребенком, покупала ему игрушки, книги, хорошую одежду, нанимала репетиторов. Но Андрей не припомнит момента, когда они с мамой разговаривали по душам. Она не читала ему на ночь книги, не пела песенок, не кидалась его целовать-обнимать, не злилась, не ругала, не повышала голоса.

Став чуть постарше, Андрей стал дерзить матери, спорить с ней по любому поводу. Ему очень хотелось, чтобы она вышла из себя, но ему так и не удалось пробить броню ее самообладания. На все грубости сына Елена Сергеевна отвечала ровным тоном:

— Дорогой, сейчас ты демонстрируешь немужское поведение. Я разочарована.

В конце концов Андрей решил, что его мама — робот-воспитатель, и слегка утешился. Ну, значит, она такая, не могут же все быть похожими на мать его одноклассника Вани Рябова. Та могла надавать сыну зуботычин прямо в школе, наорать за полученную двойку, а потом броситься целовать Ваньку и причитать:

— Ванюша, я тебя больше всех на свете люблю! Ты самый лучший!

Вполне вероятно, что Рябов был не в восторге от истерических выходок мамаши, может, даже завидовал тому, как сдержанная Малинина обращается с Андреем. Рябова же казалась Андрюше живой и честной, а собственная мать — каменной статуей, не способной на настоящие чувства.

Потом в семье появилась Ася, и с Еленой произошла потрясающая метаморфоза. С маленькой дочкой мама вела себя совсем иначе, Асенька полной ложкой получала от нее нежность и ласку. С дочкой Малинина носилась как с писаной торбой, без конца целовала, тормошила ее, укладывала спать в свою кровать, прощала малышке любые шалости, умилялась ее смешным словечкам, в глаза и за глаза нахваливала ее, тащила в дом охапками игрушки, исполняла любые желания крошки.

Естественно, Андрюше было обидно. И один раз он пришел вечером в мамину спальню и залез к ней на кровать, где уже лежала Ася.

— Что случилось? — спросила Елена.

— Я просто так, — ответил мальчик. И прибавил: — Мне одному страшно.

— Дети не спят вместе с родителями, — сказала мать. — Оставь гореть ночник, открой дверь в коридор и не смотри перед сном ужастики.

Андрюша показал пальцем на смеющуюся Асю.

— Ей можно, а мне нельзя?

— Асенька маленькая девочка, а ты взрослый мальчик, будущий мужчина, — пояснила Елена. — Между вами большая разница. Иди к себе. Спокойной ночи.

Андрюша ушел в твердой уверенности, что мама его совсем не любит, зато обожает Аську. Этот урок он крепко запомнил и больше не пытался приласкаться к матери. А потом все резко изменилось.

После гибели Аси Елена угодила в больницу, кое-как выкарабкалась и окружила сына трепетной заботой. Отныне Андрей не должен был без нее и шагу ступить. Она провожала его в школу и привозила домой, сопровождала на дополнительные занятия, запрещала есть разные вкусности, потому что они вредны для здоровья, и каждый месяц таскала сына на профилактический осмотр к врачам, тщательно следила, во что он одет, как делает уроки, что смотрит по телевизору. От Елены было невозможно скрыться-спрятаться! Каждый вечер она садилась на край кровати Андрея и требовала:

— Расскажи, как у тебя прошел день.

И он, чувствуя себя полным идиотом (а то мать не знает, чем он занимался, она же с ним повсюду таскалась!), заводил рассказ. Андрюша быстро понял, что спокойная и равнодушная родительница намного лучше припадочно-заботливой. Потеряв дочь, Елена спонтанно превратилась в любящую маму, о которой Андрейка мечтал с малолетства. Но вот что странно, вместо счастья он испытывал раздражение. Если раньше жизнь его наполняла печаль, то теперь ее сменила злость. А еще паренька не покидало ощущение, что из него пытаются сделать некий заменитель погибшей сестры. Останься Ася в живых, Елена бы по-прежнему вела себя по отношению к сыну как робот.

Андрею не хватало прежней свободы. Раньше, до пожара, он мог спокойно один гулять по деревне, где жила семья, заходить в местный магазин, покупать там жвачку, конфеты, пытаться вытащить при помощи цеплялки плюшевую игрушку из автомата. Но после трагедии Малинины переехали в тщательно охраняемый поселок, и Андрюше строго-настрого запретили даже выглядывать за ворота участка. Он ощущал себя куском сыра, который положили под стеклянный колпак. Его все рассматривают, оценивают, иногда достают, но сам продукт лишен возможности покинуть свою комфортабельную тюрьму, остается лишь ждать, пока его слопают без остатка.

Зря некоторые родители полагают, что, приказав отпрыску никуда не ходить без старших и заперев его дома, они могут расслабиться. Увы, все не так. Подростки предприимчивы, и Андрюша не стал исключением. Он открыл для себя старый как мир способ удирать незаметно на волю. В девять вечера он безо всяких споров делал вид, что покорно отправляется спать, а потом открывал окно, вылезал в сад и спешил к забору, который отделяет участок Малининых от леса. Да, он высоченный, бетонный, перелезть через него нереально, но Андрейке пришло в голову... сделать подкоп. Целый месяц он тайком упорно орудовал небольшой лопаткой, и в конце концов его труд увенчался успехом. Теперь восьмикласснику стоило лишь отодвинуть доску, на которой для конспирации лежит дерн, — и вот она, свобода!

Очутившись на воле, Андрей бежал в Кузякино. До деревни три километра по шоссе, но если идти напрямую, через лесок, то спустя максимум пять-семь минут окажешься на околице деревни. А далее можно спокойно отправляться в торговый центр, который открыт до часа ночи. Там очень весело, работают супермаркет, кафе, куча мелких лавочек, есть зоомагазин, где торгуют щенками-котятами и всякими экзотическими животными.

Идея прорыть лаз под забором пришла Андрею в голову в начале апреля, когда он прочитал роман Александра Дюма «Граф Монте-Кристо». А уже в конце месяца мальчик первый раз пришел в Кузякино. И с тех пор регулярно проводит там время.

В первых числах июля Андрюша, купив пакет чипсов, отправился полюбоваться в зоолавку на животных. Наткнулся на старушку в фиолетовом платье и извинился:

— Простите, пожалуйста.

— Какой ты хороший, воспитанный мальчик, — умилилась бабушка. — Наверное, отличник.

— Конечно, — ничтоже сумняшеся соврал троечник Андрей.

— Ой, молодец! — обрадовалась старушка. — Родителям помогаешь?

— Всегда полы мою, — снова солгал подросток.

Он уже хотел было двинуться дальше, но бабка схватила Малинина за плечо.

— Пошли, куплю тебе подарок.

Андрей попытался сопротивляться.

— Спасибо, не надо, у меня все есть.

— Оно верно, но от бабы Полины ничего нет, — возразила пожилая женщина. — Ты славный мальчик, и я тебе подарю красивую игрушку. Мне скоро умирать, останется тебе на память машинка.

Вот тут подросток сообразил, что столкнулся с выжившей из ума особой, и решительно заявил:

— Нет. Мама не разрешает мне ничего у чужих брать.

— У чужих... — повторила старушка. — Обидное словцо! Только я-то роднее некуда. Дай-ка тебя обниму-поцелую!

Андрюша шарахнулся в сторону, попытался увернуться и не смог — бабка оказалась неожиданно сильной и цепкой. Но она поняла нежелание мальчика обмениваться лобзаниями и примирительно заявила:

— Ладно, ладно, не стану тебя ласкать. Но подарок купить обязана. И запомни мой дружеский совет: не ходи в зоомагазин. Там хозяин — уголовник, на зоне отсидел, теперь бизнес завел. Вроде честно живет, но я носом чую, творятся в его лавчонке черные дела. Не суйся туда, еще в беде окажешься.

Андрюша вспомнил недавно виденный сериал о сумасшедшем доме и решил действовать, как главный герой «мыла». А тот постоянно твердил: «Все люди — психи. Хочешь, чтобы они тебе не мешали? Непременно соглашайся со всеми их глупостями, а потом поступай по-своему».

— Клянись, что никогда не зайдешь в магазин с животными, — потребовала старуха. — Мне за тебя, детонька, страшно.

— Чтоб мне умереть, если даже на витрину погляжу! — воскликнул Андрейка.

Он подумал, что бабка успокоится и ему удастся удрать. Но вышло иначе.

— Вот ты где! Почему по телефону не отвечаешь? — спросила у сумасшедшей вынырнувшая из толпы женщина.

— Смотри, какая радость, — оживилась старуха, по-прежнему крепко держа Малинина за плечо. — Я внучка встретила, и наконец-то нам поговорить удалось. Хороший мальчик вырос, отличник. Я ему сейчас подарок преподнесу, заводную машинку.

— Баба Поля, отпусти парня, — сказала тетка, в которой Андрей узнал продавщицу книжного ларька. — Это не твой внук.

— Что я, дура? — возмутилась старушка. — Андрюша он. Так ведь? Скажи, как тебя зовут?

— Андрей, — ответил удивленный Малинин.

Продавщица наклонилась и что-то зашептала старухе на ухо. Та вдруг разжала пальцы. Подросток не растерялся и живо юркнул в расположенный рядом супермаркет.

Глава 20

Минут через пятнадцать, когда Андрей рассматривал мороженое, к нему подошла та самая работница книжного магазина и сказала:

— Хорошо, что я тебя нашла. Баба Поля от старости из ума выжила, я за ней присматриваю, одну никуда не выпускаю. А сегодня она незаметно ушла. Извини, если Полина Гавриловна тебя напугала. Она добрый человек, никому ничего плохого в жизни не сделала, просто к старости слегка рассудком помутилась.

— Я никого не боюсь, — ответил Андрюша. — Удивился просто, с чего вдруг посторонняя женщина внуком меня называет и подарок купить решила.

Продавщица сложила руки на груди.

— У бабы Поли есть внук Андрей, который уехал жить в Америку. Звонит он редко, Полина Гавриловна по нему скучает. Голова у нее работает плохо, вот она и перепутала все, приняла тебя за своего внука, забыла, что он давно взрослый человек.

— А-а-а, — протянул Андрюша, — понятно. Ну, я пошел.

— Иди, конечно, — улыбнулась женщина.

...Малинин-младший закончил рассказ и посмотрел на меня.

— Я фото, что вы сейчас показали, никогда не видел. Даже не знал, что оно есть. Но тетка на нем здорово на Полину Гавриловну смахивает, и платье на ней вроде то же. Наверное, она кого-то в школу провожала, вот и попала случайно в кадр.

— Андрей! — закричала из глубины дома Светлана. — Принеси маме из аптечки красный пакетик, на нем нарисован термометр.

Подросток молча встал и ушел.

У меня в кармане раздалось характерное попискивание. Я достала мобильный и увидела эсэмэску от Дьяченко. «Малинин чист со всех сторон. Не привлекался, не сидел. Бывших жен с детьми нет. Ни с кем не судился. Идеальный гражданин. Даже штрафы по линии ГИБДД отсутствуют». Я сунула трубку на место и призадумалась.

Если, проявив снимки, вы обнаруживаете на них рядом со своими близкими кого-то постороннего, то, конечно же, испытаете досаду. Некоторые не очень умные люди любят влезть в кадр, скорчить рожу, сделать зверское лицо, им это кажется смешным. Подчас бывает, что объектив захватывает прохожего, уличного продавца, полицейского. Ни малейшего удивления этот факт не вызывает. А вот если, просматривая карточки, вы увидите на каждой женщину, старательно изображающую, что она не с вами, но тем не менее упорно смотрящую прямо в камеру, то что вы подумаете? Один раз — это пустяк, второй — странное совпадение, а третий, четвертый, пятый? Ну и кем же Полина Гавриловна приходится Андрею? Еще одна загадка, а отгадки нет. Сплошные вопросы без ответов.

Хотя нет, кое-что я все-таки сумела разузнать и совершенно уверена, что девочка в розовом платье, регулярно являвшаяся Юрию Малинину, существует в действительности. Такую одежду купить очень просто, этим товаром сейчас московские магазины переполнены. Что же касается волос, то я догадываюсь, кто предоставил для спектакля свой парик, — Майя Михайловна Остролистова.

Думаю, дело обстояло так. Дама с редкими волосами предложила заядлой игроманке Инне деньги за прекрасную шевелюру Марины. А непутевая дочь Ольги Сергеевны, решив, что неподвижно лежащей больной роскошные кудри не нужны, схватилась за ножницы. Дальше понятно. Парик оказывается на голове у ребенка, который изображает Асю. Я вижу в нашем саду девочку, бросаюсь за ней, она убегает, цепляется одним из локонов за ветку ели, прядь отделяется, повисает на дереве, затем планирует к моим ногам.

Я вздохнула и уставилась на телефон Андрюши, который лежал на столе около вазочки с печеньем. В моих рассуждениях все весьма складно, но если задуматься, то картина не складывается. Малышка, которой приказали пугать Юрия, выглядела четырехлетней. Сначала она молчала, затем стала жаловаться характерным детским голосочком. Исполняй эту роль подросток, безутешный отец мигом бы понял: перед ним вовсе не его трагически погибшая дочь. Но по моим наблюдениям, Юра был абсолютно уверен в том, что видит Асеньку. А теперь скажите, какой карапуз способен быстро и ловко залезать на дерево на высоту второго этажа, бесстрашно раскачиваться прямо перед балконом, быстро убегать, когда за ним бросаются вдогонку, и без малейшего затруднения взлетать на гладкий бетонный забор, который без крюка с веревкой не преодолеть даже профессиональному альпинисту? Лично у меня ответа нет. В голову приходит лишь одна мысль: в спектакле участвовал ребенок, которого тренировали буквально с пеленок. Возможно, он подрастает в семье профессиональных акробатов, ведь люди цирка приводят своих отпрысков на арену с малолетства.

Следующий вопрос. Зачем вообще пугать Юрия? Его хотели довести до самоубийства? А смысл? Денежные средства, дом и бизнес завещаны Елене. Откуда я это узнала? Сейчас объясню. В прошлом году летом соседи устроили пикник, пожарили шашлыки. Пригласили и меня. Я не очень люблю мясо, поэтому Лена приготовила для меня специальный шампур с овощами. Помнится, мы очень душевно посидели, поболтали и разошлись. Наутро я позвонила Малининым, чтобы поблагодарить за чудесный вечер, и услышала:

— Дашенька, ты как себя чувствуешь?

— Прекрасно, — удивилась я. — А что?

— Юра заболел! — воскликнула Лена. — Пришлось под утро «Скорую» вызывать. Доктор предположил, что мужу попался кусок испорченной баранины. Но сейчас ему уже лучше.

Понятное дело, я поспешила к соседям и нашла их на веранде. Бледный до синевы Юрий пил крепко заваренный чай. Увидев меня, он сказал:

— Вот, гляди, Дарья, решила жена мужа отравить! Сама в полном порядке, а я в обнимку с унитазом до утра развлекался.

— Я тоже ела шашлык, — возразила Елена. — Так иногда бывает, одному достался плохой кусок, другому нормальный.

— Верно, — подхватила я. — Как-то раз мы с бабушкой вместе завтракали тостами. Я потом спокойно провела день в школе, а ей стало плохо. Мы с бабулей ели одинаковые масло и сыр, и ее скрутило, а меня нет!

— Так всегда говорят жены, которые мужей на тот свет отправить задумали, — продолжал ёрничать Малинин.

Было понятно, что он шутит, но Лена вдруг обиделась:

— Зачем мне тебя травить?

— А наследство? — захихикал Юра. — Ты прекрасно знаешь, что все тебе оставлено. И дом, и деньги, и бизнес. Утопаю я на тот свет, а ты, богатая и свободная, будешь тратить капиталы, не спрашивая у меня разрешения. В литературе много подобных сюжетов: юная девушка выходит замуж за пенсионера, подсыпает ему яд в кашу и, айн, цвай, драй, становится веселой вдовой с толстым счетом в банке. А я тебя на целых два года старше!

Лена перестала дуться, рассмеялась, схватила посудное полотенце и набросила мужу на голову.

— Замолчи, старикашка! В следующий раз точно получишь на завтрак оладьи с пургеном. Умереть не умрешь, но из туалета трое суток не выйдешь. А насчет богатой вдовушки я подумаю. Хорошая, кстати, идея, наследство-то точно мое. Никаких родственников прямых-косых, дальних-ближних у нас нет, никто в суд меня не потащит.

Так что, думаю, преступник не рассчитывал получить денежные средства Малинина. Он тщательно подготовил спектакль с Асей и уж, наверное, знал, что деньги отца погибшей девочки достанутся его жене. Тогда что руководило негодяем? Месть? Юра совершил некогда преступление и теперь за него расплатился?

Но Сергей Дьяченко, подчиненный полковника Дегтярева, порылся по моей просьбе в биографии Малинина и не нашел в ней ничего криминального. Юрий никогда не находился под следствием, с его именем не связано ни одного скандала, нет многочисленных браков и кучи детей от разных женщин. Юра рано женился на Лене и счастливо жил в браке с ней. Андрюша появился на свет спустя несколько лет после свадьбы, значит, поход Юры в загс не был связан с так называемым «залетом» невесты. Бизнес у Малинина некрупный, это предприятие, производящее разнообразные щетки для чистки одежды. Оно находится в Подмосковье, работают там в основном женщины, продукция пользуется спросом, продается во многих магазинах. Расширяться Малинин не собирался. Денег семье хватало, а становиться олигархом Юрий не планировал. И он не занимался нефтью, газом, железной рудой, не торговал продуктами-водкой, не владел огромными торговыми площадями. Может, я, конечно, не права, но производство щеток — не тот бизнес, владельца которого выгодно уложить под могильную плиту. Бизнесмен средней руки, Малинин был неизвестен широкой публике, не появлялся на телеэкране, не участвовал в разных шоу, никого не раздражал, в политику не лез.

Найдите хоть один повод для того, чтобы доводить Юрия до самоубийства. Лично я такового не вижу. Но тем не менее этот самый повод был. Малинин ведь погиб! Возможно, пожилая женщина, запечатленная на фотографиях, прольет свет на сию темную историю?

Экран телефона Андрея загорелся. У мальчика, повторяю, дорогой сенсорный аппарат, мечта многих подростков. У этих мобильных любая эсэмэска появляется перед глазами сразу и «висит» на дисплее, пока вы ее не прочитаете и не скинете. Я никогда не лезу в чужие сообщения, но сейчас, думая о Юре, машинально прочитала адресованное мальчику послание: «Прекрати! Или ты покойник».

Тут в комнату вошла Светлана. Увидев меня, она всплеснула руками:

— Господи! Простите, я забыла про вас! Лена не очень хорошо себя чувствует.

Я встала, откланялась, вышла во двор, подобрала выброшенный из окна альбомчик и поспешила домой.

Кстати, вот вам еще одна странность. Почему Катя хранила альбом в диванной подушке? Ничего криминального в семейных фотографиях нет. Думаю, домработница не хотела, чтобы дорогие ее сердцу снимки случайно увидел посторонний взор. Но тогда почему, покидая дом Малининых навсегда, она оставила их? Забыла о них? Но из комнаты унесены все личные вещи, прихвачена даже зубная щетка, а тайник в диване не опустошен.

Изумление вызывает и поспешное увольнение домработницы. Светлана предположила, что Екатерина испугалась за свое будущее, мол, не захотят люди нанимать горничную, которая служила в семье, где при таинственных обстоятельствах погиб хозяин. В принципе, это возможно. Но давайте вспомним, что несколько лет назад у Малининых сгорел дом, в огне погибла Ася. Почему же Катя не ушла тогда? Нет, она осталась с хозяевами, поддержала их в горе. Может, сейчас ее вынудили уйти? Кто? Почему?

Я подошла к своему дому и вдруг почувствовала жалость к Андрюше. Он очень одинок, у него нет друзей, не перед кем излить душу. Мальчик остро нуждается в общении. Стоило мне проявить к нему интерес, поговорить с ним, как со взрослым, и он мгновенно выболтал свою тайну, рассказал о походах в Кузякино. Так поступают дети с синдромом дефицита внимания. Лена рьяно следит за тем, как Андрей учится, даже сейчас, лишившись мужа, она нашла в себе силы проверить, тщательно ли сын выполняет задание по математике, и заперла его в комнате, пообещав выпустить лишь после решения примеров и задач. Андрейка сыт, хорошо одет, у него очень дорогой телефон, но вот состоянием его души мать не обеспокоена. Поэтому подросток и вывалил передо мной, почти незнакомой соседкой, ворох своих обид. Уж очень ему горько, он живет с чувством, что мать его не любит, не понимает, не ценит. Во время нашего разговора он явно сильно нервничал — часто моргал, шмыгал носом, не знал, куда деть руки. Надеюсь, после того как я выслушала Андрюшу, ему станет чуть-чуть легче.

Глава 21

Войдя в дом, я первым делом спросила у Анфисы:

— Посылку доставили?

— Нет, — ответила домработница, — ничего не привозили.

Пришлось опять набирать уже выученный наизусть номер. Сначала я привычно прослушала информацию о том, какие кнопки следует нажимать, если я хочу поблагодарить почту ОВИ за прекрасную работу и устроиться к ним на службу, затем насладилась песенкой про солнце на ладони и в конце концов услышала, как мне показалось, детский голос:

— Оператор Петр. Ваш звонок очень важен для нас. Чем могу помочь?

— Мне пообещали сегодня привезти бандероль, — сказала я. — Но курьер не появился.

— Из какого города вы звоните?

Снова начинался день сурка.

— Из Москвы.

— Ваш звонок очень важен для нас. Назовите номер отправления, — потребовал дискант.

Я его назвала, Петр попросил подождать. Опять противный голос запел про солнце на ладони. Потом еще. И еще. Потом оператор заорал:

— Ваш звонок очень важен для нас! Из какого города вы звоните?

— Простите, — процедила я, — уже сообщила вам, что из Москвы.

Возникла тишина. Через пару секунд ее нарушили всхлип и сдавленный шепот:

— Я перепутал порядок вопросов... Ой, где инструкция? Кто-нибудь, дайте руководство по общению с клиентом! Кто взял с моего стола бумагу? Помогите-е-е-е!

Я заволновалась.

— Петя, Петя, не нервничайте. Все хорошо. Давайте сначала. Здравствуйте! Теперь вам следует сказать: «Ваш звонок очень важен для нас. Из какого города звоните?»

— Мама! — снова всхлипнул Петр. — Вы проверяющая? Отдел собственного контроля за безупречным поведением служащих? Я нарушил кодекс почты ОВИ! Меня расстреляют во дворе у помойки!

На мгновение я онемела. Потом попыталась утешить несчастного оператора, которому, судя по голосу, едва ли исполнилось двенадцать лет.

— Дорогой Петя, ничего...

Но он уже отсоединился.

Я перевела дух и решила не сдаваться. Манюня отправила из Парижа посылку, ее необходимо обязательно получить, надо снова набирать контактный номер.

«Солнце на ладони-и-и-и...»

— Оператор Георгий. Ваш звонок очень важен для нас. Чем могу помочь?

— Добрый вечер. Звоню из Москвы. У меня два вопроса. Куда подевалась моя посылка? И что случилось с вашим коллегой по имени Петр? Очевидно, вы сидите в одном помещении и в курсе, как он себя чувствует, — затараторила я. — Юноша недавно беседовал со мной, и ему внезапно стало плохо.

— Ваш звонок очень важен для нас, — после краткой паузы произнес Георгий. — Из какого вы города?

— Из Москвы, — зашипела я. — Что с оператором по имени Петр?

— Личная информация о сотрудниках лучшей в мире почты ОВИ не разглашается, — голосом глашатая объявил юноша. — Если вы желаете положительно оценить работу службы, нажмите кнопку один. Если желаете дать отрицательную оценку, нажмите два. Если хотите оставить обоснованную жалобу, отправьте ее по адресу: почта ОВИ собака ру. Вы непременно получите ответ в течение года. Благодарю вас за внимание к почте ОВИ. Ваш звонок очень важен для нас. Ваши справедливые замечания помогают почте ОВИ стать еще оперативнее и еще лучше обслуживать наших клиентов, чьи звонки очень важны для нас.

Раздался щелчок, полетели короткие гудки. Я издала стон и снова принялась терзать телефон.

«Солнце на ладони-и-и-и...»

— Оператор Анна. Ваш звонок очень важен для нас. Чем могу помочь?

— Где моя посылка? — тут же спросила я. И, конечно же, услышала встречный вопрос:

— Откуда вы звоните?

Узнав, что клиентка в Москве, Анна выяснила номер отправления, отключилась, но довольно быстро вернулась и промурлыкала:

— Ваш звонок очень важен для нас. Спасибо за ожидание. Ваше пожелание не было выполнено.

— Спасибо, я это поняла, — перебила я. — Меня интересует: когда наконец привезут посылку?

— Срок доставки почтой ОВИ составляет двадцать три часа пятьдесят девять минут из одной точки земного шара в другую, — Анна неожиданно начала озвучивать доселе ни разу мною не слышанный текст. — Почта ОВИ — единственная в мире, работает по самым передовым технологиям с космической скоростью. Ваш звонок очень важен для нас.

— Дочь выслала мне бандероль из Парижа во вторник, — перебила ее я. — В моем случае ваши самые передовые технологии вкупе с космической скоростью дали сбой. Где посылка?

— В почте ОВИ работают профессионалы экстра-класса, — зажурчала Анна. — Но нам мешают неблагоприятные обстоятельства, а именно: локальные войны, забастовки граждан разных стран, наводнения, землетрясения, цунами, обледенение самолетов и взлетно-посадочных полос в аэропортах, сильный ветер, эпидемии разнообразных болезней, засуха, колебание курса мировых валют, изменение индекса Доу-Джонса, обвал фондовых бирж Запада и Востока, резкие скачки погоды. Ваш звонок очень важен для нас.

Я тихонько икнула, но решила стоять насмерть, как Брестская крепость.

— Где моя посылка?

— На данном этапе, несмотря на сложные метеоусловия, ваше отправление прибыло в столицу России. Вы можете получить его сами в одном из пунктов выдачи, открытых для удобства клиентов замечательной почты ОВИ в центральных точках города, или вызвать курьера на любой час по месту регистрации получателя, — заученно пропела Анна.

— Отлично, — обрадовалась я, — пусть привезут бандероль прямо сейчас.

— Ваш звонок очень важен для нас. К сожалению, не могу оформить заказ, так как все доставщики на данный момент уже заняты. Есть свободное время на сегодня, на три часа ночи восемь минут сорок девять секунд, — предложила девушка.

Мне потребовалось несколько секунд, чтобы сообразить: полночь уже миновала, наступил другой день.

— Оформляем доставку? — спросила Анна.

— Лучше я сама получу бандероль, — решила я. — Где это можно сделать?

— Наш пункт выдачи, оборудованный по последнему слову техники, находится на Стеклокерамическом проезде, в доме один, корпус восемь. Вам нужно иметь при себе паспорт с регистрацией, — отчеканила Анна.

— Прекрасно, — выдохнула я. — Эпопея подходит к концу. Последний вопрос: часы работы пункта выдачи?

— Круглосуточно, с перерывами на обеды, — мирно ответила Анна.

Меня смутило множественное число перерывов, и я решила уточнить, сколько их.

— Назовите точное время перерыва. Часы и минуты.

— Ваш звонок очень важен для нас. Лучший в мире автоматизированный пункт выдачи посылок почты ОВИ открыт с десяти утра. Первый обед в десять сорок пять. Второй — в одиннадцать пятнадцать, третий — в двенадцать ноль две, четвертый — в тринадцать десять, пятый — в четырнадцать ноль-ноль...

— Стойте! — завопила я. — Не слишком ли много жрут ваши служащие? И как долго длятся перерывы на перекус?

— Восемь минут пятнадцать секунд, — возвестила Анна. — Получить отправление вы можете с десяти утра до двадцати трех часов ежедневно, без выходных.

— Погодите! Менее минуты назад вы сообщили, что пункт открыт круглосуточно. Или я неправильно вас поняла? — занервничала я.

— Ваш звонок очень важен для нас. Лучший в мире высокотехнологичный пункт выдачи отправлений клиентам почты ОВИ работает и днем, и ночью. С двадцати трех до десяти утра технический перерыв для обслуживания интернет-сетей. Во время профилактических работ отпуск отправлений не производится. Мы заботимся о наших клиентах.

— Спасибо, — выдохнула я.

— Ваш звонок очень важен для нас. Почта ОВИ к вашим услугам, — объявила Анна и отсоединилась.

Ну и где у нас находится Стеклокерамический проезд? С рождения живу в столице, но ни разу не слышала этого названия. Ладно, завтра пороюсь в Интернете и найду. А сейчас лучше пойти принять ванну. Беседа со служащими славной почты утомила меня до крайности.

Тихо радуясь тому, что Глория, Зоя Игнатьевна и Гарик заняты своими делами в отведенных им комнатах и мне не придется беседовать с ними в гостиной, я на цыпочках поднялась на второй этаж, напустила в ванну теплой воды, села в нее и зажмурилась от удовольствия.

Проведя несколько минут неподвижно, я намочила волосы, нашарила бутылочку с шампунем, вылила его немного в ладошку и, тихо напевая, принялась мыть голову. Пахнущая ванилью пена сползла на лицо. Я, сидевшая с закрытыми глазами, нащупала рукой шланг с душевой насадкой, направила струю на макушку, прополоскала волосы и вдруг почувствовала, как на лоб снова ползет пена. Я слегка удивилась. Хм, вроде тщательно промыла волосы. Они у меня недлинные и, что греха таить, вовсе не густые, как правило, я избавляюсь от следов шампуня очень быстро. Но потом сообразила, что открыла совсем новое средство, вероятно, оно очень мыльное, и снова стала поливать макушку теплой водой. На этот раз я держала душ над головой минут пять. Но когда отвела его в сторону, волосы чудесным образом опять покрылись густой шапкой пены.

Тут я догадалась, что приобрела концентрированный шампунь, его следует брать в малом количестве, всего несколько капель, и разводить в большом количестве воды. Ну ничего, сейчас-то уж совершенно точно волосы заскрипят под пальцами.

Я опустила душ, приоткрыла глаза, взвизгнула и начала спешно плескать на лицо воду — мыло отчаянно щипалось. Что это за штука такая, которую невозможно смыть? Производитель придумал шампунь, который работает по принципу: чем дольше его удаляешь, тем больше его становится?

За спиной послышался тихий шлепок. Я дернулась, но быстро поняла, что произошло. У меня на внутренней спинке ванны с помощью присосок прикреплена резиновая подушка, которая иногда отваливается.

Тем временем пена окутала лицо, забилась в нос, рот, проникла под закрытые веки. Я открутила кран на полную мощь, но особого успеха не добилась — шампунь и не собирался смываться.

Мне стало не по себе. Я что, принесла из магазина жидкое мыло-убийцу? Наносишь невинное с первого взгляда средство на волосы, а оно увеличивается в объеме и в конце концов душит лежащую в ванне женщину? Стены в особняке толстые, если я заору, никто не услышит.

Я нырнула под воду, потом снова села. Ощутила, что на макушке образовалась очередная гора пены, почувствовала, как за спиной туда-сюда движется упавшая подушка, и почти испугалась. Но вдруг сообразила: шампунь больше не пахнет ванилью, от него резко несет клубникой!

Я схватилась за поручень, с закрытыми глазами выскочила из ванны, начала шарить по стене, пытаясь нащупать полотенце. Внезапно моей правой ноги коснулось нечто мягкое. Ага, вот она, банная простынка, свалилась на пол...

Живо нагнувшись, я схватила ее и на секунду удивилась: почему она какая-то странная на ощупь и очень тяжелая? Но размышлять на сию тему времени не было. Я поднесла полотенце к лицу, но оно неожиданно забарахталось, заворчало, захрюкало...

Мои глаза сами собой раскрылись, и сквозь покатившиеся слезы взору предстала дивная картина. По всей ванной комнате рассеяны острова густой мыльной пены, можно подумать, что тут недавно работал огнетушитель. Большое полотенце мирно покачивается на держателе. Около ванны стоит Лиззи с почти опорожненной бутылочкой клубничного шампуня в лапах, и у ног енотихи валяется пустая пластиковая упаковка с этикеткой «Ванильный рай». А у меня в руках трепыхается Диззи, которого я приняла за полотенце и решила вытереть им свое личико.

Глава 22

— Диззи! — заорала я с такой силой, что Лиззи вздрогнула и заворчала. — Что вы здесь оба делаете? — вопила я. — Так вот почему шампунь не смывался! Кто-то из безумных прачек постоянно лил его мне на голову!

Лиззи нахохлилась, опустила лапы в воду и начала усердно стирать подушку, Диззи закрыл глаза и притворился мертвым. Продолжая держать енота правой рукой, левой я схватила банную простынку, тщательно вытерла и вытурила Диззи за дверь и велела Лиззи:

— Завершай постирушку, хватит терзать подушку для ванны, она совершенно чистая.

Енотиха вынула лапки из пены, я обомлела. Минуточку! Лиззи полоскала вовсе не розовую подушку, а нечто черное, с ручками... Ой, это моя сумка! Подарок Зайки на Новый год! Ольга привезла ее из Парижа, и я даже думать боюсь, сколько стоило эксклюзивное изделие одного из самых известных модных домов мира.

Лиззи внимательно взглянула на меня, выронила ридикюль, пискнула, метнулась к шкафчику, где хранятся разные банные принадлежности, распахнула дверцу, юркнула внутрь и затаилась.

Мне стало смешно. Конечно, я лишилась дорогой сумки, двух емкостей с шампунем, не смогла как следует расслабиться в теплой воде. Но посмотрите на ситуацию с другой стороны. Кого-нибудь из вас мыли еноты? На что угодно готова спорить, мало найдется людей на Земле, которые ответят: «Да».

Я открыла шкаф и миролюбиво обратилась к Лиззи:

— Похоже, ты вовсе не дурочка, отлично понимаешь людскую речь. Давай договоримся: мы будем дружить. Я стану давать вам что-нибудь вкусное, а вы прекратите устраивать банно-прачечные процедуры в моей ванной. Вылезай, пожалуйста, тебе надо тщательно вытереться, в противном случае можешь подхватить воспаление легких и вместо лакомства получишь горькое лекарство и неприятные уколы в попу.

Енотиха шумно вздохнула и выбралась наружу. Я закутала ее в розовое полотенце и попросила:

— Сделай одолжение, переведи все, что от меня услышала, на енотовый язык и озвучь своему приятелю.

Или мне следовало сказать «енотский язык»? Ну да неважно, главное — другое: что-то мне подсказывает, Диззи менее сообразителен, чем Лиззи. Женщины, как правило, умнее мужчин в бытовых вопросах.

Лиззи издала довольное хрюканье, улыбнулась, а я услышала тихое дребезжание сотового телефона и поспешила в комнату искать трубку. Интересно, кто решил потревожить меня в столь поздний час? Надеюсь, никакой беды не случилось.

Женский голос, долетевший из трубки, показался мне смутно знакомым.

— Дарья?

— Слушаю вас, — ответила я.

— Прекрати лезть в чужую жизнь, иначе худо будет. Не смей рыться носом там, где не просят. Сиди тихо, читай книжки — и сохранишь здоровье. Это последнее предупреждение! — на едином дыхании выпалила тетка и отсоединилась.

Я открыла информацию о звонке. Номер скрыт. Ну и кто звонил? В чью жизнь я влезла? Собственно, тут сомнений нет, речь идет о смерти Юрия Малинина. Некая дама испугалась расследования и решила остановить госпожу Васильеву. Да только она выбрала абсолютно неверную тактику. Если меня стращать и ультимативным тоном приказывать мне прекратить расследование, в моей душе немедленно проснется азарт, и я с утроенной скоростью займусь делом. И, кстати, раз баба занервничала, значит, медленно, но верно я подбираюсь к разгадке тайны смерти соседа.

Положив телефон на стол, я пошла к кровати.

Пора спать, а завтра с утра начну действовать. Попытаюсь разыскать Остролистову, купившую, по словам уборщицы Валерии, волосы Марины Бойко. А затем попытаюсь найти в деревне Кузякино старушку Полину Гавриловну. Надеюсь, она не совсем выжила из ума и объяснит мне, что связывает ее с Малиниными и куда подевалась Екатерина. Почему я решила, что старуха хорошо знает домработницу? Катя сама подбирала фотографии в альбом, она не могла не заметить посторонней особы, регулярно оказывавшейся в кадре, и тем не менее не возражала против ее присутствия. Похоже, Екатерина и Полина Гавриловна — добрые приятельницы. Вот только непонятно, зачем жительнице села Кузякино участвовать в жизни Андрюши.

И очень хочется порасспросить Катю. По какой причине она со скоростью ветра покинула дом Елены Сергеевны? Что случилось? Ее вынудили уйти? Испугали чем-то? Вдруг горничной звонила та же особа, что пыталась заставить меня бросить расследование? Почему-то голос нахалки показался мне знакомым, как будто я его уже слышала. Но когда и где?

* * *

По телефону Остролистовой ответил хорошо поставленный баритон.

— Особняк господина Мамалыгина, управляющий Виктор. Слушаю вас.

Я быстро отсоединилась и схватила айпад.

Неужели Майя Михайловна имеет отношение к Сергею Петровичу Мамалыгину, богатому бизнесмену и известному меценату? Хорошо, что на дворе эра Интернета, поисковые системы мигом выдадут любые сведения. И где тут у нас список самых богатых жителей Москвы? Вот же он! И, пожалуйста, в нем есть господин Мамалыгин и даже его биография.

Так, так, оказывается, Сергей Петрович с юности женат на Майе Михайловне Остролистовой, у них есть дочь. Муж ворочает делами, а супруга увлекается благотворительностью, сейчас она спасает от вымирания гигантских бабочек, обитающих в дельте реки Нгама. Ну-ка, ну-ка, где протекает эта водная артерия? Очень интересно! Речушка имеет километр в длину, ее устье находится неподалеку от африканского города Матука.

Я вновь схватилась за трубку. Хорошо, что у Мамалыгина есть помпезно представляющийся мажордом, теперь мне ясно, как надо действовать...

— Особняк господина Мамалыгина, управляющий Виктор, слушаю вас.

— Добрый день, дружочек, — голосом настоящей блондинки промурлыкала я. — Даша Васильева беспокоит. Где там у нас Маечка?

Виктор издал покашливание.

— Госпожа Остролистова отсутствует.

— Куда же она в такую рань поехала? — старательно изобразила я удивление, поглядывая на часы, которые показывали одиннадцать утра. — Солнышко едва встало, а Маечка уже усвистела?

— Прошу простить, но хозяйка не поставила меня в известность о своих планах на сегодняшний день, — церемонно ответил Виктор.

— Дружочек, ты меня не узнал? — капризно протянула я. — Представлюсь еще раз: Даша Васильева, подруга Маечки и ее верная соратница по фонду спасения гигантских бабочек в дельте реки Нгама.

— Доброе утро, госпожа Васильева, — другим тоном произнес Виктор. — Всегда рад вас слышать. Майи Михайловны нет. Что ей передать?

— Ангел мой, запишите телефончик, — усиленно акая, продолжила я, — пусть Маюша мне всенепременно звякнет. Хочу сделать, как обычно, взносик в фонд. К тому же у меня родилась идейка. Мой сын — продюсер на одном очень важном телеканале и готов снять программу о том, как мы с Маечкой, не щадя живота своего, спасаем экзотических животных. Хотя бабочки, наверное, не животные, а... ну, такие...

— Насекомые, — подсказал Виктор, — чешуекрылые.

— Верно, дружочек, — обрадовалась я. — Только пусть Маюша звонит подольше, а то я сейчас буду красить голову у Антуана, потом сяду к Маргоше на маникюрчик-педикюрчик, могу сразу трубочку в сумочке не найти. О'кей, золотце?

Дворецкий стал совсем ласков:

— Конечно, госпожа Васильева, все доложу в точности.

— Очень мило, дружок. Хорошего вам дня.

— Благодарю, госпожа Васильева. Очень рад был вас услышать, — попрощался Виктор.

Хихикая, я отправилась пить кофе. А еще кое-кто удивляется, как это некоторым людям, понаехавшим в Москву и не имеющим ни денег, ни связей, ни таланта, удается влиться в тусовку богатых и знаменитых. Как у них это получается? Исключительно за счет наглости и благодаря Интернету.

Могу предложить простую схему. Решив во что бы то ни стало стать своим в так называемом светском обществе, некий господин N, прибыв в столицу России, регистрируется в «Твиттере» и с пристальным вниманием изучает чужие откровения. Весьма скоро он узнает, на какие вечеринки собираются пойти звезды шоу-бизнеса, успешные политики, бизнесмены.

Кстати, лучше всего начинать карьеру летом. Почему? Да из-за одежды. В жару дресс-код строго не соблюдается, никто не облачается в вечерние костюмы, всякие там смокинги. Вполне уместно заявиться на вечеринку в простых льняных брюках и рубашке с коротким рукавом. И запомните, никаких золотых «котлов» с турбийонами. Мода на них прошла, нагло бросающиеся в глаза полукилограммовые куски драгоценного металла носят лишь нувориши, те, кто получил деньги недавно и хочет, чтобы все вокруг знали: перед ними очень обеспеченная особа. Те же, кто давно сколотил состояние, пользуются недорогими электронными часами. А женщинам нужно обвеситься недорогой же бижутерией, что сейчас очень модно, и надеть платье экономичной марки. Вот на сумку и туфли придется разориться.

В первый раз идите на тусовку днем, на юбилей какого-нибудь яхт-клуба. Как войти в ресторан без приглашения? Да проще простого! Встаньте у входа, внимательно осмотритесь и непременно увидите одинокую тетеньку лет пятидесяти, старательно изображающую из себя юную девочку. Нимфа будет медленно ковылять на высоченных каблуках от своего позолоченного «Майбаха» к подъезду, где дежурит бдительный фейс-контроль. Быстро идите красотке навстречу с распростертыми объятиями, восклицая:

— Дорогая! Чудесно выглядишь! Давно тебя не видел (а), даже забыл (а), когда и где в последний раз встречались. Не в вип-зале Шереметьево? Точно, ты летела в Италию, а я в Париж!

Ясное дело, красотка вас не узнает. Но она никогда в этом не признается, ответит:

— О, привет! Как дела?

Мило болтая, вы дойдете до секьюрити, спутница достанет пригласительный. А вот вы продолжайте разговор с ней, делая вид, что никого, кроме нее, не замечаете. Готова спорить на что угодно, вас пропустят без писка. Дальше все зависит от вашего умения знакомиться с людьми и понравиться им.

Маленький совет. Если придется назвать место своей работы, не врите, что вы актер (актриса), режиссер, политик, художник или адвокат. Во-первых, это легко проверяется, во-вторых, окажетесь в глупом положении, если собеседник попадется чересчур уж любопытный и захочет знать подробности. Говорите так:

— Я психолог, занимаюсь особым видом психотерапии, использую метод... Впрочем, не хочется о работе. Я редкий гость на тусовках, а вот сегодня решил (а) отдохнуть.

Не верите? Думаете, так просто в узкий круг избранных не попасть? Могу назвать вам парочку фамилий весьма известных нынче людей, которые именно таким образом начали свою карьеру и очень преуспели, не имея за душой ничего, кроме купленного в метро диплома о высшем образовании.

Почему дворецкий Виктор поверил Даше Васильевой? Я разговаривала с ним в той манере, в какой избалованные светские дамы общаются с прислугой, назвала имена дорогого парикмахера и модного мастера по маникюру, упомянула гигантских бабочек и мигом сошла за близкую знакомую Остролистовой. Круг общения тех, кто ведет активную тусовочную жизнь, очень широк, невозможно запомнить всех, с кем сталкиваешься на обедах-ужинах. Правда, я не авантюристка, имею законно полученное высшее образование и не люблю таскаться по разным мероприятиям. Но мне необходимо поговорить с Майей Михайловной, вот и пришлось прибегнуть к хитрости.

Глава 23

Книжный лоток в торговом центре, как всегда, оказался открыт, а продавщица встретила меня радостным возгласом:

— Пришел новый детектив Татьяны Гармаш-Роффе[1]. Возьмете?

---

[1] Татьяна Гармаш-Роффе родилась в Москве, окончила филфак МГУ, сейчас живет во Франции. Работает в жанре психологического детектива, автор более 20 книг, которые стали бестселлерами как в России, так и за рубежом.

— Конечно, покупаю! — обрадовалась я. — Она очень интересно пишет.

— И мне ее книги нравятся, — сказала торговка. — Да и остальным тоже. Вон, посмотрите, полно всего лежит, и никто не берет. А Гармаш-Роффе сразу расхватывают. Позавчера новинку получила, сегодня к обеду уже ни одной нет, народ ее детективы унес. Я уже трем женщинам отказала. Завтра на склад скатаюсь и, если там детектив остался, возьму. Но для вас я его припрятала.

— Большое спасибо, — заулыбалась я.

— Вы мой лучший и постоянный клиент, — сообщила собеседница, — поэтому к вам у меня особое отношение.

— У вас всегда прекрасный выбор, — сказала я. — Кстати, я столько лет покупаю здесь книги, а мы до сих пор не познакомились. Даша Васильева, живу в Ложкине.

— Ксения, — представилась женщина. — Я-то вас хорошо знаю. И Машу раньше часто видела, она всегда книги про животных просила. А вы меня не помните? До того как за прилавок встала, я работала в вашем поселке в бухгалтерии. Вы иногда к нам забегали, если проблемы со счетами за коммунальные услуги случались. Всегда коробочку хороших конфет девочкам приносили.

— Вы, похоже, давно в Кузякине живете? — начала я подбираться к интересующей меня теме.

— С рождения, — подтвердила Ксения. — В школу неподалеку бегала, помню, как ваше Ложкино возводить начали. Ох, и злились тогда местные! Кричали: «Забрали у нас лес! Куда теперь за грибами-ягодами ходить будем?» Мишка Баранов, идиот невменяемый, напился и пошел вершить правосудие. Облил бензином бытовку рабочих и поджег. Хорошо, никто не погиб. И что в конце концов получилось? Дурака на зону отправили, а поселок все равно вырос и нас теперь кормит. Кузякинцы либо в торговом центре работают, либо в ложкинских домах, горничными там, садовниками или дворниками. Получается, повезло нам, никуда далеко ехать не надо, работа есть под боком.

Я достала из сумки фотографию и положила перед Ксенией.

— Случайно не знаете, кто эта женщина? Вроде ее зовут Полина Гавриловна.

Лицо продавщицы в секунду покрылось красными пятнами, она сглотнула слюну и, пытаясь казаться равнодушной, сказала:

— Никогда не встречались. А что?

— Так, ерунда, я хотела поговорить с ней, — ответила я, убирая снимок.

— О чем? — слишком быстро для постороннего человека спросила Ксения. — Что она сделала?

Я махнула рукой.

— Забудьте. Пойду в супермаркет, порасспрашиваю кассиров.

Теперь пятна на коже продавщицы стали бордовыми, и она затараторила:

— Зря время потратите. Я со всеми в деревне знакома, нет у нас такой бабушки.

— Вероятно, она приехала к кому-нибудь в гости, — уперлась я.

Ксения теряла контроль над собой.

— Да что эта старуха совершила? Зачем она вам?

Я демонстративно оглянулась по сторонам и зашептала:

— Слышали небось о смерти Юрия Малинина?

— А то! — тоже понизив голос, подтвердила продавщица. — Все село гудит.

Я снова достала карточку из сумки.

— Сын погибшего, Андрей, тайком от родителей бегает по вечерам в Кузякино и вчера встретил около зоомагазина эту тетушку.

— Опять! — воскликнула Ксения. И тут же прикусила язык.

Я сделала вид, что не услышала ее возгласа, и начала фантазировать:

— Старуха подошла к мальчику и сказала: «Животными торгует убийца. Точно знаю, он лишил жизни Юрия Ивановича, ты следующий». Андрейка перепугался, но не стал беспокоить мать. Елена занята похоронами мужа, ей лишние переживания ни к чему. Подросток примчался ко мне, показал фото и сказал: «Я узнал эту бабушку. У домработницы Кати есть альбом с моими снимками, их обычно делали первого сентября. Старуха на всех карточках есть». И я теперь хочу отыскать эту женщину и задать ей пару вопросов. Кузякино большая деревня, но, если понадобится, я обойду каждый дом и найду Полину Гавриловну.

— Вот, блин... — проронила Ксения. — То есть я хотела сказать, вот, блин, какие дела случаются. Небось старуха сумасшедшая, болтает всякую хрень от безумия. Вы в супермаркет не заглядывайте, он дорогой, местные в нем не отовариваются, а ходят в лавку около водокачки. Туда ступайте. Выйдете из центра, дойдите до почты, сверните налево и прямо топайте, точно к сельпо вырулите. За прилавком там Вероника Попова стоит, вы ей скажите: «Обратиться к тебе посоветовала Ксюша». Она подскажет, где бабку искать. Ника у нас «местный» КГБ, все знает.

Я изобразила радость.

— Спасибо за помощь, сию секунду отправлюсь к Поповой.

Ксения не смогла сдержать вздох облегчения.

— Правильно.

Я рассыпалась в благодарностях, отошла от лотка с книгами, свернула налево и прижалась спиной к стене. Ждать пришлось недолго, через минуту до моего слуха донеслось характерное попискивание, потом раздался голос Ксении:

— Вероника, это я. Слушай внимательно! Ща к тебе припрет тетка, худенькая такая, невысокая коротко стриженная блондинка. Звать ее Даша Васильева. Она тебе покажет фотку бабы Поли и спросит, знаешь ли старуху. Ты должна ответить: «В Кузякино бабка постоянно не живет. Она дачница, сарайчик у Кольки Игнатьева снимала, но вчера уехала в Москву и больше не вернется». Сделай, как я прошу, это очень важно. Потом объясню, некогда сейчас. Ну и что? Колян всегда пьян в лохмотья, давно лето с зимой путает, день от ночи не отличает, ничего он ей не сообщит, пусть разговаривает с ним до посинения. Все, некогда языком трясти, побегу домой, велю бабе Поле не высовываться.

В закутке с литературой наступила тишина. Я быстро зашла в отдел, торгующий чулками, осторожно выглянула в центральный холл, через пару минут увидела, как Ксения бежит в сторону выхода, и, не раздумывая, кинулась за ней.

Она неслась, не оглядываясь. Ей и в голову не пришло, что кто-то может идти следом. Ксения пересекла главную улицу, свернула налево, пнула ногой дощатую зеленую калитку и скрылась во дворе. Я решила не церемониться, заявиться в гости незваной. Подошла ко входу во двор и увидела табличку: «Осторожно, злая собака гигантских размеров. Обожает кусать посторонних, мечтает реализовать себя в сексе».

Я осторожно сунула голову во двор и тут же поняла: угрожающее предупреждение повешено, чтобы отвадить посторонних. Ни будки, ни миски, ни подвешенной к дереву старой покрышки, короче ничего, что говорило бы о наличии на территории большого агрессивного пса, там не было.

— Мама, тебя же просили никогда не подходить к Андрею! — раздался из открытого окна гневный голос Ксении. — Или ты и впрямь обезумела?

Я приблизилась к избушке.

— Ксюшенька, какая муха тебя укусила? — спросила невидимая Полина Гавриловна.

— Муху зовут Дашей Васильевой. У нее есть фото, где вы вместе с Андрейкой, Юрой и Катюхой, — не сбавляя тона, продолжила продавщица книг. — Ты вчера снова говорила с мальчишкой, напугала его рассказом про убийцу из зоомагазина, говорила, будто знаешь, кто Юру убил.

— Господь с тобой, Ксюша, — ахнула старушка. — Не было такого.

— Мама, не обманывай меня! — еще сильнее рассердилась дочь. — Вы с Катей две дуры! Зачем фоткаться затеяли? И ведь ничего мне не рассказали, понимали, что я не разрешу.

— Ишь, разоралась! Закрой-ка рот! — рассердилась и Полина Гавриловна.

— Себе это скажи, — огрызнулась дочка. — Пошла чепуху молоть, напугала Андрюшу. Он к соседке Малининых кинулся за помощью. А та, на нашу беду, с большим полицейским начальником живет, связи имеет, времени свободного навалом. По деревне шастает, Полину Гавриловну ищет. Хорошо, я скумекала любопытную Варвару к Веронике отправить. Попова скажет, что старуха с фотки — дачница, пожила в Кузякине недолго и в Москву вернулась. Мама, сиди тихо в доме, никуда не рыпайся. Ведь беда может случиться! Ну какого черта ты вчера опять к пареньку подошла?

— Хочешь, на иконе поклянусь, что весь день в избе проторчала? — сказала Полина Гавриловна. — Да, один раз я не сдержалась, когда увидела Андрюшеньку одного. Ночь уже наступала, а мальчик около зоомагазина стоял, вот и защемило сердце. Сенька уголовник, он в своем цирке кого-то убил, на куски разрезал и дрессированным тиграм скормил. К нему постоянно в магазин сброд всякий шляется со всей округи, из Москвы парни на джипах приезжают. Крутит Семен темные дела, нельзя Андрейке к нему в павильон заглядывать. Сенька может мальчика плохому научить. У нас, Розовых, в семье никогда бандитов не было.

— Кто тебе наговорил таких глупостей? — устало поинтересовалась Ксения.

Мать не стала скрывать источник информации.

— Правду про Семена мне Лара сообщила.

— Лара... — передразнила Ксения. — Мама, она жила с Семеном!

— Правильно, — согласилась Полина Гавриловна, — поэтому хорошо негодяя знает.

Дочь пустилась в объяснения:

— Лариса работает в цирке костюмершей, хотела стать клоуном, но не получилось. Вот и пришлось ей чужие тряпки гладить и успеху других завидовать. Сеня с ней несколько лет спал, но замуж не звал. Потом он Ларку бросил, но, надо отдать ему должное, к бывшей любовнице хорошо отнесся, купил ей домик у нас в Кузякине, тот, где раньше Николаевы жили. Лара теперь и с крышей над головой, и с огородом, а была нищета беспросветная. Сенька дуре до сих пор денег дает, а та еще про него гадости говорит. Обидно Ларке, что в загс ее не отвели. Семен нормальный человек, а Лариска идиотка, вот и не сложилось из них пары.

— Убийца он, — перебила старшая Розова.

— Мама! — взмолилась Ксения. — Перестань собирать сплетни. Семен дрессировщик, раньше в цирке работал с хищниками. На одном представлении беда случилась — тигр бросился на зрителей, одного до смерти порвал. Сене дали небольшой срок, который он давно отсидел. Он свободный, честный человек, но больше с опасными животными на арену выходить не хочет, обзавелся зоомагазином. Не верь Ларке, в ней обида со злостью плещутся.

— Интересно, кто тебе про Сеньку столько хорошего напел? — ехидно осведомилась родительница.

— Он у меня книги часто берет, — после короткой паузы ответила дочь, — иногда поболтать остается.

— Да знаю я, нравится тебе уголовник, — подвела итог Полина Гавриловна, — надеешься на отношения с ним. Не советую с уркаганом связываться. Говорят, ты с ним в Москву ездишь, в гости к охламону заглядываешь. Осторожно, милая! Думаешь, мать старая идиотка? Ан нет! Вижу, что старшая дочь с неподходящим мужиком связалась. Запомни, нельзя шуры-муры крутить с тем, кто с другой бабой долго жил и не женился на ней. С тобой он так же поступит, попользуется и бросит. Сенька любить не способен. И не моргай, правду говорю. Он только к животным хорошо относится. Живут у него две обезьяны, вот их он холит, лелеет и обожает. Сто раз видела, как Семен с мартышками своими нежничает. Тьфу, гадость просто! Забудь про уголовника, ты ж не макака, чтобы он о тебе печься стал.

— Мама, я сама разберусь, с кем мне дружить! — заорала Ксения. — Лучше за собой последи. Доведет нас твоя и Катькина тупость до беды. Вы, курицы безмозглые, когда вместе фоткались, подумали об Андрейке? Как мальчик отреагирует, если правду узнает? Вдруг решит, что Лена ему не мать, а?

Справа от меня послышался шорох. Я повернула голову и ойкнула. Сначала мне показалось, что на расстоянии ладони от меня стоит пони. Но через секунду стало понятно: это не маленькая лошадка, а здоровенная собачища ростом более метра.

Пес задрал верхнюю губу, продемонстрировал длинные желтые клыки и зарычал.

— Хорошая девочка, — зашептала я.

Собаколошадь задрала заднюю лапу и пописала на угол избы.

— Ой, ты, оказывается, мальчик, — быстро поправилась я. — Иди, погуляй во дворе. Зачем тебе Дашенька? Я невкусная, костлявая. А то мясо, что у меня можно найти, немолодое, жилистое. Ступай, полежи на травке.

Псина разинула бездонную пасть и принялась оглушительно лаять.

— Заткнись, Булька! — приказала Ксения из дома.

Но собака не желала успокаиваться.

Дочь Полины Гавриловны вывесилась из окна. Мне следовало еще раньше, когда раздалось первое гулкое «гав-гав», удрать на задний двор. Но как пошевелиться, если возле тебя стоит двортерьер, смахивающий на владимирского тяжеловоза?

— Прекрати! — взвизгнула Ксения. И тут увидела меня.

Я столкнулась с ней взглядом, поняла, что надо что-то сказать, улыбнулась и пробормотала:

— Сегодня прекрасная погода, ни одного облачка на небе.

Глава 24

Ксения застонала с досады. Через секунду рядом с ней появилась мать. Полина Гавриловна тут же задала вопрос:

— Вы кто?

— Даша Васильева, — представилась я. — Пожалуйста, заберите собаку.

— Не бойтесь, Булька кусаться не умеет, — миролюбиво заверила меня хозяйка. — Молодой еще, года не исполнилось. Вы его погладьте.

— Чего надо? — пришла в себя Ксения. — Зачем приперлись?

— Доченька, — укорила мать, — разве так людей встречают? Буля, иди сюда.

Кобель погалопировал к распахнутой настежь входной двери избушки.

— Молочка хотите купить? — ласково осведомилась старушка. — Вы, милая, двор перепутали, мы ни коровы, ни козы не держим. Ступайте к соседям, у них...

— Доброе утро, Полина Гавриловна, — перебила я приветливую бабку. — Очень рада вас видеть.

— Какое утро, день давно. А мы разве знакомы? — удивилась старуха.

— Заочно, через Андрюшу Малинина, — улыбнулась я. — Хороший мальчик.

— Замечательный! — пылко воскликнула старушка. — Лучше всех, вылитый Иван Кузьмич Розов, муж мой покойный. Вот уж кто прекрасный человек был. Самоучка, а поумнее профессоров. Андрейка в него пошел.

— Мама, заткнись! — заорала наконец-то пришедшая в себя Ксения.

Бабка потеряла улыбку.

— Вона как ты с матерью разговаривать научилась. Совсем стыд потеряла! Ну да ладно, забежит вечером Катюша, доложу о твоих подвигах. Слава богу, не одна у меня дочь, есть кому мать пожалеть да о ней позаботиться.

— Катерина сейчас не у вас? — быстро спросила я.

— Нет, конечно, на работе. У хороших людей много лет на службе состоит, — похвасталась Полина. — Зарплату получает больше, чем наш председатель колхоза, одета, обута забесплатно, накормлена-напоена, в почете и уважении живет. Есть мне чем гордиться, достойного члена общества воспитала.

— Не слушайте ее! — с отчаянием в голосе воскликнула Ксения. — Чушь мать несет. Слышали, как она про председателя колхоза сболтнула? Нет давно коллективных хозяйств, у матери в голове время давно остановилось, события путаются.

Полина Гавриловна ахнула, а дочь хотела что-то добавить, но я ее остановила:

— Ксения, Катя ваша сестра? Пожалуйста, не врите больше. Я не хочу навредить ни вам, ни Екатерине. И уже поняла, что она биологическая мать Андрея.

— Ты соображаешь, что натворила? — со слезами в голосе воскликнула Ксения, обращаясь к Полине Гавриловне. — Теперь сплетни поползут змеями.

— Где Катя? — повторила я свой вопрос. — Мне очень надо поговорить с ней, причем срочно.

— У Малининых, конечно, — буркнула Ксения. — Вы человек богатый, мы нищие, заплатить вам за молчание не можем. Проявите христианское милосердие, не звените по округе. И Катюха Андрейке не мать.

— Мать, мать, — эхом повторила Полина Гавриловна. — Родная, настоящая, кровная.

Я посмотрела на пожилую женщину.

— Не дадите водички попить? Жарко на улице.

— Сейчас квас из подпола принесу, — засуетилась она и ушла.

— Я не понимаю, чего вы хотите, только, пожалуйста, идите отсюда, — взмолилась Ксения.

Но я вросла ногами в землю.

— Я посчитала неправильным задавать этот вопрос при вашей маме... Вы разве не знаете, что Катя ушла от Малининых?

— Куда? Зачем? — с безграничным удивлением спросила собеседница.

Мне сразу стало понятно, что Ксения не врет.

— Ближайшая подруга Елены, Светлана Терентьева, рассказала, что Катя бросила своих хозяев. Оставила Лену и Андрюшу в трудный момент жизни и перебралась на новое место. Я надеялась, вы мне подскажете, куда она подевалась.

Лицо Ксении вытянулось.

— Боже! Вот это новость... Нет, Катюха не могла бросить Андрейку. Это невозможно. Это... это...

— Значит, с Катей что-то случилось, — занервничала я. — Вероятно, ее исчезновение связано со смертью Юры. Если вы что-нибудь знаете о врагах Малинина и тайнах этой семьи, пожалуйста, расскажите все мне. Вдруг Катюшу похитили? Я не хочу причинить вам вреда, никогда никому не расскажу, кто родная мать подростка, я просто ищу убийцу Юрия. И сейчас поняла: Катя знала, кто лишил его жизни. Ваша сестра много лет служит в доме, она вычислила преступника, позвонила ему, вероятно, решила припугнуть. А убийца увез Катю, и сейчас ей грозит нешуточная опасность.

— Быстро ступайте в избу, — прошептала Ксения. — Не через главную дверь, а сбоку, слева. Попадете в пристройку, я там живу.

Через минуту, усадив меня в старое кресло, Ксения заговорила:

— Катюха суррогатная мать Андрея, да только у Полины Гавриловны свое мнение на этот счет. Я ей миллион раз объясняла, что нашей крови в мальчике ни капли нет, что у Елены взяли яйцеклетку, у Юрия сперму, соединили в пробирке, подрастили эмбрион и подсадили Кате. Сестра — просто контейнер, в котором плод развивался. Но мама у нас темная, о научных открытиях не знает. Я вам сейчас откровенно объясню, как дело было, с Катиных слов все знаю. Малинины ее не стеснялись, свои проблемы при сестре обсуждали откровенно.

Я молча слушала Ксению.

К сожалению, вовсе не каждая семейная пара может произвести на свет ребенка. Лена и Юра любили друг друга, очень хотели дитя, но ни одна беременность жены не завершилась удачно, всегда случался выкидыш. Малинины обошли многих врачей, те разводили руками и выносили вердикт:

— Вы оба совершенно здоровы. Подождите, непременно станете счастливыми родителями.

Спустя пару лет тональность речей изменилась, теперь эскулапы запели хором:

— Бывают необъяснимые случаи. Как говорится, Господь не дает наследника.

Пара бросилась к экстрасенсам, колдунам, потом побежала в церковь. Юра с Леной совершали паломничества, посещали святые места, пили заряженную воду, ели особые продукты, тщательно высчитывали день зачатия, принимали чудодейственные витамины... Увы, ничего не помогло. В конце концов Малинины решили прибегнуть к услугам суррогатной матери и столкнулись с массой проблем. Где найти здоровую честную женщину, которая сможет выносить ребенка, а потом спокойно отдаст его родным по крови отцу с матерью и навсегда исчезнет из их жизни? Искать кандидатку по знакомым? Ни Юра, ни Лена не хотели сообщать приятелям о том, что задумали. В конце концов Малинин поговорил откровенно с одним из врачей, лечивших Лену, и тот дал им контакт некой Ани, решающей такие проблемы.

Анна супругам объяснила:

— Платите мне пятьдесят тысяч долларов, потом кормите-поите суррогатную мать, оплачиваете ей квартиру, лечение и через девять месяцев получите малыша.

— Она нам его точно отдаст? — заволновалась Елена.

Анна ответила:

— В моей практике не было обломов. Но, скрывать не стану, бывает, что «суррогатка» отказывается расстаться с младенцем. Материнские чувства у нее просыпаются.

— И что тогда делать? — спросил Юра.

Анна развела руками.

— У нас пока нет законов, регулирующих такие отношения. Считается, если женщина выносила и родила ребенка, значит, она ему мать.

— М-да... — крякнул Юрий. — Большой риск получается.

У Елены же возник свой вопрос:

— Почему у посторонней женщины появляется любовь к новорожденному?

— Ну, он ведь не совсем ей чужой, — после небольшой паузы ответила посредница. — Девять месяцев плод живет у нее внутри, питается, тесно связан с ней. Но не стоит очень уж волноваться, у меня таких осечек не бывает. Я работаю с проверенным контингентом. Вот, например, эта девушка. — Анна раскрыла альбом с фотографиями. — Она уже помогла двум парам, могу ее как себя порекомендовать.

Когда Малинины вернулись домой, у Лены случилась истерика.

— Не желаю суррогатного контейнера! Ребенок будет не наш! — кричала она. — Наберется всякого от чужой тетки! Я хочу своего малыша! Буду пытаться родить самостоятельно, время еще есть! Не желаю иметь младенца из общественного инкубатора! Противно знать, что дочка или сын находился внутри человека, который, как свиноматка, на продажу новорожденных производит!

Юра, как мог, успокаивал жену. А на следующий день сказал ей:

— Я нашел решение проблемы. Сына нам родит Катя. Она пройдет полное обследование, и, если врач даст добро, домработнице подсадят эмбрион. Екатерина согласна. Никто ничего не узнает, вы уедете на время второй половины беременности в Прибалтику, я сниму там дом. Рожать Катя будет дома, под наблюдением проверенного врача. Потом тебя с младенцем доставят в клинику, откуда торжественно выпишут. Ни о чем не беспокойся, я все организую. Катя получит за услугу квартиру в Москве. У нее есть мать и сестра, они живут в деревне, наша горничная хочет их в город переселить.

— Нет, — отрезала Лена, — я сама справлюсь, выношу собственного ребеночка. И не мальчика, а обязательно девочку.

Целых полгода Юра уговаривал жену. А Катя, как умела, объясняла хозяйке, что претендовать на малыша не будет.

— Если конфета лежит в коробке, то кто ее сделал? Человек на фабрике, а не картонная упаковка, — говорила она. — Так и здесь. Я просто футляр для вашей драгоценности, кровь в малыше будет стопроцентно малининская.

Но Елена упрямо твердила:

— Это получится не мой, а твой ребенок. Ладно, твой и Юрин. Но не мой!

Муж не оставлял надежды переубедить Лену и в конце концов, после очередного выкидыша, та дала согласие. Но поставила несколько условий: она должна присутствовать в момент, когда в лаборатории произведут оплодотворение, будет наблюдать за процессом подсадки, и врач обязан выбрать эмбрион женского пола.

Выполнить первые два требования было просто, с третьим вышла загвоздка — определить пол будущего ребенка оказалось делом не безопасным для эмбриона. И Юра категорически отказался от этой затеи.

Через девять месяцев на свет появился замечательный здоровый Андрюша. Юра организовал все наилучшим образом, и никто из знакомых не усомнился в благополучном завершении беременности Елены. Встретить ее из роддома приехало много друзей, ведь все знали о безуспешных попытках Малининой родить малыша и радовались за нее. Катя держалась в сторонке. Присутствие верной домработницы никого не удивляло, должен же кто-то нести сумки с вещами. Счастливые родители укатили в свой подмосковный дом и стали воспитывать Андрюшу. Няней мальчика была Катя...

Ксения выпрямилась, потом снова сгорбилась, но рассказа не прервала:

— ...Юра обожал сынишку, который рос на редкость похожим на отца. А вот Лена... Нет, не подумайте, что она обижала ребенка, Андрюша имел абсолютно все: одежду, игрушки, прекрасную еду. Но любила ли его мать? Когда ему исполнилось два года, Катерине стало предельно ясно: Елена не испытывает к сыну ни малейших чувств. Да, она заботится о нем, старательно выполняет материнские обязанности, но радости общение с сыном ей не доставляет.

Как-то раз Катя, убирая комнату хозяйки, наткнулась на тайник, где та держала дневник. Екатерина не из тех, кто шарит по чужим шкафам, но в тот день не удержалась и прочитала записи, которые Лена начала вести в тот день, когда домработнице подсадили эмбрион.

Елена Сергеевна изливала на страницах душу, описывала, как пытается взрастить в себе хоть маленький цветок любви к малышу, но он остается ей чужим. Андрей, мол, копия Юры и Кати. Именно горничная — ему родная мать. Лена согласилась на суррогатное материнство лишь потому, что муж мечтал о наследнике. Еще она не могла простить супругу, что тот отказался от определения пола эмбрионов.

«Муж тоже понимает, что Андрей — Катина кровь. Я хотела уволить прислугу, ведь не слишком приятно постоянно видеть ту, кто произвел на свет сына Юрия. Но муж сказал: «Нет! Катя нам теперь родной человек. Никто не сможет лучше нее позаботиться о ребенке. Выброси из головы глупости, радуйся, что есть сын». Я не способна ударить собаку, обидеть кошку и, уж конечно, не наврежу ребенку, — было написано на одной из страниц. — Но никогда не смогу испытать искреннюю нежность к Андрею. Он — Катин. Господи, пошли мне мою родную девочку!»

Катю и Ксению связывала крепкая дружба. Младшая сестра всегда делилась с Ксюшей своими проблемами, а та рассказывала Катерине о своих бедах и радостях. Поэтому Ксения отлично знала, как Малинина относится к сыну, и ей было известно, что Катя очень любит мальчика, она стала ему настоящей мамой. Но никогда в жизни Екатерина не посмела бы намекнуть Андрейке о своей роли в его появлении на свет. Домработница просто решила: она всегда будет возле своего ребенка, станет для него кем-то вроде заботливой, нежной тети. Не Лена, а Катерина читала мальчику на ночь сказки, пела песенки, утешала его, хвалила и любила просто так, потому что он есть.

А что же Юра? Малинин рано уезжал на работу, поздно возвращался, видел сына в основном спящим, ни о каких душевных смятениях Лены и Кати не знал, считал себя счастливым мужем и отцом, был безгранично благодарен Екатерине, которая из простой прислуги превратилась в родственницу.

И конечно, Юрий Иванович понятия не имел об одной большой проблеме, имя которой — Полина Гавриловна.

Глава 25

На раннем сроке беременности Катю замучил токсикоз. Приезжая к матери в гости, она часто бегала в туалет. Когда приступ дурноты случился впервые, дочь соврала:

— Съела на станции пирожок и, похоже, отравилась.

Полина Гавриловна поверила.

Когда через неделю Катю снова скрутило, мать поджала губы. А еще через семь дней, увидав позеленевшую дочку, выходящую из сортира, она воскликнула:

— Ты беременна! Ну наконец-то! Когда свадьба? Кто жених? Почему не познакомишь нас?

Катерина забормотала про то, что заболела гастритом, но Полина Гавриловна всегда умела вытянуть из дочерей все, что те пытались скрыть. Узнала правду и очень обрадовалась:

— У меня скоро родится внучок!

Сколько Катя и Ксюша ни объясняли ей суть суррогатного материнства, Полина Гавриловна, прекрасный, но необразованный человек, твердила:

— Я давно поняла, что ребенок от Юрия. Можете не сомневаться, я никому ничего не скажу. Уж не дура, знаю, что надо помалкивать.

— Мама, я только вынашиваю младенца, — устало повторяла Катя. — Биологически он Малинин, моей крови в нем нет ни капли, у меня не было близости с хозяином.

— Доченька, — отвечала Полина, — я тебя не ругаю и не осуждаю. Все понимаю: ты решила родить от Юры, но мальчик останется в семье отца. Так порой женщины поступают, чтобы обеспечить малышу хорошее будущее. Ну что мы ему дать можем? А Малинин ему даст отличное образование, потом своим наследником сделает.

В конце концов Катерине надоело обсуждать эту проблему, и она заставила верующую мать поклясться на иконе, что та никогда не выдаст тайну. Старшая Розова не нарушила обещания. В Кузякине никто понятия не имел, что Катя произвела на свет Андрюшу. Но Полина Гавриловна упросила дочь разрешить ей присутствовать в торжественный момент, когда «внука» вынесут из роддома.

Катюша помчалась к Малинину и честно рассказала, как относится к ситуации ее мама. Юрий неожиданно рассмеялся:

— Ладно, пусть приходит, только стоит молча и ни в коем случае не подходит к Лене. Жене не стоит знать о «бабушке».

С тех пор Полина Гавриловна всегда тенью появлялась на всех детских праздниках и на линейках первого сентября. Юрий делал вид, что понятия не имеет, кто такая пожилая принаряженная старушка, стоящая чуть поодаль от него и сына. А Полина Гавриловна ни разу не сказала ни словечка «внуку» и «зятю». Зато дома она безостановочно твердила Ксении:

— Андрюшенька так вырос! Самый красивый мальчик в классе! А уж умница... По глазам видно, он станет известным ученым.

В трехкомнатную квартиру, которую Катя получила за роль суррогатной матери, Розовы не переехали, остались в Кузякине, а просторную жилплощадь сдавали за большие деньги.

Когда у Малининых случилась трагедия и они остались на пепелище, Ксения подсказала Кате:

— В Ложкине срочно продают дом. У его хозяина неприятности с законом, он удрал за границу, а его жене надо как можно быстрее избавиться от особняка, а то на него могут наложить арест, и тогда Сыромятникова ни копейки не выручит.

Катя передала информацию хозяину, а Юре было все равно, куда ехать, только бы подальше от того места, где погибла его маленькая дочь. Вот так Малинины оказались в Ложкине. Потом Андрюша сделал подкоп под забором, стал потихоньку бегать в кузякинский торговый центр. Откуда Ксения узнала про лаз? Когда лоточница впервые увидела мальчика в деревне, она мигом позвонила сестре. Но Катя не занервничала.

— Знаю, Андрейка сделал подземный ход под изгородью. Маленький он еще, думал, что тайно копает, а в стирку испачканные землей вещи бросал.

— Так запрети ему из дома уходить! — воскликнула Ксения.

— Елена беднягу совсем завоспитывала, — пояснила Екатерина, — нет у пацана никакой свободы, пусть хоть ненадолго человеком себя почувствует. В Кузякине тихо, да и ты там работаешь, приглядывай за Андрюшей, но ни во что не вмешивайся. Пусть он думает, что на воле пасется. Если что стремное заметишь, сразу мне звони. Елене Сергеевне и Юрию Ивановичу я ничего про Андрейкину хитрость не расскажу.

Ксения теперь, когда видит мальчика в магазине, не спускает с него глаз, но не мешает ему. Вот совсем недавно, может, дней пять назад, она наблюдала, как Андрей разговаривает в местном кафе с какими-то приезжими, мужчиной лет пятидесяти и лысым инвалидом, сидевшим в специальной коляске. Собеседники его были неместные. Вели они себя тихо, о чем-то шептались, не скандалили, не дрались. Потом мужчина увез парализованного, а Андрей отправился домой. Ксения ничего предпринимать не стала, зачем нервничать, если дурного не происходит?

Но в связи с частыми набегами Малинина-младшего в Кузякино вновь во весь рост встала проблема по имени «Полина Гавриловна». Старушка получила возможность регулярно видеть «внука». Она никогда не подходила к нему, не заводила с ним разговоров, молча любовалась на Андрюшу. Но один раз не выдержала.

В универмаге есть зоомагазин, владеет им Семен Любезнов. Появился Сеня в деревне недавно, года три назад, и о нем ходит много сплетен. Болтают, что раньше он служил в цирке дрессировщиком, убил какого-то человека, а тело его скормил тиграм. Менты разоблачили преступника, он очутился за решеткой, но сидел недолго и, дав нужным людям взятку, вышел на свободу...

Ксения, до этого говорившая ровным, спокойным голосом, начала вдруг запинаться, покраснела. Потом с возмущением воскликнула:

— Народ у нас такой бестолковый! Один дурак гадость придумает, второй в ту же секунду в нее поверит, от себя новенького добавит и третьему передает. Такое потом услышишь! Уши в трубочку заворачиваются. Семен действительно работал в цирке с юных лет, у него отец, мать и брат — воздушные акробаты. Любезнов выступал с семьей, а когда ему тридцать пять стукнуло, начал работать с животными. На представлении в городе Бинске случилась трагедия. Униформисты плохо закрепили клетку, окружавшую арену, а один из тигров отказался повиноваться дрессировщику, бросился на ограждение и свалил его. Хищник прыгнул в зал и вцепился в одного из зрителей. Семену пришлось застрелить взбесившееся животное. К сожалению, тот мужчина сильно пострадал и умер в больнице. Было проведено расследование, состоялся суд. Служители, неправильно установившие клетку, получили по несколько лет, а Сеню отправили на год в колонию-поселение. Он к семи утра приезжал в Капотню, отмечался у дежурного и был свободен потом весь день. Ночевал Семен дома, работал в частном зоопарке. Разве можно это считать заключением? Наши же дураки навыдумывали, будто он человека зарезал и тиграм скормил. Ну не идиоты ли?

Захлебнувшись от возмущения, Ксения замолчала. Потом налила себе в стакан воды, отпила немного и продолжила рассказ:

— А что про личную жизнь Любезнова несут! Взахлеб твердят: «Изуродовал свою сожительницу, избил ее до полусмерти, бедняжка без одного глаза осталась». Но ведь это неправда! Как и заявление моей матери про любовь Семена исключительно к своим обезьянам. Да, у Сени живут две очень воспитанные, дрессированные мартышки. Он выступает с ними на праздниках, его приглашают не только на детские дни рождения, но и на корпоративы. Обезьянки пользуются успехом. Понятное дело, хозяин хорошо о них заботится. И да, у Семена были отношения с Ларисой. А она очень хитрая баба. Кассиром в зоопарке сидела, уже немолоденькая, а мужа нет. Положила Ларка глаз на Любезнова, начала его обхаживать — то супом угостит, то на рубашке пуговицы пришьет. Много ли неизбалованному мужику надо? Сеня решил обзавестись семьей, и Лариска ему подходящей невестой показалась. Вроде хозяйственная, нескандальная, с виду приятная. Чем не жена? У обоих было по комнате в коммуналках, если их объединить, выйдет своя «однушка». И все к свадьбе катило, когда неожиданно из Мордовии вернулся Петька, законный Ларискин муж. Вот он-то стопроцентный рецидивист, отсидел кучу сроков за убийства. Зверь, а не человек. Узнал Петька, что жена ему изменила, поколотил ее и удрал куда-то. Ларка в больницу угодила. Сеня за ней ухаживал, врачам заплатил, но замуж ее брать отказался. Любезнов очень нервно к вранью относится, если ему человек разок сбрехал, все, больше никаких нежностей. А Ларка ему наплела, что никогда в загс не ходила, ни с кем не расписывалась. Потом у нас с Семеном отношения возникли. Он человек порядочный, не мог женщину в тяжелую минуту бросить, вот и нянькается до сих пор с Ларкой. А мне говорит: «Извини, милая, люблю только тебя, но нельзя Ларису оставить, она инвалид».

Ксения сделала глубокий вдох, помолчала пару минут. Затем продолжила:

— Я с Сенечкой познакомилась через неделю после того, как Лариска на больничную койку угодила. Поехала в Москву туфли летние искать, устала по магазинам бегать, решила присесть, дух перевести. Гляжу — сад, а в нем частный зоопарк. Я зверушек люблю, вот и зарулила туда. День был будний, народу никого, Сеня меня у клетки с медведем увидел, подошел... Вот так у нас и началось. Это я ему идею с магазином для собак-кошек подсказала. Объяснила: «В торговом центре бутик женского нижнего белья ликвидировали, его хозяйка, Аня Реутова, умерла. Наследники дом Ани задешево продадут, он им на фиг не нужен. Предложи им обменять твою комнату в коммуналке на избу. Они точно согласятся. Вокруг деревни Кузякино теперь полно коттеджных поселков, а там люди обеспеченные селятся, у многих собаки-кошки, заведи торговлю зоотоварами. Можно кредит в банке взять и собственное дело открыть».

Ксения вновь примолкла, потерла ладонью лоб.

— И ведь пошел бизнес у Сени! Сейчас он отлично зарабатывает, гостиницу для четвероногих оборудовал, завел передвижную парикмахерскую. Видели, наверное, в Ложкине белый минивэн, он тоже Сенин, на боках надпись: «Любимое спа моего пса».

Я кивнула.

— Да, встречала машину, но сама их услугами не пользовалась.

— А зря! — с жаром воскликнула Ксюша. — У Сени все прекрасно устроено: полотенца одноразовые, шампуни-гели наивысшего качества. Отдаете грязного, кудлатого барбоса, а назад получаете белую, расчесанную, надушенную, с подстриженными когтями собачку. Непременно позовите Любезнова! Хотите, дам его визитку? Сеня в Ложкино часто приезжает.

Я поспешила отказаться.

— Спасибо, я привыкла самостоятельно приводить в порядок свою стаю.

Ксения взяла с подоконника сумку и достала оттуда несколько карточек.

— Все равно возьмите. Лично вам десятипроцентная скидка на все товары и услуги зоомагазина будет, и тем, кто от вас придет, тоже. У Любезнова лучшая точка в Подмосковье. Мы с ним вот-вот поженимся, Сеня готов предложение мне сделать, я это чувствую. А мама моя его терпеть не может, твердит: «Он уголовник, бандит, убийца. С таким родниться — позор. И мужик женат, держись, доча, от него подальше. Еще встретишь свое счастье». Бесполезно ей внушать, что Ларка не законная супруга Семена, а шалава беспутная. Господи, мать совсем плохая стала! Забывает, сколько мне лет, и верит сплетням. Вот ведь что учудила: увидела Андрюшу у витрины зоомагазина, позабыла, что нужно держать дистанцию, и кинулась «внука» от «уголовника» спасать. Хорошо, что я их увидела! Ой! Вот только сообразила! Кати нет у Малининых?

— Нет, — подтвердила я. — Светлана Терентьева сказала, что она внезапно покинула дом и...

Договорить мне не дал телефонный звонок. Я вытащила трубку. Номер, высветившийся на дисплее, был мне незнаком.

Глава 26

— Дашечка, — защебетало хриплое меццо, — я хочу с вами встретиться, поболтать о фонде! Как насчет пообедать вместе у Романа в его ресторанчике? Вы, конечно, бывали в «Корице»? Там восхитительный суп из омаров, лучше, чем в Париже. Если сегодня в три-четыре часика? О'кей, май дарлинг? Ах, я, балда, забыла представиться. Небось вы сейчас гадаете, что за кляча вас беспокоит...

— Ну что вы, Майя Михайловна, сразу вас узнала, — откликнулась я. — Меня очень заботит судьба гигантских бабочек в дельте реки Нгама. Прочитала ваше интервью журналу «Мир филантропов» и поняла, куда нужно нести деньги. Госпожа Остролистова не из тех, кто присваивает чужие деньги.

Майя Михайловна оглушительно захохотала.

— Верно. Мне и свои монеты девать некуда. Повезло мне с мужем, он всегда поддерживает меня, хоть я уже давно не розовощекая блондинка-зефирка, а хорошо поюзанная лошадь. По счастью, супруг ленив, неохота ему себе новую спутницу искать, живет со старой каргой, терпит мой гадкий характер. Так как насчет обедика у Ромы?

— Обожаю его трактирчик, в полчетвертого примчусь. Хотя такой древней кобыле, как я, трудно быстро скакать по дорогам, — подстроилась я под тон собеседницы.

— Дарлинг, обожаю ваше чувство юмора! — воскликнула Остролистова. — Объединимся и погрызем друг другу уши. Главное, не подавиться каратами, которые в мочках висят. Ха-ха!

Я тоже засмеялась.

— Чмоки, дорогая, скоро увидимся, — прохрипела Майя Михайловна.

— Хеппи бёздей! — выпалила я и опешила. Ну с какой стати мне на язык попало поздравление с днем рождения?

— Ха-ха! Умеете вы человеку градус настроения повысить, — заржала Остролистова. И в ответ так же невпопад воскликнула про зимний праздник: — Джингл белл, джингл белл, хеппи ньюер, май дарлинг. Последние чмоки и до свидаски!

Я вернула трубку в карман, посмотрела на молчащую Ксению и извинилась:

— Простите, знакомая внезапно позвонила.

— Если Кати нет у Малининых, то где она? — испуганно прошептала сестра домработницы, возвращаясь к теме прерванного разговора. — Вдруг случилось несчастье?

Я попыталась успокоить ее:

— Не нужно сразу думать о плохом. Вероятно, Екатерина... э... э... поехала...

Слова закончились, я уставилась на собеседницу.

— Катюха не могла оставить Андрюшу, — бледнея на глазах, повторила Ксения. — Она его считает своим родным сыном. Елена-то только после смерти Аси о мальчике заботиться начала, ее чувство вины перед дочерью мучает. В ночь, когда девочка сгорела, мать лежала в косметической лечебнице, какие-то нитки себе в лицо вшивала, чтобы моложе выглядеть. Катю же Юрий отдыхать отправил. Раз в год Малинины сестру на курорт посылали. Отец остался дома с детьми один.

— Вы путаете, — возразила я, — Елене удаляли аппендицит. У нее неожиданно случился приступ.

Ксения закатила глаза.

— Ага! Это Юрий Иванович потом придумал, когда журналисты к нему с вопросами про пожар ринулись. Не хотел, чтобы кто-нибудь написал: «Пока дочь погибала в огне, мать делала подтяжку». Но мне-то Катя правду доложила — Елена Сергеевна договорилась с пластическим хирургом, хотя никакой необходимости во вмешательстве не было, это ее придурь. Малинину уложили в палату за пару дней до беды. Сначала всякие там манипуляции аппаратами делали, а потом под общим наркозом Лену омолодили. Понятное дело, у нее синяки появились, отеки. Елена не хотела, чтобы ее посторонние в таком виде узрели, вот и спряталась в клинике. Поэтому ее до сих пор совесть мучает. Небось думает, будь она дома, дочь могла бы остаться в живых. И по этой же причине теперь Андрея постоянно за руку держит. Боже! Где сестра? Что с ней?

— Можете назвать близких подруг Кати? — спросила я.

— Никого у нее нет! — с отчаянием воскликнула собеседница.

— Любимый человек? Вероятно, Катя у него, — предположила я.

— Никого у нее нет, — повторила Ксения. — Катя давно любит Юру. Хозяин ничего о ее чувстве не знал, его жена тоже не догадывалась, но для сестры Малинин — свет в окошке. Поэтому она и вызвалась суррогатной матерью стать, понимала, что это их навсегда свяжет. Один раз она призналась в тайной мечте: «Вдруг Лена умрет, и Юра на мне женится? Понимает ведь, как я Андрейку люблю, не станет мальчику мачеху приводить». Я ей тогда ответила: «Ты домработница, он хозяин, этим все сказано. Может, от безнадеги Малинин с поломойкой и переспит, но в загс ее никогда не поведет. И прими мой совет: нельзя к нанимателю в постель прыгать, потому что ты скоро ему надоешь, и он выпрет тебя вон».

Ксюша задохнулась от нахлынувших эмоций и всхлипнула:

— Нет, нет, Катюха не могла уйти, она обожает Андрюшу, считает его своим сыном, покрывает все шалости мальчика. И Юра сына любил безмерно.

— Странно, что отец решил отправить мальчика учиться в Лондон, — пробормотала я.

Ксюша вскинула брови.

— Кто вам такое сказал? Малинин противник иностранных школ. В Третьяковке, в десяти километрах от деревни, где раньше жили Малинины, открыта американская гимназия. Принимают туда пятилеток, два года обучают их английскому, а затем отправляют за океан. Лена загорелась желанием оформить сына туда. Сейчас расскажу, как дело было. Мне сестра все подробности той истории передавала, потому что боялась, как бы не пришлось расставаться с Андрейкой...

Малинина начала уговаривать супруга:

— Прекрасная перспектива для мальчика! Он овладеет иностранным языком, потом легко поступит в лучший колледж в Штатах.

Но Юрий отвечал категорично:

— Никогда! Не хочу лишаться сына. Если он покинет дом на несколько лет, станет нам чужим. Еще и не захочет возвращаться в Россию, осядет за кордоном. Забудь навсегда о зарубежных школах. Нет, нет и нет!

Лена надулась, пыталась переубедить мужа, но он принял решение и не собирался его менять.

Когда вокруг места будущей учебы мальчика разгорелись страсти, Ксения, узнавшая обо всем от сестры, сообразила, что мать хочет избавиться от Андрюши, он ее раздражает. Прикрываясь словами о необходимости досконального изучения английского языка и об отвратительных российских вузах, она печется не о сыне, а о себе. Некоторые люди берут на воспитание малышей из приютов, принимают в семью больных детишек, даже инвалидов, лечат их, ставят на ноги и горячо любят по крови чужих, но ставших для приемных родителей любимыми детей. А встречаются такие, как Елена. Малинина не могла впустить Андрейку в свое сердце, потому что девять месяцев ребенок зрел не в ее чреве, а в Катином. Не стоило Юрию заставлять жену соглашаться на суррогатное материнство. Но, по всей видимости, он и не представлял, какую проблему впускает в семью.

Кстати, Малинин считал Лену образцовой матерью, многократно говорил Кате:

— Есть на свете бабы-курицы, квохчущие над своим отпрыском наседки. Особенно это плохо, если у них мальчик. Такие матери портят будущего мужчину, изнеживают его, отучают самостоятельно принимать решения, и в результате вырастает инфантильное, женоподобное существо, которое боится в дождь выйти на улицу, потому что замочит розовые замшевые штиблеты. А Лена молодец, никакого сюсюканья и соплей по поводу разбитых коленей. Упал? Поранился? Не хнычь, ты парень, а не девчонка!..

— Мужчины, даже самые умные и успешные, такие дураки! Юрий умел делать деньги, а то, что творится дома, оценивал абсолютно неверно, — завершила рассказ сестра Катерины.

— Я слышала, что у Малинина в последнее время возникли финансовые проблемы, — пробормотала я, — вроде все его счета пусты.

Ксения округлила глаза.

— Откуда вы это взяли? Ну, я, конечно, знаю все со слов Кати, а та говорила, что у хозяев жизнь шоколадная. Они не стесняли себя в расходах, Юрий Иванович недавно купил Лене новую машину. Что-то я сомневаюсь в отсутствии у вдовы денег. Некоторое время назад Малинин попросил Катю подъехать в какую-то контору. Там ей дали бумагу и попросили поставить подпись. Хозяин объяснил сестре: «Это очень важный документ, его положено визировать свидетелю. Ты вроде как гарантируешь, что я находился в твердом уме и здравой памяти, когда составлял его, а нотариус заверит наши подписи». Катюше стало интересно, что же за бумага такая, но она постеснялась спросить. На обратном пути Юрий ей сказал: «Пожалуйста, не говори Елене, где мы сегодня были. Понимаешь, недавно мой знакомый Веня Глобов, сорокапятилетний, вполне здоровый мужик, внезапно умер. Оказалось, тромб оторвался. Сейчас за его деньги дерется куча народа, родственники всех мастей появились невесть откуда. А Наташа, жена Вениамина, похожа на Лену, сама не способна решения принимать, идет туда, куда ее за руку потащат, и ничего в финансах не понимает. Алчная свора ее ограбит, останется Наталья с ребенком без средств. Вот я и призадумался. А вдруг со мной что? Как Лена жить будет? Только гроб зароют, мигом жадные вороны слетятся, обнаружатся какие-нибудь там троюродные братья-сестры, о которых я никогда не слышал, начнут претендовать на состояние и дом. Да и партнеры по бизнесу — еще те шакалы. Сейчас-то они милые, улыбчивые, а вдову догола раздеть не постесняются. Я сделал вывод из чужой беды и сегодня оформил документы, чтобы никто, кроме Лены, не мог после моей кончины ничего тронуть, все жене и Андрейке перейдет — деньги, недвижимость, страховка. Теперь я спокоен. Если отброшу мокасины, супруга и сын в полном порядке будут, не узнают нужды».

Ксения провела ладонью по лицу.

— Боже, о чем мы говорим... Но все же, где Катя? Куда она подевалась? Почему не забежала сюда? Не позвонила? Ой, телефон! Ну, я, коза тупая...

Розова схватила трубку и начала нажимать на кнопки. Затем растерянно произнесла:

— Абонент недоступен. Что делать-то? Маме пока ничего говорить нельзя, она в истерику ударится.

— Полине Гавриловне лучше не нервничать, — согласилась я. — Попытаюсь отыскать Катюшу. У нее были при себе вещи, она не могла с чемоданами пешком уйти. Ваша сестра, наверное, вызвала такси, вот и ниточка.

— Пожалуйста, умоляю, — зашептала Ксения, — сделайте что-нибудь!

— А вы дайте мне знать, если Екатерина объявится, — в свою очередь попросила я.

* * *

Подъехав к воротам своего поселка, я высунулась в окно и обратилась к охраннику:

— Добрый день, Дима. Если не ошибаюсь, вы записываете номера всех чужих автомобилей, которые въезжают и выезжают из поселка, фиксируете к кому они прибыли.

— Верно, — подтвердил секьюрити.

— Можете подсказать координаты такси, которое вчера прибыло к Малининым? — спросила я. — Говорят, оно из надежной компании, хочу им воспользоваться.

— Нет проблем, — улыбнулся парень и исчез в кирпичном домике.

Ждать пришлось недолго, минут через пять Дмитрий высунулся из окна.

— Малинины никого не вызывали.

— Хорошо, тогда скажите, кто к ним из посторонних приезжал, — не сдалась я.

Охранник пропал из виду, потом снова появился.

— Утром прибыл красный «БМВ». В нем сидела женщина с темными волосами. Потом она уехала вместе с Еленой Сергеевной. Мы обычно посторонние тачки, которые покидают поселок, досматриваем, просим багажник открыть, в салон заглядываем. Не все с пониманием к проверке относятся, некоторые орать начинают, а правила не охрана придумала, так жильцы на общем собрании постановили. Но вчера я яркую «трешку» не осматривал, ведь в ней Елена Сергеевна сидела. Вернулась она все на той же «бэхе», с той же брюнеткой за рулем после обеда, больше никуда не укатывала.

Темноволосая тетка тоже не выезжала, небось ночевать у Милининой осталась.

Сзади раздался автомобильный сигнал. Дмитрий нажал на брелок, шлагбаум поднялся. Я увидела минивэн с надписью «Любимое спа моего пса». На водительском сиденье сидел Николай.

— Здрас-сти! — закричал парень в окно. — Можем и к вам, Дарья, заехать. Первая стрижка-мойка бесплатная.

— Рада, что вы оправились от гриппа, — улыбнулась я.

— Мы никогда не болеем, — удивилась Наташа, как всегда, сидевшая рядом с напарником. — Мы с Николашей моржи, в любую погоду водой ледяной обливаемся. Нас ваще никакая зараза не берет.

— А ваш хозяин сказал, будто вы слегли, — удивилась я.

— Вы его неправильно поняли, — засмеялся Коля. — Нужно было в одном месте собак прививать, наверное, Семен Кириллович выразился иначе, мол, мы на вирус поехали.

Минивэн покатил в поселок.

— Между прочим, номер этой машины вы не записали, — укорила я Дмитрия.

— Так они постоянно работают у нас, — пояснил охранник, — вечно в Ложкине тусуются, мы знаем их прекрасно, днем и ночью приезжают. Народ у нас живет занятой, многие поздно освобождаются от работы. Коля с Татой и в час ночи, и в шесть утра приезжают животных обихаживать. Мы своих не фиксируем. Например, тех, кто продукты каждый день привозит из «Территории еды», или химчистку «Белая роза». Ну и звериных парикмахеров.

Я вынула из кошелька купюру.

— Спасибо.

— Ну, зачем вам тратиться, — смутился охранник, взяв ассигнацию, — и так много хорошего нам с женой сделали, сколько вещей дочке отдали.

— Так они моей Маше давно малы стали, — улыбнулась я. — Не солить же их.

Дима кашлянул.

— Вы хотите что-то сказать? — спросила я. — Говорите, я слушаю.

— Да нет, просто в горле першит, — пояснил Дима.

— Еще один вопрос. Вчера вы видели Катю, горничную Малининых?

— Не-а. Небось заболела она, — предположил Дмитрий.

— Почему вы так решили? — удивилась я.

Охранник вышел из домика.

— Три раза в неделю в пять вечера сюда приезжает фермер. Он вон там, на площадке, останавливается, и туда же все домработницы за молочными продуктами идут. Екатерина аккуратная, по ней часы сверять можно, ровно в четверть шестого творог со сметаной берет. Очень положительная женщина, всегда поздоровается, спросит, как дела. Не то что некоторые. Другие пройдут мимо, нос задрав, всем видом подчеркивают: мы элита, у богатых хозяев служим, а ты, Митька, цепной Полкан у шлагбаума. Но вчера Катя не появилась, вот я и подумал, что у нее грипп.

— Значит, Катерина мимо вас с чемоданами не проходила? — уточнила я.

Дима удивился.

— Нет. Зачем ей в руках тяжести таскать? И куда пешком топать? У Кати машина есть.

— Точно! — воскликнула я. — Совсем забыла, что домработница Малининых недавно автомобилисткой стала. И она не выезжала?

— Нет, — ответил охранник.

Глава 27

Я посмотрела на часы: до встречи с Остролистовой еще много времени, и въехала в Ложкино. Встала чуть поодаль от ворот участка Малининых и стала смотреть сквозь решетчатую ограду.

Машины наши соседи ставят под навес, и там сейчас виднелись осиротевший джип Юрия, ярко-синий седан Лены и алый «БМВ» Светланы. Крошечного автомобильчика Кати не было. Я прекрасно знаю участок, ранее принадлежавший банкиру Сыромятникову: нигде, кроме как на специально оборудованной парковке, «железных коней» там нельзя оставить.

Я развернулась, возвратилась к охраннику и вновь задала тот же вопрос:

— Дима, Катя вчера не выезжала?

— Нет, — ответил он. — Домработница Малининых поселок не покидала, я же говорил.

— А эвакуатор? — ухватилась я за последнюю соломинку. — Может, малолитражка Розовой сломалась, и ее утащили на платформе?

Дмитрий почесал в затылке.

— Уж и не скажу, когда в Ложкино скорую автомобильную помощь вызывали. Тут у всех тачки новые. О, вспомнил! Зимой в последний раз у Саблиных сын снегокат сломал. А что случилось-то?

Я, ничего не ответив, порулила в сторону Москвы. Успею до встречи с Остролистовой скатать на Стеклокерамический проезд, чтобы наконец-то получить посылку, отправленную Машей.

На Новорижском шоссе постоянно чинят мосты, поэтому весной, летом и осенью добираться до МКАД приходится в плотном потоке машин, который то и дело останавливается. Но я абориген и отлично знаю: быстрее всего по дороге едет крайний правый ряд.

Заняв нужную позицию, я потащилась вперед черепашьим шагом, пытаясь найти ответы на многочисленные вопросы.

Ну, как я могла забыть, что у Кати есть маленькая машинка, на которой она ездит на рынок и в магазин! Такси домработнице заказывать не требовалось. Дежурный у ворот утверждает, что Розова не покидала поселка и вчера не явилась покупать творог. Пешком Катерина мимо охранника не проходила, на автомобиле тоже не выезжала. Но ее малолитражки на хозяйской парковке нет, а в доме Малининых отсутствуют вещи горничной. Я нашла только спрятанный в диванной подушке фотоальбом. Куда же подевалась прислуга?

Из поселка есть лишь один выезд, через центральные ворота, покинуть Ложкино можно исключительно так. Правда, Андрюша Малинин сделал подкоп и бегает тайком в Кузякино. Но я с трудом представляю Катю, протискивающуюся в лаз под бетонным забором вместе с чемоданами. Но даже если предположить, что горничная, побив все олимпийские рекорды по метанию ядра, перебросила через высоченную ограду туго набитые кофры и ухитрилась протиснуться в сделанный Андреем ход, то возникает очередной вопрос из серии безответных. Где машина Розовой? Из поселка автомобильчик не выезжал.

Простите меня за многократное повторение одного и того же, но я просто нахожусь в растерянности, не понимая, куда подевалась Екатерина.

Почему, собрав шмотки и не оставив даже свою зубную щетку в стакане, Екатерина бросила снимки любимого Андрюши? По какой причине она решила покинуть мальчика, которого считала родным? Что случилось? Кто вчера послал Андрею эсэмэску «Прекрати! Или ты покойник»? Отчего на счетах Малинина, как утверждает Светлана, не оказалось денег? Что побудило Юру изменить свое отношение к иностранным школам и заплатить за обучение сына в Лондоне сразу за несколько лет вперед? Кто пугал Малинина? Как крохотная девочка залезла на ель? Неужели она не испугалась высоты? И как малышке удалось со скоростью молнии перемахнуть через трехметровый бетонный забор, не имея при себе веревки с крюком, лестницы, ботинок с «когтями» и прочих аксессуаров?

Ни на один из вопросов ответа у меня нет.

Я повернула налево, увидела пустынную улицу длиной метров сто, не более, и притормозила около серого дома, на углу которого висела табличка «Стеклокерамический проезд».

В Париже, в Латинском квартале, есть крохотный проход между мрачными средневековыми зданиями. Называется он поэтично — «Улица кота-рыболова» и считается самой узкой улочкой столицы Франции. Я, носящая тридцать четвертый европейский размер одежды, могу передвигаться по ней только бочком. Стеклокерамический проезд оказался не намного шире своего французского собрата, и на нем стояло всего одно здание, на первый взгляд без окон и дверей. Но ведь люди как-то попадают внутрь смахивающего на ангар помещения!

Я медленно двинулась вдоль глухой стены и в том месте, где она почти закончилась, наткнулась на неприметную узкую дверь без ручки. В центре ее я увидела прямоугольную железную пластину и постучала по ней кулаком.

Раздался противный скрип, ставня упала на землю. Она прикрывала зарешеченное оконце.

— Добрый день, — произнес из темноты мужской голос. — Что вам надо?

— Здравствуйте, — ответила я. — Желаю получить посылку.

— Откуда? — бдительно поинтересовался служащий.

— Из Парижа, — отрапортовала я.

Повисло молчание, потом невидимый собеседник произнес:

— Ошибка. Из Франции сюда ничего не доставляют. Проверьте в центральном распределительном пункте.

— Ой, пожалуйста, не уходите! — взмолилась я. — Вы единственный, кто со мной нормально разговаривает, остальные служащие вашей почты — прямо роботы какие-то.

Из окошка донеслось тихое покашливание.

— Чего надо-то?

— Может, по номеру посмотрите? — заныла я. — Вдруг пришла бандеролька, а?

— Говорите, — милостиво согласился невидимка.

Я быстро назвала номер и добавила:

— Получатель Дарья Васильева, поселок Ложкино.

— Не наша маркировка. Ошибка, — незамедлительно донеслось в ответ. — Отсутствует ярлык номинации.

— Что? — опешила я.

— Ярлык номинации. Проверьте в центральном распорядительном пункте.

— Пожалуйста, подскажите номер телефона, по которому туда можно позвонить! — взмолилась я.

— Информация не распространяется. Проверьте в центральном справочном пункте.

Я не успела вымолвить ни слова, как железная заслонка со скрипом поднялась, скрыв оконце. Я вытащила из кармана телефон.

«Солнце-е-е на ладони-и-и...»

— Здравствуйте, вы позвонили в почту ОВИ, ваш звонок очень важен для нас. Если хотите узнать...

Пока прокручивалась запись, я изо всех сил пыталась держать себя в рамках. Мне, человеку не особенно агрессивному и не истеричному, очень захотелось пинать ногами дверь и орать: «А ну, гады, отдайте мою посылку! Вам заплатили деньги за услуги, выполните наконец свою работу!» Еще секунда — и я бы взорвалась, но тут раздался голос-колокольчик:

— Добрый день. Оператор Влада. Ваш звонок очень важен для нас. Чем могу помочь?

— Девушка, я звоню из Москвы, — быстро произнесла я. — Приехала на Стеклокерамический проезд за посылкой, а мне говорят, что им нужен какой-то ярлык номинации.

— Ваш звонок очень важен для нас. Откуда вы звоните?

— Из Москвы! — заорала я. — Уже сказала! Я на окраине столицы, главного города нашей социалистической Родины! Широка страна моя родная, много в ней лесов, полей и рек... Фу-у, кажется, я начинаю сходить с ума. Отдайте посылку! Немедленно! Назовите ярлык номинации!

— Ваш крик оскорбляет в моем лице всю службу почты ОВИ, — неожиданно агрессивно ответила диспетчер. — Если будете беседовать в подобном тоне, я завершу разговор.

— Вы издеваетесь над клиентами! — завопила я. — Доводите их до нервного срыва, а потом еще делаете замечания!

Из трубки полетели частые гудки. Меня затрясло, как мышь, попавшую в электропровода. Ну, погоди, почта ОВИ! Я снова начала нажимать на кнопки.

«Солнце на ладони-и-и-и-и...»

— Здравствуйте, вы позвонили в почту ОВИ. Ваш звонок очень важен для нас...

Я терпеливо слушала запись. Ну когда же наконец будет необходимая информация? Ага, вот она! Отлично, нажмем нужную клавишу!

«Солнце на ладони-и-и...»

— Здравствуйте, вы соединились с отделом клиентских жалоб почты ОВИ. Ваш звонок очень важен для нас. Спасибо, что нашли время сообщить нам о мелких просчетах в работе. Мы созданы, чтобы помогать людям, и очень ценим разумную критику. Если вы желаете рассказать о недочетах, нажмите кнопку семь, хотите сделать замечание конкретному сотруднику — восемь...

Я совершила предписанное действие.

— Здравствуйте, вы соединились с отделом клиентских жалоб в адрес конкретного сотрудника лучшей в мире почты ОВИ. Ваш звонок очень важен для нас. Своевременные сигналы о служащих, допустивших ошибку, помогают нам работать еще лучше, чтобы приносить радость в дом каждого клиента. С почтой ОВИ вам доступен весь мир. Мы стираем границы между странами! Если вы хотите отправить письменную жалобу, направьте ее по адресу «Почта ОВИ собака ру», если намерены оставить устное сообщение, нажмите зеро.

Я, вспотев от злости, не сразу сообразила, что вышеупомянутое «зеро» — это ноль, но потом быстро утопила клавишу.

— Добрый день. Вы позвонили в отдел устных клиентских жалоб почты ОВИ. Ваш звонок очень важен для нас. Внимание! Заявление не может быть анонимным. Жалоба должна относиться к компетенции почты ОВИ. Ее необходимо подкрепить материалами, обосновывающими суть претензии. Речь не должна содержать нецензурных выражений, а также слов, оскорбляющих честь и достоинство сотрудников лучшей в мире почты ОВИ, как ее рядовых членов, так и менеджеров среднего, а также высшего звена. В случае, когда заявление клиента не соответствует требованиям, оно стирается. Если сообщение принимается к рассмотрению, вам в течение ста восьмидесяти двух дней будет дан ответ о принятии его к рассмотрению. Результат будет отправлен вам по имейлу в письменной форме. Вам нужно оставить краткую информацию о себе: фамилия, имя, отчество, год рождения, адрес по прописке, адрес фактического проживания, семейное положение, места работы с начала трудовой деятельности, когда и с какой целью выезжали за границу, наличие детей, сведения о взятых в банках кредитах. Если по истечении ста восьмидесятидвухдневного срока вы не получили ответа, необходимо вновь обратиться в службу устных клиентских жалоб почты ОВИ. В случае неполучения официального ответа и повторного обращения следует записаться на личный прием к менеджеру по разбору устных клиентских жалоб. Запись проводится каждый третий четверг пятого и седьмого месяца года, а также во вторую среду и первый вторник четвертого и третьего месяца с двенадцати часов десяти минут до четырнадцати часов девяти минут с перерывом на обед с тринадцати до четырнадцати. Ваш звонок очень важен для нас. Почта ОВИ работает для вас! Вы готовы сделать устное обращение?

— Да, — совершенно обалдев от услышанного, прошипела я.

— Внимание! У вас семь секунд. После звукового сигнала говорите четко и сжато. Пи-и-и...

Я растерялась. Семь секунд? Как успеть за смехотворно короткий срок сообщить анкетные данные плюс саму проблему, да еще подкрепив обосновывающими суть претензии материалами?

— Время истекло. Ваш звонок очень важен для нас. Спасибо за обращение в лучшую в мире почту ОВИ, — донеслось из трубки, и следом полетели гудки.

Я стиснула зубы, ощущая только одно желание: запулить телефоном в стену дома!

И тут дверь открылась. Оттуда выскочила огромная лохматая собака и подбежала ко мне.

— Не бойтесь, Марк не кусается, — произнес появившийся следом мужчина в майке цвета хаки.

Я положила руки на голову пса, почувствовала, как раздражение начинает утекать, и улыбнулась.

— Я не боюсь животных. У меня дома их много. Простите, вы здесь работаете?

— Служу, — поправил незнакомец. — А что?

— Хотела получить посылку, а почта ОВИ ее не выдает, — пожаловалась я. — Требуют какой-то ярлык номинации.

— ОВИ... — скривился мужик. — Тут совсем другая структура. Сотрудники почты постоянно что-то путают и своих клиентов к нам направляют. Уезжайте. Здесь ничего вашего точно нет.

— Странно, что вы со мной по-человечески разговариваете, — вздохнула я. — Человек за дверью общался иначе.

Хозяин Марка улыбнулся.

— На службе нужно беседовать по инструкции, а когда домой идешь, ты обычный человек. Надеюсь, вы не станете сейчас в истерику впадать?

— А что, некоторые граждане, в недобрый час связавшиеся с почтой ОВИ, идут вразнос? — заинтересовалась я.

Незнакомец погладил Марка между ушами.

— Я насмотрелся всякого. Одни плачут, другие дверь ногами пинают и орут... Повторять их слова не стану, при женщине такое не говорят. Ну а некоторых конкретно глючит. Вон, видите выбоину в стене?

Я посмотрела.

— Да.

— Неделю назад парень приехал. Сначала просто кричал, затем стал головой о стену биться и вопить: «Отдайте, суки, мою посылку!» Пришлось ему психоперевозку вызывать. А что у вас в отправлении? Дорогие вещи? Очень нужные?

— Да нет, дочка из-за границы всякие мелочи для наших собак прислала, — ответила я. — Легко можно без них обойтись. Но девочка старалась, не хочется ее обижать.

— Тогда наплюйте и забудьте, — посоветовал мужчина. — Скажите ребенку: «Спасибо, все вещи дома». Это не ложь, а защита собственного здоровья. А то ведь так и инфаркт получить можно, общаясь с этой почтой. Ну, нам пора на маршрутку. Уедет, придется к метро пешком топать, а это далеко.

— Давайте подвезу вас, — предложила я.

— Так я не один, с Марком, — напомнил собеседник.

— Машина у меня небольшая, но вы уместитесь, — пообещала я.

— Вот спасибо! — обрадовался мужчина. — Меня Леней зовут.

— Даша, — представилась я, распахивая дверь своей малолитражки. — Залезайте.

Глава 28

Марк вопросительно взглянул на хозяина.

— Можно, — кивнул псу Леонид. — Только не на сиденье, на пол.

Овчарка аккуратно протиснулась в узкое пространство и замерла.

— Какой ваш Марк умный! — восхитилась я. — Пусть устраивается, как человек, ему же очень неудобно.

— Еще испачкает сиденье, — возразил хозяин собаки.

— Вытереть нетрудно, — улыбнулась я.

— Повезло тебе, — вздохнул Леонид, глядя на питомца.

Марк, ловко извернувшись, залез к хозяину. Тот пристегнул собаку ремнем безопасности, потом погладил по голове.

— На редкость понятливый пес, — засмеялась я, выезжая на проспект.

— Каждая собака от рождения имеет способности к обучению, но не все владельцы занимаются с питомцами, — ответил Леонид. — Мне неприятно наблюдать невоспитанного, безостановочно, по-пустому лающего или агрессивного кобеля, который пытается доминировать над людьми. Но зверь тут ни при чем, виноват человек, который не удосужился выдрессировать того, кого приручил.

— Большинство людей не обладает навыками дрессуры, — возразила я.

— Можно нанять профессионала, — пожал плечами спутник. — Не очень дорогое удовольствие, зато потом будешь спокоен и за собаку, и за себя.

Никто претензий не предъявит, в суд на тебя за укус не подаст.

— Я пыталась когда-то объяснить мопсу Хучу, что нельзя тырить со стола печенье, но он оказался упрямее меня, — пожаловалась я. — Пока в столовой находятся люди, Хучик с самым невинным видом спит на диване. Но едва он увидит, что комната опустела, устраивает разбой.

Леонид засмеялся.

— Знавал я одного мопса, который встречал своего хозяина с тапками в зубах. А пока тот переобувался, он несся на кухню и включал чайник.

— Верится с трудом! — воскликнула я. — Как песик до него доставал?

Леонид снова погладил смирно сидящего Марка.

— Электроприбор стоял на подоконнике, а рядом стул. Мопс запрыгивал на сиденье, лапой наступал на пипочку, и готово. Все очень просто.

— Похоже на сказку, — недоверчиво протянула я.

— Марк, подай мне сумку Дарьи, — неожиданно велел питомцу мой пассажир.

Пес заворчал.

— Прости, совсем забыл, — сказал Леонид и отстегнул ремень безопасности.

Марк «стек» на пол, просунул морду между передними креслами, взглянул на меня и тихонько кашлянул. Я, правильно истолковав звук, кивнула:

— Раз хозяин велит, выполняй.

Марк привстал, осторожно подцепил зубами ручку сумки, стоявшей на сиденье рядом с водительским, а потом переместил ее на колени Леонида.

— Спасибо. Теперь верни вещь назад и сиди смирно, — отдал новое распоряжение Леня.

Марк моментально повиновался.

— Создается ощущение, что пес извинился передо мной за то, что собрался схватить сумку, — восхитилась я.

— Так и есть, — подтвердил Леонид. — Марк понял, что я велел покуситься на чужое. Но, как бы он ни относился к приказам хозяина, его обязанность — беспрекословно их выполнять. Каждое животное можно обучить любым трюкам, главное — методичность, терпение и политика «кнут-пряник». Я противник битья зверя, есть другие методы воздействия, неболевые, которые прекрасно работают.

— Вроде страусы не поддаются дрессировке, — протянула я.

— Не знаю, — усмехнулся Леонид, — с гигантскими птицами дел не имел. А попугаи, сороки, канарейки, вороны, воробьи весьма понятливы. Знаете, кого очень трудно воспитывать, а подчас и невозможно? Людей! Спасибо большое, довезли нас прямо до метро.

— Если вы живете в этом районе, могу добросить до дома, — предложила я.

Леонид показал на высокую кирпичную многоэтажку.

— Мы вон там обитаем. Возьмите мою визитку. Если захотите получить консультацию по вопросам, связанным с собаками, звоните.

Я вытащила из бардачка блокнот.

— А у меня нет карточки, не обзавелась. Сейчас напишу свои контакты. До свидания, Марк, ты замечательный.

Пес тихо гавкнул, и Леонид выступил в роли переводчика:

— Вы тоже ему понравились. Марк весьма избирателен, если ему кто не по душе, по своей воле разговаривать с человеком не станет, уйдет или спрячется.

Леонид и пес вылезли из автомобиля и пошли к дому.

Я медленно отъехала от бордюра. Уйдет или спрячется... Что, если Катя решила схорониться? Нашла способ тайком покинуть поселок, а машину оставила, загнав в какой-нибудь закуток. Человека за рулем легко поймать, надо лишь сообщить номер автомобиля сотрудникам ГИБДД, и готово, тормознут мигом. Вдруг горничная, которая, как теперь выяснилось, была с хозяевами почти в родственных отношениях, знает правду о кончине Юрия и опасается за свою жизнь?

Может, мне обратиться в полицию? Александр Михайлович в отпуске, но его отдел работает. Надо позвонить Сергею Дьяченко и рассказать, что я узнала...

И тут я вспомнила, как Сережа, часто приезжающий со своей женой Люсей в гости к Дегтяреву, совсем недавно, в конце июня, не зная, что я стою в доме у открытого окна и слышу все разговоры, что ведутся на террасе, спросил:

— А где наша мисс Марпл, Шерлок Холмс и Пуаро в одном флаконе?

— По хозяйству хлопочет, чай заваривает, — ответил полковник.

— Объяснил бы ты Дарье, что не надо постоянно занятым людям мешать и дурью маяться, — сказал Дьяченко. — А то лезет не в свое дело, и вечно у нее глупость получается, напридумывает, навертит, а начнешь разбираться, один пшик и бабская блажь.

Что ответил Дегтярев, я не услышала, потому что уронила на пол поднос с сервизом. Помнится, я здорово тогда разозлилась на Сергея. Даже не стала убирать осколки посуды и ушла к себе.

Вспомнив ненароком подслушанную беседу, я опять испытала дискомфорт и горько пожалела, что уже звонила Дьяченко и просила у него помощи. Я не имею привычки долго дуться, поэтому выкинула из головы неприятные слова Сергея. Но теперь они вновь ожили в памяти. Нет, обойдемся без полиции... К тому же в отделении заявления о пропаже людей принимают исключительно от родственников. И еще я отлично знаю, что там услышу: «Розова взрослая женщина, она решила сменить работу. Никакого криминала не прослеживается».

Снова звонить Дьяченко я ни за какие пряники не стану.

Нога легла на педаль газа. Мелькнула мысль: ничего, сама прекрасно во всем разберусь, зря Сергей считает меня клинической дурой.

* * *

В кафе, где Майя Михайловна назначила мне встречу, шумел народ. Я в растерянности остановилась на пороге зала. Почти за каждым столиком сидит по блондинке неопределенных лет, замотанной в ожерелье и обвешанной браслетами. На табуреточках, придвинутых к креслам, стоят дорогие кожаные сумки с именными табличками. У красоток на подозрительно гладких личиках безупречный макияж, такой в салонах красоты называют «фарфоровая кожа», и прически у всех одинаковые. Ну и к кому из них направиться?

— Простите, не могу вас посадить, — защебетал, улыбаясь во весь рот, подбежавший метрдотель. — Или вы резервировали место?

— Нет, но меня ждет госпожа Остролистова, — смиренно ответила я.

Распорядитель сделал оскал еще шире.

— Вы Дарья Васильева? Маечка предупредила, что ждет подругу.

Ловко лавируя между тесно наставленными столиками, он провел меня к нише, где уютно устроилась худощавая дама в шелковом платье. Конечно же, она была платиновой блондинкой, правда, не с небрежно разбросанными по плечам локонами, а со стрижкой каре.

— Дашенька! — завопила Остролистова. — Ангел мой, прекрасны, как всегда! Вы едите в день четыре виноградины? Ну как можно оставаться такой стройной? Меня сжирает простая, как веник, зависть!

Я закатила глаза.

— Маечка, душенька, вы прелестны! Какой браслетик! Явно не новодел!

— Ах, ма шер, вас не обмануть, как некоторых, сразу видите раритетную вещь! — заверещала Майя Михайловна. — Серж купил этот «наручник» на аукционе в Нью-Йорке. Я взяла на себя смелость и заказала вам асьет[1] с пирожными. До шести вечера сладкое разрешено лопать в любых количествах. Доктор Покен так всем клиентам говорит.

— Я посещаю диетолога Мару, — закудахтала я. — А он не так любезен, эклерчики и корзиночки позволяет есть исключительно до полудня. Не врач, а тиран!

— И не говорите, душенька, ваш Мару просто злобный гризли. Надеюсь, ботокс колете у Набэ? — полюбопытствовала жена олигарха.

— Обожаю его, — заквохтала я, — никакой боли и море шарма.

Майя Михайловна кивнула и начала азартно уничтожать буше, наполеон, трубочки со взбитыми сливками и прочие пирожные. Набитый рот совершенно ей не мешал, и разговор продолжался. Он плавно перетек на тему одежды, затем повернул в сторону полезных продуктов, потом добрался до благотворительного фонда спасения гигантских бабочек. Примерно через полчаса я решила задать Остролистовой вопрос дня:

— Маечка, душенька, вы решились остричь свои роскошные волосы? Помнится, ранней весной или поздней зимой я увидела вас и от зависти покрылась зелеными пятнами. Такие локоны! Вились штопором! У меня развился комплекс неполноценности, у самой-то на макушке лысинка просвечивает.

Остролистова вытерла рот полотняной салфеткой.

— Ах, дарлинг, нечему завидовать. У меня пару лет назад случился гормональный сбой, волосы по-

---

[1] Асьет — тарелка. Испорченный французский.

сыпались, как пьяные воробьи с веток. Натуральная катастрофа! К кому я только не обращалась — в Америку, Швейцарию, Германию, во Францию ездила. А результат — чистый зеро. Профессор из Нью-Йорка, мировая величина, сказал: «Буду откровенен. Лучше б у вас зубы выкрошились, стоматология нынче владеет прекрасными технологиями. А мы, трихологи, пока можем предложить только пересадку волос с донорской зоны. Но вам эта процедура не поможет. Советую обратиться к эндокринологу». Я ноги в руки и опять по кругу: Женева — Берлин — Париж. Насоветовали медики разных таблеток. Я человек аккуратный, отлично знаю, что надо слушать доктора. Пью пилюли, толстею, покрываюсь пятнами, чешусь, мучаюсь от болей в желудке и бессонницы, впадаю в истерику, потею, колочусь в ознобе, а головенка по-прежнему лысая.

— Вот беда, — совершенно искренне пожалела я собеседницу.

— Совсем на мыло изошла, — продолжала жаловаться Майя Михайловна. — От отчаяния смоталась к китайцам, и тамошний профессор посоветовал мне особые пилюли, приготовленные из медведей. Мне это показалось весьма логичным, у мишек-то шикарная шерсть. Сделал он мне капсулки, начала я их глотать. И такая у меня кровожадность открылась! Мяса хотелось. Сырого. Голос в бас превратился, волосы на ногах поперли, прямо колосья. На эпиляцию раз в два дня носилась. А что на голове? Пустыня. И тут мой муж возьми и скажи: «Пупсик! Когда я на тебе женился, у тебя не было гривы на башке. С чего она сейчас-то, в возрасте мудрой черепахи, отрастет? Я люблю тебя не за волосы, хрен бы с ними. Перестань здоровье гробить, ты мне очень дорога как память о юности. А еще я тебя бояться стал, опасаюсь проснуться утром и рядом с собой под одним одеялом Топтыгина увидеть. Кисонька, представляешь, что получится? Тело покроется бурым мехом, а головушка голой останется. Вышвырни все капли, микстуры, мази, таблетки и иже с ними. Закажи себе самые лучшие парики и забудь о проблеме.

— Разумный совет, — пробормотала я.

— Папочка умнейший человек, — застрекотала Остролистова. — Мы с дочкой всегда его слушаемся. Да и как иначе, если муж кредитки блокирует? Знаете, у него свой метод. Он нам все-все разрешает, но если вдруг скажет «нет», то это нет. Не следует в таком случае ему перечить, потому что подашь на кассу карточку, упс, а та не работает. Приходится папочке звонить, каяться... В общем, теперь я хожу в парике. Но возникла новая проблема. Где его купить?

— Сейчас, по-моему, с этим сложностей нет, — удивилась я. — Почти в каждом торговом центре они есть.

— Все вроде не проблема, пока она тебя не касается, — поморщилась Майя Михайловна. — Кругом одна синтетика. Она плохо выглядит, жуткая на ощупь, в общем, брр и фу!

— Можно заказать парик из натуральных волос, — не успокаивалась я.

Остролистова схватила очередной эклер.

— Дарлинг, я тоже так думала. Обратилась в фирму, приобрела десять штук, и тут Мэри Левитина мне глаза-то и открыла. Знаете, откуда настоящие волосы берутся?

Я вопросительно уставилась на собеседницу. Остролистова перешла на шепот:

— Их срезают с трупов азиатских женщин, моют, красят, а потом продают. Нет, только представьте — таскать на башке эдакое! Я сразу все лохмы выкинула и в панику впала. Делать-то что? Спасибо, папочка, как всегда, на помощь пришел. Определил меня в клинику, велел: «Пусенька, полежи, расслабься. Обещаю найти приличную, абсолютно здоровую российскую женщину, которая согласится продать свои волосы. Не хнычь». И вот в лечебнице мне встретилась девушка с роскошными локонами...

Я молча выслушала рассказ Майи Михайловны о том, как она подбила санитарку Инну, игроманку, нуждавшуюся в деньгах, срезать волосы Марины Бойко. В конце концов я не выдержала:

— Так почему сейчас у вас короткая стрижка?

Майя Михайловна пригорюнилась.

— Недолго я той красоте радовалась. Получила ее то ли в конце зимы, то ли в начале весны, а через неделю нас обокрали. Мы с папочкой пошли в театр... Муж у меня — душенька! Слово свое сдержал, купил разных париков, и все волосы от нормальных женщин взяты были. Теперь у меня на любой случай причесоны есть, но тот, что я сама в клинике нарыла, был самый любимый. Хотела я его в театр надеть, а потом передумала. Предстояла премьера, народу соберется уйма, надо нарядиться в длинное платье, надеть брюлики-шмулики, серьги-люстры в уши воткнуть. Но такие подвески требуют высокой укладки, а не локонов по плечам. В общем, осталась красотища обожаемая на болванке, я отправилась в театр с «башней» на макушке. Вернулись мы и ахнули — воры в квартире побывали. Представляете?

— Очень неприятно, — кивнула я.

— И не говорите! — вздохнула Остролистова. — Главное, никто так и не понял, каким образом нас обчистили. Дом семиэтажный, живем на пятом. Черной лестницы нет, в парадное без звонка не войти, у входа дежурят консьерж и охрана. Возле всех апартаментов, а их в здании семь, сидят парни в форме. Нашу дверь чужой открыть не мог, совершенно исключено. С крыши тоже не проникнуть, рельеф здания такой, что невозможно использовать систему тросов. Я, вообще-то, в этом ничего не понимаю, но в полиции сказали: «Чтобы к вам сверху спуститься, надо родиться человеком-пауком». Создается впечатление, что орудовал призрак, который влетел в открытую форточку, схватил в моей спальне парик, колье из шкатулки и удрал. А кольца, браслеты и серьги, что рядом валялись, не взял.

Майя Михайловна поманила официанта и заказала еще чаю. Затем продолжила:

— Полиция постаралась, кучу народа опросила. Напротив нашего здания расположен затрапезненький домишко, пятиэтажка с коммуналками. Всех жильцов обошли с вопросом: «Может, чего интересное видели? Хозяин ограбленной квартиры заплатит за информацию». Но никто ничего не приметил. Обнаружился лишь один свидетель, как потом выяснилось, алкоголик. Мужик явно хотел от мужа премию получить и нафантазировал вот что: «По стене дома быстро бежал вверх черт со светлыми длинными волосами, а на шее у него была намотана разноцветная елочная гирлянда». Даже полиция от его слов офигела и информатору сказала: «На улице уже темнело, как же вы дьявола-то заметили?» А пьянчуга им в ответ: «Здание напротив прожекторами подсвечивается, я видел Сатану, как вас сейчас. Ловко он карабкался, волосы на ветру трепались, гирлянда разными огоньками вспыхивала. То вроде ничего нет, потом огонек на шее сверкнет. Давайте мне деньги, я вам сведения на блюдечке преподнес».

— И что, вы ему заплатили? — поинтересовалась я, скрывая легкую усмешку.

— Ага, фигу он получил! То ли выдумщик тот мужик, то ли глюки у него от водки начались. Короче, более странного грабежа в Москве не было. Конечно, ожерелья от фирмы «Граф» хорошо стоят, а их у меня было шесть штук. Но ведь и браслеты от Шомэ на заказ сделаны, камни для них папочка на аукционе покупал. Да и колечки-сережки тоже непростые, и мелочь проще унести, положил в карман и уходи. Однако их не тронули. А картины? В спальне Ренуар, в гостиной Гоген, но полотна из рам не вырезали. Ну и на хрена грабителю мой парик? Он, по сравнению с остальным, ерундовская ерундовина. Полицейские в непонятках замучились. Ну да, мы оставили открытой форточку, всегда так поступаем, но в нее взрослому человеку не пролезть. Впрочем, подростку тоже. Разве что младенец протиснется. Только слабо верится в то, что ребенок по отвесным стенам карабкался, он же не муха. Правда, у дознавателя идея появилась: «Вероятнее всего, кто-то из женщин в семье вора страдает алопецией[1]. На колье у него явно был заказ. Такую ювелирку просто так не прут, ее не сбыть, это не массовое производство, значит, под клиента воровали, поэтому и сцапали только ожерелья. А парик грабителю на глаза попался, и тот его для близкого человека прихватил. Не беспокойтесь, отработаем версии, вычислим преступника». Только по сию пору никого и ничего не нашли. Ужасно те локоны жаль! Они мне необычайно шли!

Глава 29

Расцеловавшись на прощанье с Майей Михайловной и пообещав прийти на благотворительный бал в пользу гигантских бабочек, я поехала в Ложкино.

Настроение упало ниже плинтуса. Похоже, оборвалась последняя тоненькая ниточка. Теперь ясно, что ребенок, пугавший Юрия, был в парике, украденном у Майи Михайловны. Осталась самая «малость» — выяснить, как зовут малышку, где она живет, почему совершенно не боится высоты и кто велел ей изводить моего соседа.

Еще надо узнать, куда подевалась Катя. Ксения утверждает, что ее сестра никак не могла бросить Андрюшу, а Светлана Терентьева в шоке от поведения домработницы, внезапно объявившей о своем уходе. Кому верить? Обе женщины не производят впечатления лгуний.

---

[1] Алопеция — облысение.

Теперь вспомним мой разговор с охранником Дмитрием. Он уверял, будто к Малининым не вызывали такси, пешком к автобусу Екатерина не проходила и на своей машине не выезжала. Может, Светлана сказала мне неправду? Катя вполне могла сделать замечание настырной Терентьевой, косо на нее поглядеть. Та обиделась и выгнала домработницу, а мне назвала другую причину увольнения прислуги. Но почему Катерина не побежала к Елене, не нажаловалась ей на наглую гостью, которая распоряжается в чужом доме, как в собственном?

Помнится, при нашей последней беседе Розова объяснила:

— Я Светлану совсем не знаю. Но имя ее с фамилией слышала, Лена ей часто звонит. Терентьева после трагедии с Асей для жены Юрия Ивановича стала вместо костыля. Но пить чай к нам Светлана не заезжала, в гости не наведывалась. Впервые ее в день гибели хозяина увидела. Лена ей в рот смотрит, что врач скажет, то и делает. Елена Сергеевна слабая, она как плющ, ищет крепкое дерево, чтобы вокруг него обвиться.

Вероятно, это не дословно то, что говорила Катя, но суть я запомнила верно.

Я притормозила у светофора.

Мне уже стало понятно, что Лена не из тех людей, кто любит сам принимать решения. Она подчинялась Юрию, работала там, куда тот ее устроил, не пыталась чего-то добиться в жизни. Но не следует считать Малинину забитой, затюканной бедняжкой, которая была под пятой авторитарного мужа. Юра очень любил супругу, не ограничивал ее в расходах, не ругал, исполнял все ее желания.

Просто Лене нравилось, что стратегические решения принимает не она, а кто-то другой. Ну согласитесь, ведь если не ты управляешь ситуацией, то и ответственность лежит на чужих плечах. Малинина не вмешивалась в финансовые дела мужа, не давала ему советов по работе. Она говорила: «Юра очень умный, он прекрасно знает, как надо поступить. Лучше ему не мешать».

И с домашними делами получалось так же. Катя ездила за продуктами, убирала дом, а хозяйка всегда хвалила домработницу: «Катюша у нас гений, со всеми проблемами прекрасно справляется. А если я отправлюсь на рынок, то непременно куплю плохие фрукты по бешеной цене. Ну не умею я торговаться! Лучше мне к продавцам не соваться. На моем лице большими буквами написано: «Эту можно обмануть».

Правда, Лена готовит, причем мастерски. Любое блюдо у нее получается намного вкуснее, чем в ресторане.

Я повернула налево, увидела указатель «Ложкино — 5 км» и чуть сбавила скорость, продолжая размышлять.

Никогда бы не могла жить, как Елена. Но надо признать, весьма удобно сидеть за чьей-то широкой спиной, зная, что тебя, такую слабую, минуют все бури и любые неприятности разобьются о крепкие плечи мужчины, находящегося рядом с тобой. Может, так и следует вести себя? Многие женщины бросаются на амбразуру — зарабатывают деньги, ведут домашнее хозяйство, строят карьеру, воспитывают детей и не позволяют супругу рта раскрыть, а потом стонут: «Мой-то — совсем не мужик, ничего делать не хочет, лежит на диване».

Но зачем ему суетиться, если ты уже сама вместо трактора огород вспахала?

Вероятно, лучше лежать на софе и нежно шептать: «Дорогой, ты умный, сильный, настоящий хозяин дома, занимайся семейными проблемами, у тебя лучше, чем у слабой жены, получится с ними справиться».

Притормозив перед шлагбаумом, я увидела Дмитрия и высунулась в окно.

— Добрый вечер. Не устали вторые сутки дежурить?

— Есть еще порох в пороховницах, — преувеличенно бодро ответил охранник.

— Дима, вы уверены, что Катя вчера не покидала поселок? — с упорством заезженной пластинки спросила я. — Подумайте как следует. Может, вы отбежали на пару минут.

— Куда? — заморгал охранник.

— В туалет, например, — сказала я. — Или чайку хлебнуть захотели.

— Если мне в сортир надо, на пост Жора встанет, — отрезал Дмитрий. — Обед у нас по часам, с двух до трех. Сначала напарник ест, а потом я.

— Ну и где сейчас ваш коллега? — спросила я.

— Его задача — поселок патрулировать, моя — на въезде дежурить. И мы с ним постоянно на связи. — Дима хлопнул ладонью по прикрепленной к бронежилету рации.

— Так может, Жора видел, как Екатерина укатила? — обрадовалась я.

— В журнале такси не отмечено, — возразил охранник. — И после нашего с вами первого разговора я у него спросил: «Ты горничную Малининых вчера из поселка выпускал?» Он ответил: «Нет, вот ее не видел».

Я сделала стойку.

— Не подскажете, где ваш напарник сейчас?

Дмитрий постучал пальцем по пластиковой коробочке.

— Первый, Первый, ответь Второму. Ты где?

— Третий участок, — прохрипело в ответ, — смотрю, чем гастарбайтеры занимаются. А чего?

Митя покосился на меня.

— Объект Васильева спрашивает.

— Та, у которой пучеглазые собаки и ворона? — уточнил второй охранник. — Что ей надо?

— Сейчас подъедет и сама объяснит, — перебил коллегу Дмитрий.

Я порулила за детскую площадку, увидела мужчину в камуфляжной форме и безо всяких вступлений спросила у него:

— Вы вчера не встречали горничную Малининых?

Георгий слово в слово повторил фразу, сказанную Диме:

— Нет, вот ее не видел.

— А кого видели? — тут же продолжила я.

— Не понял, — удивился охранник. — Полно разного народу ходило. Рабочие трубы таскали, канаву рыли.

Я вышла из машины.

— Жора, когда человек говорит: «Вот ее не видел», с ударением на «вот», это значит, что он встретил кого-то, связанного с Катей. Понятно я объяснила?

Секьюрити неожиданно смутился.

— Ну... была эта, в красном автомобиле... знакомая Малининых... Она... э... э... В общем, приехала — уехала. Не мое дело, чего сплетничать. Просто меня это удивило. Потом я подумал: «Ну и чего особенного?» И... и...

Охранник замолчал.

— Выкладывайте, что знаете, — потребовала я. — Почему вы так странно реагируете на появление Светланы? Она подруга Елены Сергеевны, ясное дело, примчалась вдову поддержать. И, между прочим, Терентьева ранее, до кончины Юрия, в Ложкино не заглядывала, вы ее никак видеть не могли. Или я ошибаюсь?

Жора вздернул подбородок.

— Вот у моей жены подруженций нет, и правильно. Мужик так устроен, если у него перед глазами чужая баба мельтешит, он рано или поздно к ней потянется. Зачем мужа в грех вводить? Сначала приглашают в дом профурсетку в мини-юбке, а потом рыдают: «Супруг мне изменил!» Сама, блин, виновата. Гнать всех посторонних из семьи надо, тогда отношения будут крепкие.

— Где вы раньше встречали Светлану? — насела я на Жору.

Он вытащил здоровенный клетчатый носовой платок и высморкался. Я стояла и терпеливо ждала, когда Жора озвучит что знает. Наконец он решился на откровенность:

— Знаете бензоколонку Заура? Она не на трассе стоит, а сбоку, около рынка.

— Видела заправку, — удивилась я, — но никогда туда не заезжаю, говорят, там плохой бензин.

— Зато он дешевле, чем у других, — возразил охранник.

— Неразумная экономия, — поморщилась я. — Купишь горючее за меньшие деньги и получишь большие проблемы с машиной.

— Не дурак я, — буркнул Жора, — хожу туда за шаурмой. У Ахмата покупаю, он слева от колонки торгует. Возьму лепешку с мясом и иду в кафетерий на заправке. Там Наташка распоряжается, она разрешает мне свое есть, только просит садиться спиной к залу, лицом к окну, которое на задний двор выходит. Там обычно никого нет, люди у дверей магазина паркуются, зальют бак и топают кофейку глотнуть. Один раз, в конце зимы, значитца, жую и вижу, как двое во двор заходят. Мужчину я сразу узнал — Юрий Иванович из поселка Ложкино, а бабу впервые увидел. Они на окна кафетерия внимания не обратили, а может, просто не приметили меня, я сбоку сидел. В общем, начали беседовать. Слов не слышно, но понятно, что отношения выясняют. Дамочка руками размахивала, наступала. Юрий Иванович пытался ее успокоить. А она, похоже, заорала, потом заплакала и кинулась Малинину на шею, принялась его целовать не по-детски. Тут мне ясно стало: видать, у Юрия Ивановича с мадамой шпили-вили, сходил он от Елены Сергеевны налево. Бабье — странный народ! Знают ведь, что с женатым связались, так надо действовать по-тихому. Получила удовольствие и отвали, нормальный мужик не станет законную супругу на любовницу менять. Кому геморрой на голову нужен? Вот и тут, гляжу, Юрий Иванович мадаму от себя оторвал и, бац, оплеуху ей отвесил. А та ему в ответ затрещину хлобысь! Вот стерва, а?

Жора укоризненно покачал головой.

— Поел я, сел в машину, смотрю, Юрий Иванович на своем джипе от колонки стартует. А мадама на каблучищах к красной тачке ковыляет. Раз, и щиколотку подвернула, но не упала, за капот «бэхи» уцепилась. Ногу подняла, сапожок сняла, а там каблук сломан. Постояла она с минуту, замерла памятником, потом как запулит ботинок на шоссе! Второй тоже стянула и за первым вслед отправила. Аж бордовой стала от злости. Босиком за руль плюхнулась, газанула и унеслась ведьмой. Не получилось у нее мужика у законной половины отбить, вот и взбеленилась красотка. А когда Юрий Иванович из окошка выбросился, эта стервятина в Ложкино прикатила. Я сразу ее тачку узнал. А потом и водительницу тоже. Вот какие подруги бывают! Сначала с чужим мужем крутила, а сейчас вдову жалеет. Тьфу прямо!

Я поблагодарила Жору за рассказ, загнала машину под навес в своем дворе и пошла к Малининым.

Глава 30

День выдался очень душный, а у моих соседей нет кондиционера. Лена как-то обронила, что муж опасается болезни легионеров[1], поэтому категори-

---

[1] Болезнь легионеров — инфекционное заболевание, в частности, вызывается микроорганизмами, появляющимися в кондиционерах, которые не чистят.

чески отказывается устанавливать охладители воздуха.

— Если становится слишком жарко, мы открываем окна, и ветерок бодрит, — пояснила Елена.

На мой взгляд, сквозняк отнюдь не полезная вещь, а кондиционер просто надо регулярно очищать, тогда он не станет источником заразы.

Я приблизилась к особняку Малининых с торцевой стороны, увидела распахнутые окна, хотела завернуть за угол, чтобы подойти к центральному входу в дом, и услышала голос Андрюши:

— Вы ее отдадите? Она с вами? Я сейчас прибегу! Спасибо. Куда? На заправку, где шаурма? Знаю, не маленький. Уже оделся. Нет, никому не скажу. Честное слово, никогда! Только верните ее. Я не угрожал. Петя с Павлом первые начали, они мне гадкие эсэмэски слали. Нет, маме плохо, она спит. С ней Светлана Петровна, ее подруга. Да нет, не скажу никому, куда и зачем иду. Вы только отдайте, хорошо? Я уже бегу... я... я... А она меня вспомнит? Не испугается? Плакать не будет? Все, несусь. Ждите!

Я быстро метнулась за угол дома. Услышала торопливые шаги — Андрюша спешил к своему тайному лазу. Некоторое время я провела в сомнениях, потом вспомнила эсэмэску «Прекрати! Или ты покойник», которую случайно прочитала на экране телефона Андрея, и помчалась к навесу за своей машиной. Андрей пойдет лесом, напрямую, и минут через пять будет на месте. А мне придется ехать по шоссе, я потрачу на дорогу больше времени, чем он.

* * *

В здании бензозаправки Андрюши не было. Я побегала между стеллажами со всякой ерундой, зачем-то поворошила газеты и спросила у женщины, сидевшей в кафетерии на кассе:

— Не видели случайно подростка ростом с меня?

— Много их тут шляется, — огрызнулась тетка. — Делать мне, что ли, нечего, за чужими детьми смотреть? Кто родил, тот пусть и заботится!

— Чего ты сегодня злая такая, Наташка? — укорила ее пожилая женщина, мывшая пол около высоких круглых столиков. — Не с той ноги встала? Вежливо тебя спросили, чего лаешься?

— Отвянь, баба Надя! — гаркнула Наташа и скрылась в подсобке.

— Ох, девки, не дают вам покоя мужики... — нараспев произнесла уборщица. — Видать, опять Сергей ночевать не пришел. На мое разумение, блудливого кобеля вон гнать надо, а не перевоспитывать. Коли парень налево двинул, направо ты его ни в жизнь не повернешь. Паренька ищете? Крепенький такой? Богато одетый?

— Точно, — обрадовалась я. — Подскажите, где он?

— А позади магазина стоял с какими-то парнями взрослыми. Вид у них был неприятный, — поморщилась собеседница.

Я, забыв поблагодарить ее, ринулась к выходу.

Задний двор оказался пуст. Оглянувшись по сторонам, я услышала громко сказанное бранное слово. И, стараясь шагать бесшумно, двинулась на звук. Добралась до гаража-ракушки, но замерла на месте, когда хриплый голос повторил то же слово.

В ответ ему прозвучал звонкий Андрюшкин:

— Сам ты...

— Знаешь, че с тобой сделают?

— Я тебя не боюсь! — выкрикнул сын Малининых. — Я... я... я...

— Да че ты сделаешь? Мамочке пожалуешься?

— В полицию пойду! — выпалил Андрейка. — Во всем признаюсь!

— Напугал ежа голой жопой... — прохрипел первый участник разговора.

— Эй, — перебил его другой парень, явно обращаясь к Малинину-младшему, — голову-то включи! Мы с тобой че сделали? Ну ты ваще... Как друг советую, не вякай!

— Вы мне не друзья, а... — с отчаянием воскликнул Андрей. — Вы... вы... Где Иван Михайлович? Он обещал прийти с ней.

— Давай, заплачь, — заржал один из парней.

— Отстань! — закричал Андрюша. — Ой!

— Испугался? Думал, можешь нам условия ставить? — произнес кто-то, до сих пор хранивший молчание. — Закопаем, и не найдут от козла даже запаха!

— Не надо, не трогайте меня... — всхлипнул Андрюша.

Послышались глухие звуки ударов. Я выскочила из-за гаража, увидела трех парней, лежащего на земле Андрюшу и закричала:

— Что вы делаете? Миша, Костя, Александр Михайлович, идите скорей сюда, хватит курить! Здесь мальчика бьют!

Троица кинулась врассыпную. Слава богу, хулиганы побежали не на пустой задний двор. Они поверили мне, решили, что там курят взрослые мужчины, и помчались вперед, туда, где шумело шоссе.

Я присела около Андрюши.

— Жив? Можешь говорить?

Подросток оперся ладонью о землю и сел. Его лицо было в крови.

— Тебе надо к врачу, — испугалась я.

— Ерунда, — прошептал Андрейка, — это из носа течет...

Договорить он не смог, по его лицу градом покатились слезы. Мальчик попытался их вытереть, провел ладонью по щеке, вскрикнул и разрыдался еще сильней. Я села на грязный асфальт, обняла бедолагу, начала гладить его по голове.

— Они ушли, я не дам тебя в обиду. Ты хороший мальчик.

— Нет! — с отчаянием прошептал Андрюша. — Я гад, сволочь! Мне лучше умереть, из-за меня все случилось... Я один виноват...

Его колотило в ознобе.

— Попробуй встать, — попросила я. — Пойдем в мою машину, принесу тебе кофе, выпьешь и согреешься.

— Мне жарко, потный весь, — лязгая зубами, ответил подросток, — всего трясет.

Кое-как ему удалось подняться. Мы добрались до автомобиля, я посадила Андрея на заднее сиденье, сносилась в кафе, притащила картонный стаканчик с крышкой и протянула ему со словами:

— Наверное, ужасная гадость на вкус, но поможет тебе согреться.

— Мне нельзя кофе, — отказался он, — понос от него начинается.

— Извини, не знала, — расстроилась я и пошла выбрасывать стакан в урну.

Вернувшись, села рядом с Андрюшей. Он потерянно произнес:

— Что мне делать?

— Надо пойти к маме, — посоветовала я. — Она всегда поможет. Расскажи ей, что с тобой приключилось.

Андрей закрыл лицо ладонями.

— Нет, она меня убьет. Посадит в тюрьму.

Я притянула паренька к себе.

— Мама никогда такого с сыном не сделает. Она тебя из любых бед выручит.

Андрюша снова заплакал.

— Вы ничего не знаете. Я Воротниковых пригласил... А мама... ой... ой... Я из окна выпрыгну... Не хочу в Лондон! Я... я...

— Солнышко, — зашептала я, — одному трудно справиться с бедой. Если ты не хочешь выложить правду маме, можешь поделиться со мной. Я умею хранить секреты.

Андрюша притих, а я продолжала:

— Ты взрослый человек, но я старше. Не хочу сказать, что умнее, просто дольше живу на свете, приобрела некий опыт и обзавелась друзьями, к ним могу обратиться за помощью. Знаешь, очень хорошо иметь рядом человека, которому можно открыть душу. Попробуй, тебе сразу станет легче, вдвоем мы найдем выход из любого положения. Порой, чтобы стать сильным, надо проявить слабость.

— Вы меня запрезираете и в полицию сдадите, — глухо отозвался Андрей. — Хотя... Ну и пусть!

Хуже не станет! Ужаснее, чем есть, уже не будет. Я хотел умереть, когда правду узнал. Как папа, с балкона прыгнуть. Но мама... Она так по Асе до сих пор плачет! Я должен ей все рассказать и не могу... А если умру, мама никогда правду не узнает...

Он секунду помолчал, судорожно вздохнул и начал скороговоркой, словно боясь, что я встану и уйду, не дослушав его до конца.

...Андрей давно знает, что мать его не любит. Никаких претензий он ей предъявить не может, потому что его не бьют, не обижают, наказывают за дело, хвалят за хорошие отметки и примерное поведение. На Новый год и день рождения мальчику устраивают праздники, ему часто без всякого повода покупают замечательные подарки. У Андрюши есть все, чего только душа пожелает, но он понимает: мама его не любит. Вот папа относился к нему иначе. И домработница Катя тоже. А мама... Нет, она относится к нему совсем не как мать.

Когда в доме появилась маленькая Ася, Андрюшу охватила горькая обида. Его не притесняли, все вроде осталось по-прежнему — и Новый год, и дни рождения, и презенты... Но мальчик видел, как мама обожает дочку, и ревновал. Чтобы завоевать ее любовь, Андрюша решил стать отличником, лучшим в классе. Он засел за учебники и в самом деле окончил год на одни «пятерки». Но... табель не произвел на родительницу должного впечатления. Нет, она похвалила сына, купила ему самый большой набор «Лего». Да только это были лишь слова и здоровенная коробка, глаза Елены Сергеевны оставались равнодушными, а поцелуй ее показался сыну дежурным. И Андрюша, в очередной раз убедившись, что мама его не любит, отправился в свою комнату, где сел смотреть телевизор.

Показывали американский фильм о семье, в которой жили два брата. Старший, хулиган, горе родителей, на протяжении всей ленты постоянно попадал в разные нехорошие истории. Но под Рождество в доме, который бабушка парней украсила горящими свечами, вспыхнул пожар. И вот тогда ужасный мальчишка спас из огня своего младшего братика. Как и положено американскому фильму, он завершился счастливо. Отец и мать простили подростка за его прежнее плохое поведение, назвали героем и стали гордиться тем, кого до недавнего времени считали исчадием ада.

Когда на экране замелькали заключительные титры, у Андрейки в голове оформился план: надо спасти Асю, вытащить ее из огня, вот тогда мама наконец-то по-настоящему полюбит его. (Пожалуйста, не забывайте, что на момент описываемых событий мальчику исполнилось всего восемь лет, а его сестричке годик.)

У Малининых не было традиции жечь свечи, но камин в гостиной разжигали почти каждый день, даже летом, если на дворе лил дождь. Мальчику, чтобы претворить в жизнь свой план, оставалось дождаться нужного момента. И он наконец настал. Няня, Вероника Егоровна, ушла за сухим памперсом, оставив Асю на диване рядом с камином.

Андрюша взял сестричку на руки, подтащил к топке и открыл дверцу. Он не хотел навредить девочке, намеревался устроить ее на небольшом приступке, выложенном плиткой, а когда Вероника Егоровна вернется, сделать вид, будто только что вытащил сестричку из огня, спас ее от неминуемой гибели. Но он не учел множества деталей. Во-первых, после того как он открыл стеклянную дверцу и закрепил ее, из камина сильно потянуло жаром, наружу стали вырываться языки пламени. Во-вторых, облицовочный материал ступеньки оказался раскаленным. В-третьих, Ася начала визжать и вырываться и случайно попала ручкой в угли... Андрюша перепугался и отпустил ее. И тут появилась няня, которая успела выхватить Асю из камина до того, как случилось несчастье.

Поднялся страшный шум, вызвали «Скорую». Итог оказался плачевным: Веронику Егоровну с позором уволили, про Андрея, который соврал, будто хотел спасти Асю, увидев, что сестренка лезет в огонь, начисто забыли, никто не сказал ему даже простого «спасибо», мама села у кровати дочери, гладила ее забинтованную ручку, жалела хнычущую малышку и повторяла:

— У Асеньки теперь будет уродливый шрам.

— Нет, милая, — утешал ее муж, — сейчас медицина научилась прекрасно справляться с рубцами.

(Забегая вперед, скажем, что Юрий ошибался. У его дочери чуть пониже локтя осталась-таки отметина в виде буквы «Z». Первое время она была бордово-красной, потом слегка побелела, но красивее от этого не стала.)

Юрий в тот же день велел заложить камин. Малинины зажили по-прежнему. Андрюша понял, что мама никогда его не полюбит, и неожиданно успокоился. Он просто устал ревновать. А еще у него с переходом в третий класс появились новые проблемы.

В школе, где тогда учился Андрюша, верховодили девятиклассники — братья Воротниковы. Петр и Павел росли в неблагополучной семье, их родители увлекались алкоголем, а дядя недавно вернулся с зоны. Хулиганы отнимали у детей еду, деньги, телефоны, избивали тех, кто пытался оказать им сопротивление. Но были ребята, которых отвязные парни приняли в свою компанию. Например, четырнадцатилетние Олег Злотников и Миша Ремизов, семиклассники Николай Гордеев и Женя Субботин. Это была спаянная банда, которая после учебы занималась отнюдь не уроками. В нее еще входили три пацана из младших классов: Гена Белозеров, Сергей Лапин и Леша Муромов. Почему третьеклашек приняли? Все просто: они были слугами. Троице доставалось от старших товарищей по полной программе, им приказывали выполнять черную работу, их лупили почем зря, но если кто-то из других детей пытался обидеть Гену, Сережу или Лешу, перед ним возникали братья Воротниковы и слишком ласково говорили:

— А ну, извинись! Нехорошо на маленьких наезжать.

С одной стороны, малыши были рабами, с другой — их побаивалась вся школа. Андрюше, над которым недобро посмеивались одноклассники, очень хотелось примкнуть к компании Воротниковых, попасть под их защиту.

Когда Андрей справил одиннадцатилетие, его школьная жизнь стала буквально невыносимой. У мальчика не было ни одного друга, над ним издевались все кому не лень — наливали в ранец колу, сбрасывали на пол ноутбук, обзывали по-всякому.

Однажды, доведенный до отчаяния, Малинин пожаловался классной руководительнице. Та немедленно настрочила в дневниках безобразников замечания, вызвала их родителей. После этого к Андрюше намертво приклеился ярлык «стукач», и стало еще хуже.

Братья Воротниковы к тому времени уже закончили школу, Гена, Сережа и Леша учились в параллельных с Малининым классах, но их по-прежнему боялись. Все знали — они находятся в тесном контакте с бандитами, заденешь их — и будешь иметь дело с Петром и Павлом. Чего только не предпринимал Андрейка, чтобы понравиться троице! И в конце концов его старания увенчались успехом. Однажды Гена велел ему сбегать за сигаретами, и Андрюша, позабыв про учебу, как на крыльях, полетел в магазин. В душе у него пели птицы. Ура, ура, ура! Теперь его жизнь пойдет по-иному. Скоро все сообразят: изгой Андрей — член могущественного братства, на него нельзя даже косо взглянуть.

Глава 31

Полгода Андрюша исправно служил Белозерову. И вот тот велел:

— Сегодня в шесть вечера приходи в кафе «Ромашка». Знаешь, где оно?

— Конечно, — заверил Андрейка.

Он тихо радовался удачно сложившимся обстоятельствам. Мама легла в больницу, ее не будет дома несколько дней, отец пропадает на работе, а Катю отправили отдыхать. Как всегда, на время отпуска домработницы Юрий Иванович пригласил подменную прислугу, но та не оставалась ночевать в доме, уезжала в девять вечера. Андрюша хорошо знал женщину, она появлялась всякий раз, когда Екатерина улетала на море, помогала, если Малинины созывали большое количество гостей. Она замечательно относилась к мальчику, считала его взрослым и особо не интересовалась, чем он занимается. Жили тогда Малинины в обычной деревне, а не в поселке с бдительной охраной, поэтому Андрюша легко мог ускользнуть из дома и прийти в «Ромашку», которая находилась в соседнем селе, где жили Воротниковы. Вот окажись дома Катя, финт бы не удался, та зорко следила за мальчиком, ускользнуть от ее бдительного ока никак бы не удалось. Но сегодня-то все так здорово сошлось!

В «Ромашке» вместе с Геной сидели Воротниковы. Недолго думая, они схватили быка за рога.

— Говорят, ты хочешь с нами корешиться? — спросил Петр.

Малинин кивнул.

— Новые друганы нам не нужны, — пробурчал Павел.

— Да ладно, братуха, — улыбнулся Петя. — Парнишка вроде ничего, Генка за него ручается. Верно?

— Ага, — кивнул Белозеров.

— Не нравится он мне, — отрезал Павел. — Если чего не так, сразу к мамочке побежит, будет ей в подол сопли пускать.

— Так давай его проверим, — предложил Петр. — Как, Андрюха, готов? Выдержишь испытание — друзьями станем.

— Все сделаю! — пообещал мальчик.

— Генка говорит, у тебя отец богатый? — вдруг подобрел Павел. — Живете в собственном доме, во дворе машины хорошие, у мамки небось брюликов полно.

— Мама любит украшения, — подтвердил Андрей.

— А вот мы с Павлухой никогда в таком большом особняке не бывали, — протянул Петр. — Охота зайти, поглядеть, как некоторые устроились. У тебя, кажется, сеструха есть? С вами живет?

Андрюша удивился вопросу, но виду не подал.

— Ася маленькая, ей четыре года, она на втором этаже спит.

— А в какой комнате? — зачем-то уточнил Петр.

— В последней по коридору, — ответил Андрей.

Павел хлопнул ладонью по столу.

— Значит, так! Сегодня мы к тебе в гости придем. Погуляем по дому, на красивые вещи полюбуемся. Согласен?

Андрейка испугался.

— Я с родителями живу.

— Вон оно как... — издевательски протянул Паша. — Корешиться хочешь, а в дом не пускаешь? Мамашки испугался? Не по-пацански это.

— Мама в больнице, — зачем-то сказал Малинин. — Мы с папой остались.

— Че, даже без няньки? — поинтересовался Петр. — Отец сам за девчонкой следит, ночью ее люльку качает?

— Нет, конечно, — возразил мальчик. — Прислуга есть, но она вечером уезжает. Ася крепко спит, не просыпается.

Воротниковы переглянулись.

— Зыко... — выразился Петя. — Небось папахен у тебя суровый, не разрешает телик смотреть после десяти и в комнату к тебе лезет, проверяет, чем ты занимаешься?

— Нет, папа у меня хороший, — зачастил Андрейка. — И он очень устает на работе, в одиннадцать уже спит, так что пушкой не разбудишь. Утром еле поднимается.

Павел почесал бровь. Затем протянул мальчику пузырек.

— Слушай сюда. Когда папашка ужинать сядет, плесни ему этих капель в еду. Они невредные, просто он быстрее задрыхнет. Как отец уснет, ты нам дверь потихоньку открой. Мы осторожно у вас побродим и уйдем. Сделаешь, как просим, будем друзьями навек.

— Всем, кто тебя обидеть надумает, пасть порвем, — пообещал Петр. — Мы своих защищаем. Правда, Генка?

— Угу, — послушно подтвердил Белозеров.

— Ну, согласен? — спросил Павел, поднимая руку, — тогда давай пять.

Андрюша коснулся ладони Воротникова.

— Супер! — воскликнул тот. — Если нас обманешь, ты предатель. А с ними, знаешь, как поступают?

— Горло им режут, — хмыкнул Петр. — У нас так: кто не с нами, тот против нас, а кто с нами, тот в порядке. Давай-ка телефонами обменяемся. Мы тебе позвоним, когда к дому подвалим.

Долгожданный вызов прозвучал около полуночи. Андрейка на цыпочках спустился вниз, впустил Петра и спросил:

— А где Павел?

— Слишком много знать хочешь, — буркнул Воротников. — Ты отцу капли дал?

— В кефир налил, — кивнул Андрей.

— На вот, конфету тебе принес. Нельзя без гостинца в гости являться. Ешь давай, чего тормозишь? Или угощенье не по вкусу?

Андрейка взял зефирку, проглотил ее и повел Петра в гостиную. Но ему вдруг так сильно захотелось спать, что он чуть не упал.

— Эй, топай в свою комнату, — прошептал ему на ухо гость. — Давай, греби ластами.

Андрюша и не помнил, как добрался до кровати.

Разбудил его отец. У Юрия Ивановича был совершенно безумный вид. Он схватил сына в охапку и поволок в коридор, где стояла дымовая завеса. Андрей ничего не понимал, но не сопротивлялся — не было сил. У него болела голова, глаза сами собой закрывались, ноги были ватными. Очутившись на свежем воздухе, мальчик слегка взбодрился, но его стало тошнить. Потом приехала «Скорая», и Андрея доставили в больницу. Там он узнал, что ночью их дом внезапно загорелся, Ася погибла в огне, а его отец успел вытащить.

Доктор посчитал, что мальчик отравился дымом, и оставил его в палате на неделю. На похоронах сестры Андрей не присутствовал. И ему действительно было очень плохо — его колотило в лихорадке. Но не от температуры — от ужаса. Андрюша никак не мог отделаться от мысли, что пожар как-то связан с визитом Петра.

Через пару дней ночью, когда все врачи ушли домой, а дежурный доктор и медсестра дремали в каких-то углах, в палате Андрея появился Павел.

— Если скажешь, что приглашал в гости Петьку, тебе никто не поверит, — с порога заявил он. — Мы с братаном всю ночь в клубе тусили, нас там народ видел. И че твой папаша нам сделает, а? И мамка? Так что засунь язык себе в задницу и молчи. А может, ты сам дом поджег? Хотел от сеструхи избавиться? Генка говорит, ты ее терпеть не мог.

Андрейка ощутил себя мышью, которую загнал в угол хищный тигр, и разрыдался.

— Давай, давай, реви, — скривился Павел. — Больше поплачешь, меньше поссышь! Вякнешь кому про нас, в живых не останешься. Я тебя не трону, а родителям твоим правду доложу, они сами сынка пришьют. Куда ни кинь, тебе каюк.

Слава богу, отец снял после пожара квартиру в Москве, Андрюша в старую школу больше не вернулся. С Геной Белозеровым он не встречался, с Воротниковыми тоже. Мальчик старался забыть произошедшее, но безуспешно. Его до сих пор мучают кошмары. Иногда Андрейка видит во сне Асю. Сестренка тянет к нему ручки, на одной ясно виден шрам в виде буквы «Z», и просит:

— Спаси меня!

Хотя специалисты сочли, что виновницей пожара была электропроводка, Андрюша хорошо понимает: он наделал глупостей, рассказал бандитам о порядках в семье и сам впустил беду в дом. Воротников, похоже, сначала обокрал Малининых, а потом поджег особняк, чтобы скрыть следы преступления. У Андрея есть только одно оправдание — он тогда был глупым и маленьким, поэтому поверил бандитам. Но жить ему теперь с этим грехом всю оставшуюся жизнь. Хорошо хоть, никто из прежних знакомых с ним не пытался связаться.

Однако похороненное прошлое неожиданно напомнило о себе. На прошлой неделе Андрею позвонил парень и сказал:

— Привет, я Гена Белозеров. Помнишь меня?

— Нет, — с испугу соврал Андрей.

— Я Гена Белозеров, — повторил бывший одноклассник. — В одной школе мы когда-то учились, я с Воротниковыми корешился.

— Не было такого, — с трудом выдавил из себя Андрей. — Вы ошиблись.

— Андрей Юрьевич Малинин? — неожиданно спросил другой голос, низкий, мужской. — Я Игорь Карлович, отец Гены. Пожалуйста, не бросай трубку. Нам очень надо с тобой встретиться.

— Зачем? — обомлел Андрей.

— Есть для тебя крайне важная информация, — ответил Игорь Карлович. — Вы сейчас живете в поселке Ложкино, мы можем подъехать...

— Нет! Никогда! — обомлев, перебил его Малинин. — Отстаньте!

— Андрюша, я не хочу связываться с твоими родителями, и ты непременно поймешь, почему, — устало сказал мужчина. — Но если категорически откажешься от беседы, придется обратиться к твоей матери. Так где нам лучше встретиться?

— В Кузякине, — промямлил подросток. — Там в торговом центре кафе есть.

— В семь вечера устроит? — обрадовался отец Гены.

— Лучше в десять, — произнес Андрей, — магазин до полуночи открыт.

Белозеров не стал спорить.

— Как скажешь. Только обязательно приходи. Если не появишься, мне придется побеспокоить Юрия Ивановича и Елену Сергеевну.

Андрюша ощутил, как его желудок изо всей силы сдавила ледяная рука, и кивнул, забыв, что разговаривает по телефону. Произнести вслух «хорошо» он не смог.

Когда он вошел в забегаловку, там находились всего два посетителя — высокий худой дядька и изможденный лысый старик, сидевший в инвалидном кресле. Андрей замер на пороге, решив, что Белозеровы опаздывают. Но тут мужчина помахал ему рукой.

— Мы тут, иди сюда.

Андрюша приблизился к ним.

Игорь Карлович не стал тратить время попусту.

— Гена должен тебе кое-что поведать. Начинай, сынок.

— Помнишь, как ваш дом сгорел? — голосом Белозерова спросил старик.

— Генка? — в ужасе отпрянул Малинин. — Что с тобой?

— Гена заболел, но непременно поправится, — слишком бодрым тоном ответил вместо сына отец. — Послезавтра мы улетаем в Америку на операцию, вернемся осенью в полном порядке. Мой духовник посоветовал Гене исповедаться перед встречей с хирургом, так все поступают.

— Папа, я сам, — остановил его Геннадий. — Если честно, Андрюха, то шансов у меня мало. В Интернете написано, в моем случае в живых остается двадцать пять процентов больных. Вообще-то, в Бога я не верю, но... А вдруг он есть? Короче, решил покаяться. Дом ваш Петька с Пашкой подожгли. Чем тебя Павел угостил, когда вошел?

— Зефиркой, — ошарашенно ответил Андрей.

— Внутри сильное снотворное было, — пояснил Гена. — Воротниковы хотели, чтобы вы с отцом сгорели. План у них такой был. От Аси ничего не осталось? Это не удивительно, маленькая она. Пашка предложил, чтобы Петька Юрия Ивановича по голове топориком тюкнул, опасался, вдруг он проснется. Прямо как чуял. Только брат возразил: «Здоровый мужик, целиком может не сгореть. Найдет полиция след от удара, и заварится канитель. Только с чего бы ему посреди ночи вскакивать? Андрей же объяснил, устает его отец, дрыхнет камнем. И я велел пацану снотворное папане подлить. Малинин сразу задохнется в дыму». Ошибся Петька, успел Юрий Иванович выскочить и тебя вынес. Коттедж ваш рухнул, тебя в больницу отправили. А сестру твою Воротников утащил. Запалил ее комнату и деру с девчонкой дал.

— Чего? — с ужасом спросил Андрей. — Ася погибла.

— Нет, — возразил Гена, — жива она. Ее Петьке с Пашкой заказали.

У Малинина закружилась голова, а бывший однокашник продолжал:

— Подробностей не знаю, мне никто ничего не рассказывал, я случайно подслушал, как Воротниковы свой план обсуждали. Зарулил в сортир на дворе, а братья за ним на бревне сидели. Не заметили, что я в будку зашел, откровенно говорили. Им надо было в ваш дом без шума попасть, вот они и велели мне с тобой скорефаниться, а потом тебя к ним привести. Ты очень хотел с Воротниковыми подружиться, они это видели и использовали. Тщательно готовились украсть Асю, мне сказали, что хотят дом Малининых почистить, у хозяев полно ювелирки. Но я уже правду знал. Однако вынужден был молчать и выполнять их требования. Где сейчас твоя сестра, кто ее похитить велел, понятия не имею. Знаю, что дядька Петра с Павлом, который то попадал на зону, то освобождался, чей-то заказ выполнял. Короче, жива Ася...

Андрей замолчал. Я, потеряв дар речи, смотрела на него. Резкий звонок моего телефона заставил нас обоих вздрогнуть. На экране мобильного высветились два слова: «Абонент неизвестен».

— Алло, — сказала я.

— Слышь, Дарья, хорош уже в чужую жизнь лезть, — произнес женский голос. — В последний раз тебя предупреждаем.

Из трубки понеслись гудки. Но не успела я положить ее в карман, как последовал новый вызов.

— Вас приветствует почта ОВИ, — радостно заверещал бодрый дискант. — Мы работаем для вас. Ваш телефон был указан в качестве контактного на отправлении из Парижа для многоуважаемого клиента Дарьи Васильевой. В каком городе вы находитесь?

— Простите, — вежливо ответила я, — сейчас не имею возможности беседовать с вами. До свидания.

Но не тут-то было! Едва я нажала на красную кнопку, как сотовый опять запищал, и тот же голос заверещал:

— Вас приветствует почта ОВИ, мы работаем для вас. Ваш телефон был указан в качестве контактного на отправлении из Парижа для многоуважаемой Дарьи Васильевой. В каком городе вы находитесь?

— Вы не поняли? — вскипела я. — Русским языком сказано: я сейчас занята!

— Мы работаем для вас. Курьер привез ваше отправление в поселок Ложкино. Будете принимать?

Я прикрыла рукой микрофон.

— Прости, Андрюша, они не отстанут.

— Говорите спокойно, — сказал мальчик.

Глава 32

— Мы работаем для вас. Будете принимать? — повторил дискант.

— Конечно, — ответила я.

— В каком городе вы находитесь?

— В Москве, — покорно ответила я.

— Имеете на руках документ с указанием регистрации по месту получения почтового отправления?

Сначала я хотела сообщить, что сейчас отсутствую «по месту получения». Потом вспомнила, что мое изображение в паспорте смахивает на динозавра в глубоком похмелье, и без зазрения совести солгала:

— Да!

Решила, что свяжусь с Анфисой, и пусть она прикинется госпожой Васильевой.

— В квартире есть люди, способные подтвердить вашу личность?

— Паспорта не достаточно? — удивилась я.

— Почта ОВИ заботится о своих клиентах. Мы работаем для вас. Если в отправлении находятся острые, колющие, режущие предметы, человек с нарушениями психики, инвалид или несовершеннолетний может нанести себе вред. Основной девиз лучшей в мире почты ОВИ: хранить и защищать своих клиентов. В доме есть люди, могущие взять на себя ответственность за вскрытие вашего полученного отправления?

— Да, — процедила я.

— Мы работаем для вас. Лица, подтверждающие вменяемость клиента, должны быть совершеннолетними, с регистрацией по адресу получения, со справкой о состоянии здоровья на руках по форме восемьсот сорок восемь дробь а девяносто четыре.

— У меня только восемьсот сорок восемь дробь б сто один, — не выдержала я. — Всегда ношу ее при себе.

— Ваш звонок очень важен для нас! Вручение состоится исключительно при наличии справки нужного образца. Это улучшает обслуживание наших клиентов.

— Молодой человек, это вы сейчас набрали мой номер, — напомнила я, — следовательно, глупо говорить: «Ваш звонок очень важен для нас».

— Ваш звонок очень важен для нас. Простите, не понял, что вы хотели спросить?

— Ничего, — выдохнула я. — Ах да, действительно хотела. Сколько платить курьеру?

— Лучшая в мире почти ОВИ передаст отправление при наличии необходимых документов бесплатно, — заверил служащий.

Но я почему-то усомнилась.

— Правда?

— За доставку денег не возьмут.

— А за что надо будет заплатить? — встрепенулась я.

— Почта ОВИ берет налог за единицу перевозки, а также за эксплуатацию служебного автомобиля и склада.

У меня закружилась голова, а парень продолжал:

— Бремя финансовой ответственности за хранение посылки на таможне тоже возложено на получателя и составляет ноль одну десятую процента от стоимости вещей, содержащихся в отправлении.

— Эй, а как вы узнаете, что там внутри? — не поняла я.

— Дабы избежать лживых обвинений в порче ассортимента по доставочному листу, посылка вскрывается в присутствии курьера, он же производит оценку, — выдал диспетчер.

У меня вырвалось слово, которое я употребляю нечасто:

— Офигеть!

— В вашем случае эта процедура отменена, так как отправитель сам пожелал оплатить налог, — соловьем заливался диспетчер. — Ваш звонок очень важен для нас. Перед получением отправления вам необходимо заполнить анкету и дать положительный отзыв о работе лучшей в мире почты ОВИ.

— А если я решу написать, что у вас в конторе творится безобразие? — обрадовалась я. — Такая возможность предусмотрена?

— Ваш звонок очень важен для нас. Если вам не по вкусу, как ведутся дела в прекрасной почте ОВИ, вы имеете полное право оставить лживый, несправедливо плохой отзыв. По его факту будет в течение ста семидесяти трех дней проведена независимая проверка, которую возглавит руководство почты ОВИ, составлен отчет, протокол и доклад. Копия пакета документов будет вручена вам лично. И тогда же вы получите посылку.

— Стоп! — подпрыгнула я. — Если моя оценка вашей деятельности будет неблагоприятна, бандероль мне не отдадут?

— Ваш звонок очень важен для нас. Отправление остается у клиента лишь в случае выставления в анкете пяти звезд, что позволит нам понять, как нужно обслуживать клиентов и совершенствовать свою работу. Рад сообщить вам, что по итогам прошлого и прежних лет почта ОВИ является лидером на рынке, имеет стопроцентно положительную пятибалльную оценку и...

— Не буду получать посылку! — закричала я. — Вы шантажисты! Работаете отвратительно, а потом вынуждаете людей хвалить вас!

— Как это «не будете получать»? — заметно растерялся служащий.

— Очень просто. Не открою дверь курьеру, и все, — пояснила я.

— Но... э... э... вы не имеете права, — забормотал диспетчер. — И что нам делать с вашим отправлением?

— Не знаю. Выкиньте, разрежьте, съешьте его, — на одном дыхании выпалила я.

— Это не по инструкции, — заныл собеседник. — Там ничего про отказ от получения отправления не сказано. У нас не было подобных прецедентов, поэтому...

— Теперь есть, — ехидно перебила его я. — И, кстати, у вашей лучшей в мире почты ОВИ имеется рекламный слоган?

— Мы работаем для вас, — испуганно ответил диспетчер. — Почта ОВИ служит людям.

— Фу, как неоригинально, — засмеялась я. — И глупо. Кому еще может служить ваша структура, как не человеку? Собаки, кошки, хомячки посылок не отправляют. Я придумала для вас нечто поинтереснее. Можете записать?

— Ага, — забыв озвучить заранее заготовленный текст, ответил парень.

— Диктую слоган. «Хочешь надежно спрятать труп? Отправь его почтой ОВИ», — продиктовала я. Затем отсоединилась, выключила телефон и посмотрела на Андрея. — Извини, пожалуйста. Нужно было сразу прекратить дурацкий разговор.

— Папа один раз две вазы разбил, — вдруг сказал Малинин-младший. — Он срочную посылку ждал и все с этой ОВИ разговаривал, а потом начал в стену посуду швырять.

— Очень хорошо его понимаю, — пробормотала я. — Что ты сделал после того, как побеседовал с Белозеровым?

Андрюша сгорбился.

— Ну, он долго говорил. Рассказал, что в прошлом году заболел, его лечили-лечили, а толку нет.

Теперь улетает в Америку, родители продали квартиру, чтобы операцию оплатить. Отец Гены верующий, он сына на исповедь повел... Остальное вы знаете. Что мне теперь делать?

— Сейчас сообразим, — слишком оптимистично ответила я. — Но сначала скажи, как ты поступил, услышав о похищении Аси.

Андрей опустил голову на грудь.

— Вошел в «Одноклассники» и порылся там. Отыскал Воротниковых, у них у каждого страница есть. Ну и написал им, что они сволочи и должны мою сестру домой вернуть.

— Зря ты это сделал, — не удержалась я, — следовало сразу идти к маме.

— Нет! — в ужасе воскликнул Андрейка. — Я подумал... Подумал, если Пашка и Петр поймут, что я знаю правду, то испугаются, отдадут Асю, я приведу ее домой...

Мальчик расплакался. Я стала гладить его по спине. И как быть с ним? Сказать ему, что он поступил наивно? Что вообще слишком инфантилен для своего возраста? Что за некоторые поступки приходится расплачиваться всю жизнь?

Андрюша затих под моей рукой.

— Рассказывай все по порядку, — попросила я. — Ты связался с Воротниковыми с помощью социальной сети... И?

Малинин шмыгнул носом.

— Сначала они прикинулись, что вообще ничего не знают, типа кто-то с ними тупо пошутил. Но я не отставал, требовал вернуть Асю. Тогда меня отправили в игнор. Я подумал, «Вконтакте» у них тоже страница должна быть. И точно!

Я молча слушала Андрея. Ну да, он хорошо разбирается в мире Интернета, поэтому добирался до Воротниковых через разные лазейки в Сети. Но в конце концов изгонялся отовсюду. Последним местом, куда толкнулся юноша, стал «Твиттер». Туда он написал: «Даю вам три дня. Не вернете Асю, берегитесь. Знаю, где вы живете». Кстати, это чистая правда — Петр и Павел обитали все в той же деревне.

Через два часа после ультиматума в «Твиттере» на телефон Андрея посыпались угрозы. Причем братья тоже оказались не очень умны — строчили эсэмэски, не спрятав свои номера. Ясное дело, Андрейка ответил, и обмен «любезностями» длился пару суток.

Андрей находился в крайне нервном возбуждении. Тайком от взрослых он пошарил в аптечке, нашел какие-то успокаивающие таблетки, начал их пить, но лучше ему не стало. Кстати, с начала мая Андрей почему-то засыпает на ходу в девять вечера, а утром не может проснуться. Впрочем, иногда бывает бодр и тогда убегает в Кузякино. Но, вернувшись домой, просто падает от усталости и опять не может вовремя подняться, Катя буквально стаскивает его с постели. А от успокоительного Андрейка стал как пьяный, его шатало из стороны в сторону, и спать ему хотелось уже не только вечером, но и весь день напролет.

Потом случилось несчастье с отцом. Поскольку мальчику не рассказали никаких подробностей, он терялся в догадках, не понимал, с чего вдруг никогда не жаловавшийся на здоровье папа внезапно скончался. Поэтому когда я завела беседу со Светланой, Андрюша подслушал наш разговор. Понимаете, как паренек испугался, когда услышал про Асю, которая приходила в гости к Юрию Ивановичу? Не справившись с эмоциями, он упал в обморок.

Мне, когда Андрей пришел в себя, следовало обратить внимание на то, с какой настойчивостью он пытался выяснить, что Ася говорила отцу. Но я даже представить не могла, что девочка жива, и решила: нервозность Андрейки объясняется сильным стрессом.

Едва оправившись от потрясения, Андрюша написал Воротниковым эсэмэску: «Вы убили моего отца. Заставили Асю его пугать». Братья ответили угрозой. Паренек попал в безвыходное положение. Матери он правду сказать не смел, близких друзей, которым можно было бы поведать столь страшную тайну, не имел. На нервной почве у Андрюши заболел желудок, его стало тошнить, лихорадить. Но состояния его никто не замечал. Мать целиком ушла в свое горе, Светлане Петровне до него не было дела, а Катя ушла к другим хозяевам, так Андрею объяснила Терентьева.

Сегодня, когда Андрей окончательно почувствовал себя тяжело больным, ему позвонил мужчина. Он назвался Иваном Михайловичем, родным дядей Воротниковых, и приветливо сказал:

— Узнал случаем, че мои подлецы сотворили. Андрюша, хочу вернуть тебе Асю. Давай договоримся, где встретимся. Я приведу девочку.

Но когда Андрей прибежал на задний двор бензоколонки Заура, там не было никакого Ивана Михайловича, зато стояли Петр, Павел и какой-то незнакомый парень.

Дальнейшее вам известно.

— Что же мне делать? — всхлипывал Андрей.

Я попыталась говорить спокойно:

— Мы не знаем, правду ли сказал Гена. Вдруг он тебе солгал? Пока сообщать маме об Асе нельзя. Прежде необходимо разузнать, что с девочкой.

— Зачем Белозерову врать? — задал справедливый вопрос Андрей. — Он денег за инфу не хотел, прощения просил, надеялся, что ему за это Бог при операции поможет.

Я сказала недрогнувшим голосом:

— Хорошо, пусть Геннадий был честен и Воротниковы действительно украли твою сестру. Но что с ней сейчас? Она жива? Вполне вероятно, что нет. Расскажем Елене Сергеевне историю о похищении дочери, она обретет надежду на встречу с ребенком, которого считала умершим, а потом выяснится, что Ася на кладбище. Не дай бог, конечно. В общем, сначала надо точно узнать, что произошло с твоей сестрой. У меня есть знакомые, которые помогут это сделать.

— Не могу смотреть на маму, — прошептал Андрей. — Сразу живот болеть начинает. И тошнит.

— Поступим так. Сейчас поедем ко мне домой, — предложила я, — ты заночуешь у нас. Я схожу к твоей маме и объясню, почему решила тебя приютить. Ведь Катерина ушла, другой домработницы в вашем доме нет, Светлана Петровна присматривает за Еленой Сергеевной, ты остаешься беспризорным. Вот и пусть ты пока поживешь у меня. Думаю, Терентьева обрадуется, ей хватает забот с подготовкой к похоронам-поминкам и с уходом за вдовой. Сегодня же в Ложкино приедет мой приятель. Он опытный следователь, очень умный человек, ему все и расскажем.

— Не хочу идти в полицию, — промямлил Андрей.

— Одни мы с этой проблемой не справимся, — мягко сказала я. — И ты в опасности. Вспомни, тот мужчина, что тебе звонил, подослал парней, а они набросились на тебя с кулаками. Пожалуйста, не спорь. А потом я постараюсь объяснить Елене Сергеевне, что ты ни в чем не виноват, ты был маленьким и натворил глупостей. Мама поймет и простит тебя. Давай поступим разумно.

— Вы запрете меня в комнате? — неожиданно спросил подросток.

— Конечно, нет, — удивилась я, — разве гостей изолируют? В спальне есть телевизор, доступ в Интернет, на окнах нет решеток. В любой момент ты можешь уйти. Но я советую тебе дождаться приезда следователя.

— Ладно, — пробормотал Андрей. — А ваши родственники не примотаются ко мне с вопросами?

— Моя семья в Париже, — пояснила я. — В доме временно живут приятели, они нелюбопытны и хорошо воспитанны.

Глава 33

Устроив Андрея, я попросила Анфису ни о чем его не расспрашивать, просто дать ему ужин. И вдруг увидела на кухне на столе сильно помятый открытый картонный ящик.

— Что это?

— С охраны принесли, — зачастила домработница. — Посылка от Маши. Курьер прикатил, сказал, ему некогда искать нужный дом, бросил ящик у шлагбаума и усвистел.

— Отлично! — возмутилась я. — Почта ОВИ в своем репертуаре! Сначала перечисляют список документов, которые надо предъявить для получения отправления, а потом отдают вашу собственность кому попало. Ладно, давай посмотрим наконец, что нам Манюня прислала. Хм, витамины для птиц в виде яиц... Интересно, понравятся они Гектору? Ворон жутко привередлив в еде.

— Ой, какая красота! — заголосила Фиса, выхватывая из коробки ярко-голубой наряд: сарафанчик и кофточку с отложным воротничком. Тут записка «Для Розы». Мопсихе безумно пойдет. А для Кисы оранжевый сарафанчик и шляпка. Супер! Сейчас примерим. Девочки, бегите сюда! Афина, ты-то чего явилась? На тебя наряда не сшили, здорова больно. Смотри-ка, и Фолодя прискакал.

— Наряжай мопсих, — усмехнулась я, — угощу Афину и кота вкусняшками. В посылке конфеты для них нашла.

— Роза! Киса! — заорала домработница и, размахивая тряпками, унеслась в глубь дома.

Я дала коту и собаке угощенье, потом, радуясь, что на первом этаже никого нет, вышла в сад и отправилась к соседям.

Калитка в заборе, через которую я много лет ходила к Сыромятниковым, а потом к Малининым, оказалась заперта. Я потрясла ее, удивилась и потопала назад. Вернулась к своему дому, обошла его, затем, щелкнув брелоком, приоткрыла ворота. И тут на дорогу метнулся Фолодя.

Наш кот не особый любитель пеших прогулок. Зимой он мирно спит у камина, встает лишь затем, чтобы поесть-попить-пописать. В теплое время года котофеич более активен, любит ходить по саду, может поймать мышь, птичку. Но иногда у Фолоди случаются припадки, как говорит Анфиса, «полного придурства». Ни с того ни с сего он внезапно удирает, а мы носимся по округе и, тряся банкой с кормом, умоляем его вернуться. Вот и сейчас котик решил на ночь глядя покуролесить.

С криком «Стой!» я ринулась вдогонку за Фолодей. Хорошо, что в Ложкине и на улицах, и на личных участках горят мощные фонари. В их свете я заметила, как безобразник скользнул на участок Завгородней.

Маша Завгородняя пару лет назад вышла замуж за весьма обеспеченного иностранца, с радостью бросила свой бизнес и укатила с мужем-англичанином в Лондон, откуда теперь шлет мне на каждый праздник открытки. Свой коттедж Маша не сдала, он пустует. Примерно раз в месяц для уборки комнат приезжает горничная. А за участком следит садовник. Ни сорняков, ни травы по пояс на сотках Завгородней нет, сад выглядит так, словно хозяйка живет здесь.

Я подошла к забору.

— Фолодя, а ну иди сюда!

Из расположенного чуть поодаль гаража донеслось наглое мяуканье.

— Вот ты где спрятался, — обрадовалась я и пошла к строению. — Сейчас же вылезай! Как ты вообще ухитрился попасть внутрь?

На вопрос тут же нашелся ответ. Металлопластиковая «штора», преграждающая въезд в бокс, была опущена не до конца, между ней и полом имелась щель.

Меня охватило удивление. Обычно гараж тщательно заперт. А сейчас я могу схватиться за ручку «шторы» и открыть его.

Фолодя заорал так, словно на дворе наступил март.

— Ну погоди... — пригрозила я и подняла складную створку ворот.

Перед отлетом в Лондон Завгородняя продала автомобиль, и я ожидала увидеть пустой гараж с сидящим посередине Фолодей. Но перед глазами возник... крошечный автомобильчик Кати.

Я сглотнула слюну, попятилась, наткнулась взглядом на чужого черного кота, похожего на нашего, и сообразила, что ошиблась, приняв его за Фолодю. Вышла на улицу, постояла несколько минут в раздумье. Затем вернулась в гараж и толкнула дверь, ведущую в сад. Она легко поддалась, потому что не имеет замка, через нее проходят те, кто хочет уехать или уже въехал в гараж. Поежившись, я поспешила к коттеджу Маши, обошла его кругом, поднялась на террасу, взяла керамическую фигурку зайца, подняла его голову и заглянула внутрь. Так и есть! Там по-прежнему лежат ключи от дома, сарая, бани и брелок, открывающий ворота.

Вам может показаться смешным, что люди, платящие немалые деньги за охрану дома, держат запасные связки на террасе, как деревенские старушки под ковриком у входа в избу. Ну, во-первых, все-таки не под половичком, а в садовом украшении, во-вторых... Хотя вы правы, спокойная жизнь за высоким забором сделала ложкинцев беспечными. И нравы у нас в поселке патриархальные — мы не запираем днем двери особняков, а кое-кто даже на ночь не задвигает щеколду, запросто ходим друг к другу, так сказать, в халатах. Я распрекрасно знаю, что Завгородняя использует в качестве ключницы зайца, а у Сыромятниковых ее роль исполнял большой пингвин, установленный около голубой ели. Сама же... Ладно, не буду сообщать всему миру о собственных привычках, но для ближайших соседей они не секрет.

Перед тем как сменить страну проживания, Маша пришла со мной попрощаться и сказала:

— Дашута, если понадобится, бери мою садовую мебель, она сложена в сарае. Все ключи на старом месте.

И я, когда ко мне на день рождения заявилась тьма гостей, воспользовалась любезностью Завгородней. А еще пластиковые столы-стулья пригодились Малининым. В конце апреля, когда Юра и Лена отмечали годовщину свадьбы, Катя прибежала к нам с вопросом:

— Не дадите скамеек? Неожиданно много народу прикатило. И еще едут.

Но у нас на веранде всего десять стульев, поэтому мы с Катериной пошли к Завгородней. На следующий день Лена очень меня благодарила, а потом изъявила желание сама отнести садовую мебель на место. Мы с ней схватили по стулу и отправились на участок Маши. Сзади с креслами шли Юра, Андрей, Катя, Анфиса, Глория. Курсировали всей компанией не один раз, было очень весело...

Я прогнала воспоминания, взяла связку, открыла маленькую дверь, которой обычно пользуется прислуга, миновала бойлерную и очутилась в так называемой холодной кладовке, где у Марии хранились овощи, фрукты, домашние консервы, корм для собак. Нашарила на стене выключатель, под потолком вспыхнул яркий светильник. Я вздрогнула. Должна была зажечься только небольшая аварийная лампочка. Уборщица, уходя, вырубала основное электричество, оставляя лишь линию, которая питает котлы отопления и маломощный источник света в чулане. Может, она забыла опустить рубильник?

Послышался легкий щелчок, потом раздалось тихое гудение — чуть поодаль от меня у стены включился огромный, смахивающий на сундук морозильник. Сейчас в магазинах полно еды и нет никакого смысла создавать дома стратегические запасы, да, видно, у россиян в генах заложено покупать продукты впрок. У Маши здоровенный агрегат, но ему сейчас положено находиться в нерабочем состоянии.

У меня закружилась голова, затряслись колени, но я все же приблизилась к морозильнику. Схватилась за крышку и приподняла ее... В ту же секунду я зажмурилась, понимая, что увижу внутри. Обнаружив машину Кати, я сразу догадалась о причине странного исчезновения домработницы Малининых. И очень не хотела смотреть на ее труп.

* * *

В свой коттедж я вползла в разбитом состоянии, ругая себя за то, что оставила дома мобильный. Нужно было срочно позвонить Дьяченко.

Из столовой доносились звуки веселой музыки, смех и хлопки.

— Раз-два-три, ну-ка попляши, — запел Игорь, — четыре, пять, давай вместе танцевать.

Я сделала глубокий вдох, затем медленный выдох и постаралась придать лицу беззаботное выражение. Моим гостям пока не следует знать о смерти Кати и о том, что ее тело спрятано в соседнем доме. Зоя Игнатьевна пожилой человек, ей может стать плохо, а Лори очень впечатлительна, она испугается до обморока. Может, вообще удастся все скрыть от Маневиных? Нет, навряд ли, учитывая тот факт, что в ближайшее время сюда по моему вызову примчится Дьяченко. Ладно, надо хотя бы оттянуть момент, когда шокирующее известие упадет им на голову. Сейчас нужно взять мобильный и подняться к себе в комнату. По городскому аппарату я связаться с Сергеем не могу, не помню наизусть его номер, он вбит в память сотового. Ну почему я оставила трубку дома? Да еще бросила ее как раз в столовой, где по вечерам любят собираться Маневины.

Я постояла пару секунд в коридоре, затем, как в прорубь, нырнула в комнату.

— Дашенька пришла! — закричал Игорь. — Спасибо тебе!

Я старательно заулыбалась. Что случилось с Гариком? Почему возвращение хозяйки домой вызвало у него припадок эйфории?

— Нет, ты только посмотри! — захлопала в ладоши всегда сдержанная Зоя Игнатьевна. Она отбросила церемонное «вы» и весьма невоспитанно показала пальцем в сторону эркера: — Правда, они прелестны?

— Кто? — не поняла я.

— Неужели не видишь? — еще сильнее ажитировался ее сын. — Оркестр, музыку!

Анфиса нажала на пульт, и из лежащего у сахарницы плоского плеера полилась задорная мелодия.

— Танцуют все! — захлопала в ладоши Зоя Игнатьевна. — Ай да енотики!

Лишь сейчас, услышав про енотов, я поняла, что перед занавешенными окнами пляшут полоскуны, наряженные в присланные Машей из Парижа собачьи костюмы.

— Велика Розе и Кисе одежка, — пояснила Фиса, — а этим оглоедам впору пришлась.

— Новый гениальный проект братца, — подала голос Лори. — Он никак не мог продать енотов в качестве стиральных машин, не понадобились никому и хвостатые банщики. А тут увидел наш великий бизнесмен прикиды для мопсов, и его осенило...

— Все верно, — перебил сестру Гарик. — Наряжу их под ребятишек, на лицо маски нацеплю и буду по корпоративам кататься с номером «Бойкие малыши-крепыши». Представляешь прикол? Выбегает парочка, выделывает коленца, все в восторге, думают, это дети. А потом, опля, лица открываются, а там морды. Народ вообще офонареет. Да меня все пригласить захотят! Заработаю миллионы! Сколочу бригаду из енотов, найму дрессировщиков... Мама, я богат и знаменит! Спасибо Даше. Если б не костюмы, не придумал бы никогда такой аттракцион. О! А еще Диззи и Лиззи будут разговаривать.

Лори, не удержавшись, расхохоталась, а Зоя Игнатьевна деликатно кашлянула.

— Сыночек, твоя мысль работать с танцующими енотами весьма привлекательна и перспективна.

Глория воздела руки к небу:

— О боги разума, почему вы отвернулись от моей матери!

Маневина-старшая, не обращая внимания на дочь, продолжала:

— Но вот насчет вербального общения сомневаюсь. Еноты не овладеют человеческой речью.

Гарик обнял мать.

— Да уж не дурак! Видишь приборчик?

— Что, деточка? — не поняла ход мыслей отпрыска ректор.

— На столе лежит, включается-выключается дистанционно, — пояснил Игорь, щелкая пультом. — Это типа магнитофон, в него можно все закачать. Сошью енотам костюмы с карманами, положу туда плееры с текстом, начитанным каким-нибудь ребенком. Зверьки, наряженные как малыши, спляшут, потом встанут на авансцене, я на кнопку нажму, и полоскуны «заговорят». Например: «Привет, я Лиззи»; «Привет, я Диззи»; «С Новым годом вас! Счастья, здоровья!» А можно и без пульта обойтись, просто время правильно рассчитать. Текст буду менять по обстоятельствам. Ну, допустим, позовут нас на корпоратив работников сталелитейной промышленности, еноты «произнесут»: «Привет тем, кто варит сталь!» А если придем к железнодорожникам, скажут: «Ура нашей славной РЖД[1], лучшей ЖД в мире!» Мама, я буду круче Киркорова и Леди ГаГа.

— Конечно, деточка, — растерянно отозвалась Зоя Игнатьевна, — гениальная идея.

Лори всплеснула руками и начала что-то говорить, но я перестала воспринимать звуки. В голове заметались обрывки воспоминаний.

Белый минивэн стоит у ворот Завгородней, его хозяин говорит: «В Ложкине живет много моих клиентов»... Ася была в платье, колготках, перчатках, а лицо закрыто... У Остролистовой обокрали квартиру: «Ах, никто не мог понять, как вор проник в апартаменты и почему взял только колье и парик»... Лена Малинина очень ведомая, сама не способна принимать решения... Охранник Жора наблюдал, как Светлана и Юрий выясняли отношения... Ася разговаривала с отцом... На умершей дочери Малинина не было туфелек... туфелек... туфелек...

Я начала медленно отступать к двери.

Любовник Ксении Розовой, сестры Кати, бывший циркач и уголовник, теперь держит зоомагазин... Андрея отправляют в Англию... Катя убита...

Машина домработницы не выезжала из поселка, и ее не было на парковке у Малининых — малолитражку спрятали в гараже Завгородней. А ключикито в зайчике! И теперь я понимаю, почему девочка, раскачивавшаяся на ели, была без обуви!

---

[1] РЖД — Российские железные дороги.

Все эти факты перемешались, а потом неожиданно образовали целостную картину. Мне стало ясно, что произошло.

Я ущипнула себя за руку. Вздрогнула и быстро оглянулась. Увидела на обеденном столе свой сотовый, схватила его, выбежала в коридор, набрала знакомый номер и, услышав усталое: «Дьяченко. Слушаю», — быстро заговорила.

— Беспокоит Даша Васильева. Отлично знаю, что ты считаешь меня дурой и зовешь мисс Марпл — Шерлок Холмс — Пуаро. Да, я иногда лезу не в свое дело, но сейчас тебе нужно срочно приехать в Ложкино. И не одному, а с ребятами.

Надо отдать должное Дьяченко: он понимает, когда следует проявить оперативность. Выслушав мое сообщение, он коротко сказал:

— Уже спускаюсь в гараж. Постараемся домчаться по-быстрому.

Я уронила мобильный, не стала наклоняться за ним, поднялась в свою спальню, вошла в ванную и сунула голову под холодную воду. Очень надеюсь, что после этой процедуры мне расхочется одновременно рыдать и хохотать во весь голос.

Глава 34

Через день, где-то в районе обеда, я сидела в кабинете у Сергея и рассказывала ему все, что думаю о смерти Юрия и Кати.

— Лена никогда не считала Андрея своим сыном. Сколько бы муж ни объяснял ей, что суррогатная мать не имеет общей крови с вынашиваемым плодом, она пребывала в уверенности, что Андрейка ей неродной, он ребенок Кати.

— Зачем тогда Малинина согласилась на эту процедуру? — удивился Дьяченко.

Я развела руками.

— Вопрос к Елене, только она знает на него ответ. Но мне кажется, что Малинин сильно давил на супругу. Он очень хотел наследника, именно мальчика, а у жены один за другим случались выкидыши. Биологические часы тикали, Юрий понял — его брак может остаться бездетным, и «насел» на Лену, которая привыкла, что муж решает за нее все проблемы, слушалась его, не спорила, не качала права. Да и, вероятно, думала, что сможет полюбить ребенка. Елена хороший человек, и она заботилась об Андрее, но материнской любви не испытывала. Настоящей матерью мальчику стала Катя.

— Дикая семья, — вздохнул Сергей. — Я б на месте Малинина живо уволил домработницу, чтобы перед глазами жены постоянно не маячила.

— Лена писала в своем дневнике, что один раз попросила Юрия убрать из дома Катю. А тот ответил: «Лучшей няни нам не найти. И Катя не просто горничная, она стала нашей родственницей». Вот Елену и задавила ревность, — пояснила я. — Хотя она прекрасно знала, что процедура оплодотворения происходила в пробирке, присутствовала при подсадке эмбриона Кате, и что физического контакта между Розовой и Малининым не было. А еще, думаю, ей не очень хотелось возиться с малышом. Екатерина же о нем замечательно заботилась. И не забудь о привычке Малининой всегда подчиняться решениям мужа. Затем родилась Ася — сработало правило, которое психологи называют «закон приемыша», о нем знали еще наши прапрапрабабушки. С давних времен знахарки советовали бесплодным женщинам: «Забудь о беременности. Раз Господь тебе своего младенца не дает, пригрей сироту». И вот странность, после того как в доме появлялось неродное по крови дитя, та самая бесплодная женщина беременела и благополучно производила на свет собственного ребенка. Не хочу сказать, что это правило срабатывает во всех случаях, но довольно часто бывает именно так.

Дьяченко, слушая меня, только качал головой. И я продолжила:

— Андрейка понимал, что мама никогда его не полюбит так, как Асю, и мучился. Мальчик изо всех сил пытался обратить на себя ее внимание, из-за чего и натворил глупостей. Один раз чуть не сжег сестричку в камине, спустя три года, чтобы обрести покровителей, которые будут защищать его от издевок одноклассников, впустил в дом преступника. Если досконально разобраться в этой истории, то Андрей ни в чем не виноват, он просто одинокий ребенок, которому очень не хватает любви матери. Ответственность за случившееся лежит на Елене. Ей следовало интересоваться проблемами сына, знать, что у него на душе, и пытаться наладить с ним контакт. Малинина же заботилась только о бытовой стороне жизни мальчика: еда, одежда, игрушки, учеба, репетиторы. С одной стороны, ее ни в чем нельзя упрекнуть, а вот с другой...

Я осеклась. Потом спросила:

— Что с девочкой? Асю можно найти? Она жива?

Сергей смахнул ладонью со стола невидимую пыль.

— Иван Воротников был вчера допрошен. Сначала он ушел в несознанку, дескать, впервые слышит о Малининых. Пришлось нажать на Петра и Павла, те струсили и сдали дядю, рассказали, что план похищения придуман им. После очной ставки с племянниками преступник перестал запираться. Он опытный уголовник, сидел не один раз и понимает, когда надо каяться. Вкратце дело обстояло так...

Воротников проиграл в карты крупную сумму и, желая отдать долг, взял деньги у барыги под большой процент. Время шло, счетчик тикал, должник дергался, потому что сидел в финансовой яме и не знал, как расплатиться. И вдруг кредитор предложил ему списать долг, если Иван провернет небольшое дельце: найдет девочку лет четырех и похитит ее. Сначала он испугался. Одно дело — красть кошельки у раззяв, и совсем другое — похитить ребенка. За киднеппинг срок дадут о-го-го какой, к тому же на зоне в авторитете уже не будешь, уголовники нервно реагируют на тех, кто обижает детей.

Но ростовщик успокоил вора:

— Проблем не будет, заказчики — иностранцы. У них не так давно умерла дочь, и теперь безутешные родители ищут ее копию. Вот тебе фото. Им нужна точь-в-точь такая девчонка внешне. Как только они ее заполучат, тут же смотаются из России, у них все готово: документы, билеты с открытой датой. Ищи подходящий товар. Походи по детским садам, приглядись к детям на игровых площадках. Никаких особых сложностей я не вижу. Нужна кудреватая блондинка с голубыми глазами, светлой кожей, худенькая, с большим ртом. Таких много. Как найдешь, сообщи мне, я вызываю американцев, и те прилетят через сутки. Твоя задача — за двадцать четыре часа выкрасть объект. Все. Семья мгновенно сматывается. Сыскари пусть хоть обыщутся, ничего не нароют.

— Где-то я видел похожего чиккена[1], — пробормотал Воротников, разглядывая снимок крошки с белокурыми вьющимися локонами. — Прямо один в один. А че тут написано?

Барыга уставился на фото и прочитал:

— «Литтл Мэри Пикфорд».

— Чего? Не понял, — протянул уголовник.

— Маленькая Мэри Пикфорд, — перевел более образованный ростовщик. — В Америке такая актриса была. Ты ерундой не майся, а займись поисками товара. Выполнишь заказ, долг с процентами спишу. Не сможешь? Ну, извини тогда.

— Сделаю в лучшем виде! — пообещал Иван и отправился в свою деревню.

По дороге уголовник никак не мог отделаться от мысли, что знает девочку, один в один похожую на ту, что на фото. Весь извелся и на всякий случай дома показал снимок племянникам.

— Так она рядом живет, — огорошил его Павел, — в кирпичном доме у реки, дочь Малининых. Ее брат вместе с Генкой Белозеровым и другими нашими пацанами учится в параллельном классе.

— Зыко! — обрадовался Воротников-старший.

---

[1] Чиккен — цыпленок (*англ.*), на сленге — ребенок.

И быстренько разработал, как ему показалось, замечательный план: если дом Малининых сгорит и вся семья погибнет, то никто не подумает, что пожар устроили, чтобы скрыть похищение ребенка. Нужно только незаметно проникнуть в особняк, унести четырехлетку и чиркнуть зажигалкой...

Дьяченко замолчал.

— Асю вернут Лене? — заикнулась я.

Сергей щелкнул языком.

— Очень непростое дело. Оно потребует много времени, генетической экспертизы, суда и прочей волокиты. Девочку увезли в США, когда ей едва исполнилось четыре года, думаю, она давно забыла русский язык и совершенно не помнит родную мать. Американская семья не захочет отдавать ребенка, пусть и незаконно полученного. Но шанс есть. Вопрос, сможет ли Малинина им воспользоваться?

— Ты о чем? — не поняла я.

Дьяченко подался вперед и вместо ответа спросил:

— Объясни, как ты догадалась, что за девочка приходила к Юрию?

Я пожала плечами.

— Случайно осенило. Никак не могла сообразить, какой ребенок способен в мгновение ока перепрыгнуть с высокой ели на бетонный забор и перелезть через него. Детсадовец-паук? Воспитанница цирковых гимнастов? Когда сосед рассказал мне о призраке Аси, я ему не поверила. Вернее, не так — подумала, что у безутешного отца галлюцинации. Он много работал, уставал и небось постоянно казнил себя за то, что не вынес дочь из огня, вот у него и начались видения. Но потом «Ася» появилась в моем саду, уронила прядь волос, и я растерялась. Локон-то был вполне материален, я его держала в руках, к тому же сама видела малышку. Многократно прокручивая в голове ту встречу, я отметила одну странность: «фантом» был одет в пышное розовое платье, колготки, перчатки, но не имел туфелек. Почему отсутствовала обувь? По идее, привидение, наряженное принцессой, должно ходить в лаковых башмачках.

— А ты поскачи по деревьям обутой, и вопрос сам собой отпадет, — перебил меня Сергей. — Большинство гимнастов предпочитает работать босыми.

— Вот! — воскликнула я. — В точку! Мне пришло в голову то же самое, и это был еще один шар в пользу того, что в нашем саду был не глюк, а настоящая девчушка. Ботиночки на нее специально не надели, чтобы не поскользнулась. И я пришла в еще большее недоумение. Ну кто мог обучить малышку столь опасным трюкам? А теперь вспомним, что «Ася» разговаривала с папой, жаловалась на страх, одиночество, боль, звала его к себе. Значит, она не только акробатка экстра-класса, но еще и гениальная актриса. Ей же пришлось зазубрить наизусть объемный текст, а потом, бесстрашно раскачиваясь на ветке на уровне второго этажа, произнести его с таким чувством, чтобы Малинин впал в панику. У тебя нет детей, а я отлично знаю, как трудно учить с малышами стихи, я чуть не облысела, пока Манюня затвердила «Зима, крестьянин торжествуя...»

— Почему Юрий не понял, что говорит не его дочь, а другой ребенок? — перебил меня Сергей.

Я придвинула свой стул поближе к столу.

— Девочка сгорела, как все считали, несколько лет назад, голоса Аси Малинин не помнил. Но не это главное. Знаешь, иногда я иду по улице, слышу требовательный дискант: «Мама!» — и всегда невольно оборачиваюсь. Отлично знаю, что Маруся выросла, она сейчас в Париже, а все равно реагирую. Потому что подсознание отдает приказ откликнуться на зов ребенка. Думаю, с Юрой происходило то же самое. «Ася» заплакала: «Папа...» И все, он поверил, что к нему обращается трагически погибшая дочка.

Дьяченко покивал.

— Ладно, понятно. Так как же ты догадалась, кто скачет по елям?

— Удивительная ловкость малышки мне все время казалась очень странной. Я хотела поехать в цирк на Цветном бульваре, поговорить с профессиональными акробатами, выяснить у них, можно ли сделать из трех-четырехлетнего ребенка гимнаста. Но такая необходимость отпала. Почта ОВИ наконец-то доставила посылку от Маши, в ней были костюмы для мопсов. Они оказались велики собакам, их примерили енотам Игоря, и в голову сына Зои Игнатьевны пришла очередная «гениальная» идея: раз полоскуны в качестве стиральных машин и банщиков никому не нужны, он будет ходить с ними по вечеринкам и веселить народ. Я посмотрела, как наряженные Лиззи и Диззи топчутся на задних лапах в столовой, вспомнила, что на Стеклокерамическом проезде встретила мужчину с необычайно умным псом Марком. Леонид сказал мне: «Любое животное можно выдрессировать». И меня осенило: роль Аси играла не маленькая девочка, а обезьянка. Если принять эту версию, тогда на все вопросы находятся ответы. Приматы не боятся высоты, им ничего не стоит перелететь с ели на забор или сигануть с дерева вниз. Колготки с перчатками на «привидение» натянули, чтобы скрыть покрытые шерстью конечности, а туфли не надели, они могли помешать животному. И понятно, почему «глюку» закрыли лицо. Далее я подумала, что скорее всего привидение изображала какая-нибудь мартышка. Их существует множество видов, они прекрасно обучаемы и по размерам походят на четырехлетних детей. Нужно только хвост примотать к туловищу. На голову зверушке нацепили парик. Кстати, у меня есть соображения по поводу кражи из квартиры Майи Михайловны Островлистовой. У нее как раз был парик, сделанный из волос Марины Бойко, локон от него и упал с дерева мне под ноги...

— Потом расскажешь, — остановил меня Сергей. — Сначала давай закончим с твоей версией про обезьяну. Согласен, обезьяну легко нарядить, как девочку, но разговаривать-то она не умеет. А Малинин слышал жалобы призрака.

— Да, я немного отвлеклась. Так вот, в голове Гарика идеи рождаются с космической скоростью. Он решил, что Диззи и Лиззи будут еще и общаться со зрителями. Как заставить енотов вести диалог? Да очень просто — положить в карман их одежды плееры с заранее сделанной записью. Вот и у «Аси» в одежде спрятали плеер с текстом. Оставалось лишь рассчитать, сколько времени понадобится «актрисе», чтобы устроиться на ели у балкона Юрия. Несколько минут, пока зверушка добиралась до места, шла пауза, потом начинался текст. Малинин же, услышав жалобы «дочери», всякий раз испытывал сильнейший стресс и не понимал, что «фантом» с ним не общается, не отвечает на вопросы, а просто стонет: «Мне страшно. Холодно. Ножки болят». А теперь, если позволишь, я вернусь к краже из квартиры Остролистовой.

— Говори, — коротко кивнул Дьяченко.

— Майя Михайловна все удивлялась: ну как вор мог проникнуть в их самым тщательным образом охраняемую квартиру? На лестничной клетке сидит охрана, в дом никто из посторонних без разрешения войти не может, жилье находится не на последнем этаже, с крыши по стене не спуститься. И все окна были закрыты, лишь на одном хозяева оставили распахнутой форточку, но она такая узкая, что только младенец в нее протиснется. А еще Остролистова недоумевала, отчего грабитель взял лишь ожерелья от «Граф», браслеты же, кольца, серьги от других пафосных и бешено дорогих фирм оставил на месте. И картины! В доме олигарха висят полотна великих мастеров, вырезать их из рам особого труда не составляло. Так нет, украли только колье да парик из роскошных белокурых волос. Хозяйка хранила его на специальной болванке в своей спальне, там же, где была шкатулка с драгоценностями. В день грабежа Майя Михайловна хотела надеть парик для выхода в свет, но передумала. Она намеревалась «выгулять» подарок мужа — массивные серьги-люстры, а это украшение требует, чтобы уши и шея были открытыми.

Поэтому Остролистова сделала выбор в пользу высокой прически и, сверкая каратами, отбыла наслаждаться искусством. Следующая деталь — муж Майи Михайловны пообещал награду тому, кто отловит бандита или поможет следствию. Полиция изо всех сил старалась найти вора. Парни в форме дотошно опросили охранников, горничных, лифтера, но тщетно. Никто ничего не видел и не слышал, кроме запойного алкоголика, который живет в доме напротив. Пьянчуга, требуя вознаграждение, уверял, что вечером, мучаясь с похмелья, вышел на балкон подышать свежим воздухом и увидел, как по стене элитного здания бежит черный черт с длинным хвостом и белокурыми локонами, а на шее у него болтается елочная гирлянда. Ну и как бы ты среагировал, услышав от любителя заложить за воротник заявление: «Построили новые русские себе хату впритык к нашему дому, все солнце нам перекрыли, любуемся теперь на ихние лоджии. Разглядел я Сатану хорошо. Ух, и страшный!» Скажи, Сережа, ты поверишь такому свидетелю?

— Дьявол-блондин с разноцветными лампочками? — рассмеялся Дьяченко. — Да уж! Понятно, что у парня белая горячка, ему психиатр требуется.

— Именно так и решил следователь, занимавшийся делом об ограблении квартиры бизнесмена, — вздохнула я. — Остролистова теперь всем рассказывает историю про белокурого Люцифера как анекдот. Но я, решив, что Асю изображала обезьяна, подумала: а что, если при ограблении квартиры Майи Михайловны в роли преступника выступила та же мартышка, которую выдрессировали на кражи? И тогда опять все вопросы получают ответы. Как домушник попал в апартаменты? Спустился с крыши. Человеку это не проделать, а обезьянке — раз чихнуть. В форточку, оставленную хозяевами открытой, обычный вор, даже самый щуплый, не протиснется. Зато мартышки невероятно гибки, способны просочиться в щель. Почему не украдены картины? Так ведь примата не научишь отличать шедевр от пустяка. По какой причине оставлены кольца, браслеты и серьги? Наверное, у хвостатой грабительницы не было сумки, колье она просто надела на шею. Вот почему мающемуся от головной боли алкашу почудилась то загорающаяся, то отключающаяся новогодняя гирлянда — это посверкивали крупные камни. Вокруг здания установлены мощные прожекторы, «черт» был как на ладони, драгоценности переливались, когда на них падал электрический свет.

— Оригинальная версия, — пробормотал Дьяченко. — Но зачем макаке парик?

— Думаю, обезьянка — девочка, — улыбнулась я, — поэтому не удержалась, примерила белокурые локоны, увидев парик на болванке, стоявшей на туалетном столике. Полюбовалась на себя в зеркало и убежала в нем.

— М-да... — крякнул Сергей.

— У меня как-то разом картина в голове сложилась, — говорила я. — Все-все вспомнилось и совместилось. В общем, слушай дальше...

Когда я, погнавшись за «Асей», увидела, что она скрылась, перебравшись через бетонный забор, за ним на улице стал чихать мотор машины. Я подошла к решетчатой ограде и увидела белый минивэн с надписью на боку: «Любимое спа моего пса». Автомобиль я знала, это передвижная собачья и кошачья парикмахерская. Принадлежит она некоему Семену, владельцу зоомагазина в торговом центре в Кузякине, деревне по соседству с Ложкино. Я приобретаю корма для своей стаи исключительно в «Марквете», вот уже много лет пользуюсь только этой точкой и доверяю ей. Но когда езжу в Кузякино за газетами-журналами-книгами, заглядываю и в местную зоолавку, любуюсь там на щенков-котят, перебрасываюсь парой слов с продавцом и вижу иногда хозяина Семена. А тот при каждой нашей встрече говорит:

— Знаю, знаю, вы держите дома животных. Почему не приглашаете мой спа-салон? Уверяю вас, наши парикмахеры, Наташа и Николай, идеально работают с любым, даже злым и агрессивным, представителем фауны. У ребят дипломы ветеринаров, они настоящие профи.

Я всегда отказывалась от его услуг, а вот кое-кто из соседей приглашает звериных цирюльников. Иногда, прогуливаясь, я встречаю в Ложкине белый минивэн. Николай сидит за рулем, Наташа рядом с ним на переднем сиденье. При виде меня они всегда притормаживают, открывают окна и говорят:

— Едем на такой-то участок. Хотите, потом к вам зарулим? Первая стрижка — бесплатно.

Но в тот день, когда я увидела «Асю», возле минивэна находился сам хозяин. Один. Меня это удивило, и я спросила, где Ната с Колей.

— Гриппом заболели, — не задумываясь ответил Семен. — А заказ выполнять надо, клиент ждет. Пришлось самому ехать.

В тот момент я думала исключительно о малышке в розовом платье, поэтому удовлетворилась его ответом. Недоумение возникло позднее, когда мне в голову пришла мысль о мартышке. Минуточку, к кому тогда прибыл Семен? На нашей улочке всего три дома — Малининых, мой и Завгородней. Но у Юры с Леной живности нет, я передвижной спа-салон не вызывала, а Маша живет в Лондоне. Почему же владелец зоомагазина зарулил в дальний угол поселка? У нас ведь не общая проездная дорога, а крохотный безлюдный проулок. Позднее, разговаривая с охранником Димой, я увидела, как к шлагбауму подкатил все тот же минивэн. В нем, как обычно, находились Наташа и Николай.

— Как вы себя чувствуете? — спросила я. — Оправились от гриппа?

— У нас все прекрасно, — весело ответила девушка, — мы ничем не болели.

— Правда? — удивилась я. — А ваш шеф обмолвился, что вы подцепили вирус.

— Наверное, вы его неправильно поняли, — засмеялась Ната. — Мы с Колей моржи, зимой в проруби купаемся, каждое утро в любую погоду обливаемся холодной водой, к нам никакая зараза не прилипает.

Такие ничего не значащие беседы люди мгновенно выбрасывают из головы, и я тоже сразу думать забыла о Наташе и Николае. А потом вспомнила о том разговоре. Вот ведь какая штука получается. Ксюша, сестра Кати, состоит с Семеном в любовной связи. Полине Гавриловне, ее матери, он не нравится — мол, давно живет с какой-то бабой и, похоже, не собирается делать предложение ее старшей дочери. А Ксения души не чает в кавалере, спорит с матерью, пытается убедить ее, что Сеня очень хороший. И я совершила некрасивый поступок — стоя под окном избы, подслушала беседу Полины Гавриловны и Ксении. Мать утверждала, что хозяин зоомагазина — уголовник, отсидел большой срок за убийство. А дочь, защищая его, сказала, что Семен дрессировщик, работал с хищниками и, да, получил крохотный срок, но никого жизни не лишал, просто на одном представлении случилась трагедия — из клетки вырвался тигр и набросился на зрителей.

— Ну, ты понимаешь? — прервала я свой рассказ и в упор посмотрела на Дьяченко.

— М-м-м... — неопределенно промычал тот.

Я рассердилась.

— Да включи мозг! Надо проверить, за что Семен очутился на зоне. Сам знаешь, в бараках разные люди встречаются. Кто-то по глупости угодил за решетку, выйдет и более никогда не нарушит закона, ему хватит одного урока на всю жизнь. А другой найдет лихих товарищей и, очутившись на свободе, превращается в профессионального преступника. Обезьяны прекрасно поддаются дрессировке, а у Семена в доме есть пара приматов, о них с раздражением упоминала Полина Гавриловна. Семен был дрессировщиком, значит, умеет прививать зверью нужные навыки. Нетрудно надеть на макаку розовое платье, привезти ее в минивэне в Ложкино и выпустить около дома Завгородней. Мартышка легко пробежит через мой и Машин участки на территорию Малининых и исполнит то, что ей велел хозяин. Если принять эту версию, то все непонятки исчезают. Почему микроавтобус стоял в укромном тупике, а не на центральной аллее? Вызвать спа-салон на нашей улочке некому. Зато обезьяне удобно пробежать задами. Я редко заглядываю в лесную часть своего участка, Малинины тоже предпочитают там не бродить, а Завгородней попросту нет в России. Выходит, посторонние наряженную, как ребенок, мартышку не увидят. Почему в тот день, когда я заметила «девочку», за рулем передвижного спа-салона сидел хозяин, а не Николай? Да потому, полагаю, что Семен получил заказ изводить Юрия. О таком никому не рассказывают, вот он и отправился сам выполнять работу. Зачем соврал про грипп, которым заразились служащие? Просто не ожидал увидеть меня и сболтнул первое, что пришло в голову, чтобы объяснить отсутствие парикмахеров. Ты должен немедленно допросить владельца зоомагазина, он выведет на заказчика преступления...

Дьяченко поднял руку.

— Стоп! Есть пара вопросов.

— Задавай, — милостиво разрешила я.

— Обезьяна приходила к Юрию в районе полуночи?

— Ну да, — удивилась я. — Время выбрано с умом, ведь призраки, как правило, являются в глухой час. Конечно, во дворе горят мощные фонари, Малинин мог рассмотреть «Асю». Однако все-таки не ясный день, не светит солнце, у человека к концу дня вообще притупляется логическое мышление, а Юрий к тому же напряженно трудился. Кстати, у его супруги с весны появилась сонливость, по-видимому, у нее авитаминоз. Она ложится рано, в десять вечера уже спит, значит, исключена возможность встречи «девочки» с матерью.

— Не о том речь, — остановил меня Сергей. — «Ася» появлялась с завидной регулярностью. Почему на охране не удивились, что собачий салон прируливает так поздно?

— В Ложкино многие возвращаются с работы за полночь, — пояснила я. — А летом долго не спят, сидят на верандах, отдыхают от городской суеты. К нам и доставка продуктов, и химчистка, и кое-какие рабочие прибывают после двадцати трех. Секьюрити поздним визитам давно не удивляются. Минивэн парикмахеров охранники тоже прекрасно знают и вопросов им не задают. Дальше просто — Семен парковался в укромном месте и выпускал обезьянку. Кстати! Охранники обязаны записывать номера посторонних машин, посещающих поселок, но как я недавно выяснила, есть тачки, которые наша бдительная стража считает «своими». Например, «газель» из супермаркета «Территория еды», автобус химчистки, тот же спа-салон. Эти автомобили приезжают очень часто, некоторые каждый день, и не раз. Им шлагбаум открывают без задержки, как жителям, и номера не фиксируют.

Дьяченко кашлянул.

— Хорошо. А почему ты ни разу не заметила микроавтобус?

— Ты меня вообще слушал? — возмутилась я. — Уже ведь объясняла! Семен устраивал представление по ночам, парковался у дома Завгородней, где заканчивается лесная часть моей территории. В полночь я, за редким исключением, уже лежу в постели и смотрю любимые сериалы. У нас не шесть соток, а намного больше, я не курю, на балкон не выхожу, летом деревья одеты в листву. Как я могла увидеть передвижную цирюльню? Я ее обнаружила совершенно случайно и лишь потому, что побежала посмотреть на «девочку», очутилась в самом дальнем углу участка, куда обычно не хожу, услышала «чиханье» мотора...

— Ладно, не кипятись, — протянул Сергей. — Понял. А по какой причине Семен изменил привычки и приехал в светлое время суток?

— Понятия не имею, — призналась я. — Но если задашь сей вопрос дрессировщику, узнаешь ответ.

Сергей встал и начал ходить по кабинету.

— Твоя идея с дрессированной макакой оригинальна, но совершенно фантастична.

— Почему? — взвилась я. — В Интернете я нашла массу историй, когда животные по наущению людей становятся ворами. В голодные девяностые годы одна московская пенсионерка научила своего терьера утаскивать на рынке продукты и приносить их ей. А не так давно в метро поймали грабителя, который прикидывался слепым. «Инвалид» в сопровождении пса-поводыря останавливал кого-нибудь и начинал спрашивать, как проехать до нужной станции. Ему охотно помогали, а его лабрадор тем временем вытаскивал из карманов сердобольных граждан мобильный или кошелек. Могу прислать тебе несколько ссылок, узнаешь не одну подобную историю. В особенности мне понравился рассказ про попугая, который залетал в квартиры и уносил в клюве золотые цепочки, кольца, ожерелья. Если уж птица может так поступать, то представляешь, на что способны обезьяны?

— Ты небось догадываешься, и кто нанял Семена, — вздохнул Дьяченко.

Я выпрямилась.

— Да, догадываюсь. Светлана Петровна Терентьева. Давай объясню ход своих мыслей. У дамочки был роман с Юрием, один из ложкинских охранников видел, как они в укромном месте выясняли отношения. После пожара Лена никак не могла прийти в себя, и муж отправил ее к психотерапевту. Полагаю, Юрий Иванович переживал за супругу, звонил Светлане, расспрашивал ее о состоянии жены. А еще он сам находился далеко не в лучшем расположении духа, считал себя виновником кончины дочери, мучился бессонницей и вполне мог прибегнуть к помощи Терентьевой, о чем решил никому, даже жене, не рассказывать. Перед психотерапевтом человек полностью раскрывается, поэтому Светлана быстро узнала все секреты четы Малининых. Она не замужем, личная жизнь у нее не задалась. Кстати, ты в курсе, что процент разводов в среде профессиональных душеведов намного выше, чем у людей, не имеющих высшего психологического образования?

— Опять в Интернете почерпнула сведения? — усмехнулся Сергей.

Я решила не обращать внимания на ехидное замечание.

— Терентьева познакомилась с Малиниными в тот момент, когда его брак дал трещину. Далеко не все семейные пары способны пережить смерть ребенка и остаться вместе. Юрий очень понравился Светлане, и она подумала: «Почему нет?» Конечно, дамочка нарушила профессиональную этику, вступила в интимные отношения с пациентом, но в России нет органа, который может лишить Терентьеву права заниматься частной практикой за такое поведение. Некоторое время у Светланы и Юрия полыхал роман, а потом он опомнился и решил порвать с любовницей. У него ведь есть сын, и ради Андрюши он хотел сохранить семью. И еще. Малинину, насколько я знаю, требовалась спокойная, сговорчивая, ведомая женщина, а не такая, как Светлана Петровна, у которой по каждому поводу есть собственное мнение. Юра временно любовался экзотическим цветком кактуса, очаровался им, но затем решил, что скромная ромашка для повседневной жизни лучше. Но ты ведь знаешь, как мстительны бывают женщины?

Дьяченко кивнул.

— Мужчины более прямолинейны и нетерпеливы, предпочитают сразу дать обидчику в морду. А некоторые представительницы прекрасной половины рода человеческого способны годами копить ненависть и такое придумают, что ахнешь. Сталкивался я с такими дамами, от них прямо оторопь брала.

Я вскочила.

— Давай зададим себе кое-какие вопросы и попытаемся ответить на них. Кто в курсе всех страхов и проблем Юры с Леной? Светлана. Кто состоял в связи с Малининым? Светлана. Кто был оскорблен разрывом? Терентьева. Кто сразу после кончины Малинина поселился в его доме и стал там распоряжаться? Светлана. Кто опекает Лену? Светлана.

— Погоди, притормози! — попросил Сергей. — Нелогично получается. Терентьева должна была изводить Елену Сергеевну, тогда у нее возник бы шанс прибрать к рукам Юрия.

— Ты плохо знаешь женщин, — не согласилась я с ним. — Юрий Иванович сильно обидел Светлану Петровну, дал ей пощечину. Есть представительницы слабого пола, которых мужчины лупят, а они терпят. Но Терентьева не из этой стаи, она отвесила Малинину в ответ затрещину. И, наверное, в ту же секунду поклялась отомстить ему за боль и унижение. В ее голове возник план убить бывшего любовника и завладеть его деньгами.

— После смерти мужа финансы и бизнес отходят вдове, — напомнил Сергей.

Я кивнула.

— Помню. Но! Может ли Лена жить одна? Способна ли принимать сама решения? Светлана Петровна изучила свою клиентку вдоль и поперек, поэтому совершенно не сомневалась: подчинить себе Елену Сергеевну ей не составит труда, та будет счастлива, если в тяжелый час рядом окажется верная подруга, ограждающая ее от проблем. Терентьева рассказала мне, что на счетах Юрия нет денег, поэтому, мол, Лена намерена продать дом, положить в банк деньги, перебраться в скромную «двушку» и жить на проценты от вклада. Андрей же уедет учиться в Лондон, потому что мать не сможет обеспечить сыну привычный образ жизни, нанимать репетиторов и прочее. Но это же странно! Особняк стоит несколько миллионов евро, плюс большой участок земли. Только за них вдова выручит прекрасные деньги, они с Андрюшей не будут нищими. И маловероятно, что бизнес Малинина приносил убытки, семья жила на широкую ногу. Еще одна странность. По словам Светланы, Юрий весной принял решение об отправке сына в Англию и оплатил сразу весь курс обучения, вплоть до получения аттестата. Разве так поступит человек на грани нищеты? Кроме того, я знаю, что отец всегда возражал против отъезда мальчика за рубеж. Думаю, милая Света мне соврала. Я уверена: вдова вовсе не нуждается, Терентьева замыслила увезти ее туда, где у Лены вообще не будет знакомых. Вот смотри. В Ложкине живу я, и Лена, оправившись от шока, вызванного смертью мужа, начнет заглядывать ко мне в гости. Мало ли что я ей насоветую? А в городе Елена Сергеевна будет в изоляции. Своих подруг у нее нет, Малинина общалась лишь с друзьями мужа. Таким образом она окажется послушной куклой в руках психотерапевта. Угадай, в чьи наманикюренные лапки попадут в конце концов бизнес, миллионы за проданный дом и вообще все финансы? Конечно же, Светлана уговорит Лену выдать ей генеральную доверенность на ведение всех дел. От Андрея Терентьева решила избавиться, отправив его в Лондон. Да, это дорогое удовольствие, но игра стоит свеч — на кону большие деньги, а мальчик растет, скоро начнет задавать вопросы. Еще преступнице нужно было убрать с дороги Катю. Вот почему домработница «забыла» фотоальбом — она никуда не уходила, не меняла место работы. Екатерина не могла бросить Андрюшу, которого считала своим сыном. Ее лишили жизни, труп положили в морозильник в доме Загородней, ее вещи запихнули в машину, которую загнали в гараж. Вот только Светлана не знала, что Катя хранила в подушке дивана дорогие ей снимки, которые не хотела никому показывать.

Дьяченко сел за стол.

— Ладно. Пусть Терентьева действовала так, как ты полагаешь. Но смотри! У нее есть опыт общения с Семеном, уголовником, который согласился изводить Юрия. Так зачем ей самой заниматься грязной работой? Перемещать труп, возиться с машиной... Не проще ли было заплатить исполнителю?

Я подпрыгнула.

— А кто сказал, что Светочка лично убивала Екатерину? Грязную, как ты выразился, работу наверняка сделал наемный киллер. И...

На столе Сергея резко зазвонил телефон, Дьяченко взял трубку и сказал:

— Да, да, пусть проходит.

Через пару минут в дверь кабинета деликатно постучали, она приоткрылась, и знакомый мне голос спросил:

— Можно войти?

— Конечно, — любезно разрешил Сергей.

На пороге возникла Светлана Петровна Терентьева.

— Елена в клинике, — чуть запыхавшись, произнесла она. — Малинина тяжело больна, вы не имеете права ее допрашивать. Здравствуйте, Дарья, не ожидала вас тут встретить.

— У госпожи Васильевой есть интересная теория касательно произошедшего. Вы не согласитесь ее выслушать? — подчеркнуто вежливо обратился к Терентьевой Дьяченко.

— Если это хоть как-то поможет Елене Сергеевне, то да, — ответила психотерапевт и без приглашения села на свободный стул. — Правда, я очень устала после вчерашней беседы в этом кабинете. До сих пор голова болит. Тут душно, нет кондиционера.

Дьяченко развел руками.

— Чудеса техники установлены исключительно у начальства, а я пока не выбился наверх. Начинай, Даша.

Глава 35

Надо отдать должное Светлане — она спокойно, с абсолютно невозмутимым видом выслушала меня. Потом, слегка поморщившись, обратилась к хозяину кабинета:

— Полагаю, я должна ответить?

— Хотелось бы услышать ваше мнение о сказанном, — согласился Сергей.

Светлана чуть подалась вперед.

— Не знаю, как вас, но меня в свое время учили, что любые факты можно истолковывать двояко. Опасно делать далеко идущие выводы, рассматривая ситуацию однобоко. Да, мы с Юрием подружились, но никогда не состояли в любовных отношениях. Малинин обратился ко мне по рекомендации знакомых, его очень беспокоило состояние жены. Елена находилась в депрессии, ей на самом деле требовалась помощь. Я работала с Малининой долго, в конце концов стала ее другом, узнала многие семейные секреты и поняла, что у супружеской четы имеются глубокие противоречия. Елена никак не могла простить мужу смерть Аси. Один раз она сказала: «Своего сына он вытащил, а мою доченьку бросил».

— Ася ведь ребенок и Юрия тоже, — пробормотала я.

— Оно так, — согласилась Терентьева, — но Елена всегда считала: Андрей — Юрина кровь, а Асенька ее деточка. И чем больше времени проходило после рокового пожара, тем сильнее Лена ненавидела мужа.

— Трудно вам поверить, — не выдержала я. — Часто общалась с Малиниными и ни разу не видела, чтобы они ссорились. Лена никогда не повышала голоса на супруга, всегда с ним соглашалась, не спорила, не отстаивала собственное мнение. Она прекрасная жена.

— Если сдуть пепел, прикрывающий тлеющие угли, то, когда положите на них поленья, вспыхнет яркое пламя, — вздохнула Светлана. — Елена идеально умеет владеть собой, глядя на нее, вы никогда не догадаетесь, что она о вас на самом деле думает.

— Никогда не посоветую своим знакомым ходить к вам на прием! — вспылила я. — Вы не имеете права обсуждать с посторонними людьми проблемы своих клиентов!

— Если дело касается убийства, то делается исключение из врачебной этики, — заметил Сергей.

— Я давно не работаю с Еленой как психотерапевт, — оправдалась Терентьева, — сейчас мы просто подруги. И ничего нового я не сообщила, вы уже знаете, что Андрея родила суррогатная мать. К сожалению, Юра не понимал, какой человек живет с ним рядом, совершенно искренне считал Лену прекрасной, разумной матерью. Поэтому после трагедии с Асей он велел супруге: «Хватит с нас твоих картинок в книгах, никакого толка от них нет, занимайся исключительно сыном. Не оставляй его одного ни на минуту, везде води за руку». И жена, как всегда, подчинилась Юрию. Не ее инициативой было ходить тенью за подростком, Юра приказал. Но со стороны это выглядело иначе. Знаете, Елена мне рассказывала, как один раз, еще на заре брака, она отказалась поехать с Юрием на деловой обед, потому что ей требовалось быть в издательстве, редактор попросил срочно подкорректировать иллюстрации. Юра ничего не сказал, но на следующий день Малинина обнаружила, что коробочка, где лежала семейная касса, пуста. Ей дали понять, кто в доме хозяин.

Я вспомнила слова Остролистовой о том, как ее муж в случае непослушания блокирует их с дочерью кредитки, и рассердилась:

— Вот гадость!

— А по-моему, правильно, — неожиданно заявил Сергей. — Кормишь, поишь, одеваешь жену, а та вредничает.

Светлана с интересом взглянула на Дьяченко и продолжала:

— Урок Елена усвоила и более не спорила с мужем. А тот ее подавил, подмял, заставил жить по-своему. Она научилась лицемерить, подстраиваться, говорить мужу то, что ему хотелось услышать. Но сколько можно закручивать пружину? Когда-нибудь ее сорвет, и конструкция пойдет вразнос. Я знала, что Елена Сергеевна активный интернет-пользователь, она имела страницы во многих социальных сетях. Я тоже брожу по паутине, но чаще всего делаю это по просьбе клиентов. Один из пациентов как-то рассказал, что его дочь посещает сайт, где люди, которые замыслили убийство своих родственников, изливают душу, делятся планами. Я решила поглядеть, что это за сайт, и наткнулась на... Лену. Конечно, та пряталась под ником, но я-то прекрасно знаю Малинину. Агрессия Лены была направлена на сына и мужа. Автор откровенно писала: «Хочу, чтобы их не стало». И много еще всякого. Например, как мечтает отомстить супругу, который «убил мою дочь, но спас своего сына. Он должен помучиться и лишь потом умереть». Признаюсь, я очень испугалась, расстроилась и решила предупредить на всякий случай Юру. Я позвонила ему, мы с ним встретились на бензоколонке, но случился скандал. Малинин мне не поверил, закричал, что я оговариваю Елену. Я его обняла, попросила соблюдать осторожность. А Юра меня отпихнул, отвесил пощечину, мне пришлось ответить ему тем же. На следующий день позвонила Лена и ровным голосом сказала: «Муж велел прекратить с тобой общение, ему не нравится наша дружба. Прости, я очень хорошо к тебе отношусь, но желание Юры для меня — закон». И что мне оставалось? Только надеяться, что Елена продолжит спускать пар в Сети и никогда ничего не предпримет в реальности. Но когда вскоре рано утром в моей квартире раздался звонок от Кати, я поняла, что стряслась беда, и по просьбе домработницы помчалась в Ложкино. Успела приехать до появления полиции, накормила Лену седативными препаратами и уложила в кровать. Оперативники сразу выдвинули версию о самоубийстве Малинина. Но я знала о крупной страховке и растерялась. Ведь компания в случае суицида не станет делать выплату.

— Слушаю вас и диву даюсь, — не выдержала я. — Получается, вы покрывали убийцу? Почему? Сначала пошли к Юрию Ивановичу, сообщили, что супруга мечтает о его смерти, ненавидит сына, а затем принялись старательно помогать Елене?

— Я не ей хотела помочь, — устало произнесла психотерапевт, — а Андрею. Оцените положение, в котором очутился мальчик. У него наступил сложный период, гормоны бушуют, все воспринимается крайне обостренно, мир окрашен лишь в белый и черный цвета. И вдруг он узнает, что мать убила папу? Мощнейший удар по неокрепшей психике. И Андрей становится фактически сиротой: отец в могиле, мать в тюрьме. Кто паренька защитит?

— Катя, — быстро нашла я ответ. — Она стала мальчику настоящей матерью. Не в биологическом смысле слова, а реально. Может, следовало сообщить Андрюше о том, кто его выносил?

— Конечно, нет! — вспыхнула Светлана. — Это только в пословице клин клином вышибают, а в жизни один стресс, усиленный другим, дает большие психологические проблемы. Узнав от вас, Даша, про призрак Аси, я целый день пыталась переварить услышанное. На следующий день утром мы с Еленой поехали к следователю, вернулись домой днем. Я принесла Лене чашку молока, растворила в нем хорошую дозу снотворного, отправила Андрея в детскую, а сама поспешила к Кате и честно ей все рассказала, поделилась опасениями, что Лена как-то поспособствовала смерти мужа. К тому времени я пришла к выводу, что план у нее был такой — свести мужа с ума, нажимая на самое больное место. Екатерина не возмутилась, мы спокойно обсуждали, как нам следует поступить, чтобы полиция не заподозрила Елену Сергеевну. Обе надеялись, что лишить Юрия Ивановича жизни Лена не собиралась. Она задумала лишь помутить его разум.

Дьяченко крякнул. Но я вновь не сдержала эмоций:

— Хрен редьки не слаще. Еще неизвестно, что хуже, лежать в могиле или влачить жалкое существование в психушке. Лично я выбрала бы первый вариант.

— В разгар нашей беседы в комнату ворвалась Лена, — словно не слыша меня, продолжала Терентьева. — Она гневно закричала: «Ага, Светка, ты попыталась меня отравить, угостила молочком! Но я начеку, отдала чашку Андрею, пусть он тапки отбрасывает. Слышала ваш разговор...» Мы с Катей попятились — Малинина выглядела настоящей сумасшедшей. Потом она стала рассказывать, как добрая душа на сайте подсказала ей контакт Семена, а тот предложил использовать дрессированную обезьянку, чтобы довести Юрия Ивановича до нервного срыва. Выложила абсолютно все. Я, кстати, случайно записала ее слова на телефон, он лежал в кармане. Позже дам вам аудиофайл. Когда хозяйка замолчала, Катя кинулась к ней. Видимо, хотела... Ну, не знаю, чего она хотела. Может, обнять Лену. Но Малинина оказалась проворней. Она с силой отпихнула домработницу, та не удержалась на ногах, упала и ударилась головой об острый край батареи. Вы знаете, что толщина височной кости человека составляет всего несколько миллиметров? Катя скончалась сразу. Я имею медицинское образование, поэтому поняла, что вызывать реанимацию бесполезно. Конечно, я растерялась. А вот Лена нет. Она велела мне завести машину Кати, мы перетащили туда труп, и Малинина отогнала малолитражку в гараж Завгородней. Елена Сергеевна знала, где лежат ключи — в фигурке зайца, которая стоит на террасе. Помню, вдова ловко перелезла через решетчатую калитку, затем открыла ворота гаража... Мне было плохо, я еле держалась на ногах. Что и как Елена делала дальше, не знаю, потому что я села на землю и не могла встать. Слышала какой-то скрип, вероятно, Малинина использовала для перемещения трупа тачку.

— Вы не входили в чулан? — резко спросил Дьяченко. — Не заглядывали в особняк Завгородней?

— Нет, — помотала головой Светлана Петровна. — Я пребывала в полубессознательном состоянии. Потом очнулась и поняла, какую опасность представляет Елена. Но прикинулась, что испытываю к ней самые лучшие чувства. Мы возвратились домой, Малинина поднялась к себе. И тут снова заявилась Дарья, пристала с вопросами, стала интересоваться, где Катя. Мне пришлось соврать, что домработница нашла другое место работы. А что было делать? Некоторые люди напоминают налипшую на подошву жвачку. Пытаешься от них избавиться, а они только сильнее к тебе приматываются.

— Милое сравнение! — вспыхнула я.

— Сами напросились, — не осталась в долгу психотерапевт. — Кто вас просил в чужую жизнь лезть?

— Так это вы анонимно звонили мне по телефону! — возмутилась я. — Угрожали и приказывали «не совать длинный нос в чужие дела».

— Человек с психологическим образованием никогда не станет вести себя подобным образом, — с негодованием возразила Светлана.

— Вашим актерским талантам позавидует голливудская кинозвезда Мерил Стрип, — хмыкнула я. — Очень убедительно врете.

— Я никогда не лгу! — воскликнула Терентьева.

— Красивое у вас платье, — резко сменил тему Дьяченко. — Но слегка несвежее. Похоже, вы его несколько дней, не снимая, носите. Наряд, я вижу, сшил дом «Мерсье». Дорогая фирма, но выпускает прекрасные, качественные вещи. Недавно ходил со своей подругой в магазин, она в бутике к юбке от «Мерсье» приценивалась.

— Намекаете, что я неряха? — пошла вразнос Светлана. — Да мне просто некогда съездить домой и переодеться!

— Что вы, — улыбнулся Дьяченко, — я искренне залюбовался вашим нарядом. Особенно восхищает оригинальная отделка рукавов, впервые вижу на обшлагах золотые кисточки, чьи головки спрятаны в матерчатые чехольчики с монограммой «М». Жаль, одна штучка оторвалась.

— Где? — спросила Светлана Петровна.

— На правом рукаве, — услужливо подсказал Сергей.

— Ой, правда... — протянула Терентьева.

— Не расстраивайтесь, — многозначительно улыбнулся Дьяченко, — вашей беде легко помочь. Знаю, где искать пропажу. Когда эксперты достали тело горничной из ледника, они обнаружили на дне кисточку от изделия фирмы «Мерсье». Теперь понятно, от какого. Так что это вы запихивали труп Екатерины в морозильник. В тот момент случайно повредили манжет, чего не заметили. Доказать, что кисточка оторвана от вашего платья, не составит труда.

— Отсидите срок, пришьете кисточку и носите платьишко на здоровье, — перебила я следователя. — Вещи от «Мерсье» вне моды, они в стиле английской королевы, и даже через пятнадцать лет, когда убийца Юрия и Кати выйдет на свободу, наряд не устареет. Оказывается, несмотря на хорошее образование и правильное воспитание, вы умете ловко врать. Вы заходили в дом Маши Завгородней!

Терентьева сжала кулаки и вскочила. Но Дьяченко приказал:

— Ну-ка, сели на место! Мы только начали. Очень хочется понять, кто же придумал весь план и осуществил его, вы или Лена?

Эпилог

Через неделю я, Дьяченко и вернувшийся из отпуска Александр Михайлович сидели в кафе «Рагу».

— Ты тут без меня времени не теряла, — сердился полковник, собирая корочкой хлеба подливку с тарелки.

— А ты здорово растолстел, — фыркнула я. — Перестань лопать батон!

— Очень уж тут вкусно, — по-детски ответил Дегтярев. — И, кстати, ты нас сама сюда пригласила.

— Хотела узнать у Сергея подробности о деле Малинина, — призналась я. — Дьяченко от меня прячется. По мобильному не отвечает, видит на экране «Васильева» и игнорирует вызов. А по городскому бурчит: «Я на совещании, звякну позднее». Однако не перезванивает. Сережа, научись лгать красиво. Я же знаю, что сборища ваши проходят в кабинете начальства, а служебный телефон у тебя на столе в кабинете стоит. Честное слово, смешно! Кто тебе про обезьянку рассказал? Кто вообще все разузнал? Я. А ты мне ничего объяснить не хочешь. Это же я нашла ответы почти на все вопросы! И теперь сгораю от любопытства, кто же все-таки преступник. Ну, говори, Елена или Светлана?

Дьяченко отложил вилку.

— Про обезьянку правда. У Семена есть два отлично вымуштрованных примата, которые совершали кражи и выполняли разные задания хозяина. И Терентьева не соврала, в Интернете действительно открыт сайт, где отмороженные, на мой взгляд, люди делятся своей ненавистью к родным и обсуждают планы, как им навредить. Спрос всегда рождает предложение, в темные закоулки Сети в поисках клиентов заглядывают профессиональные преступники. Бывший дрессировщик Семен активный посетитель человеческого террариума. Его белый минивэн-парикмахерская колесит по всей столице и Подмосковью. То, что очередной заказ нужно выполнить в Ложкине, расположенном рядом с деревней Кузякино, где у Семена не только зоомагазин, но и дом, оказалось приятным сюрпризом. Но заказчик не знал, что до исполнителя рукой подать, все переговоры и передача денег велись при помощи Всемирной паутины. Даша, снимаю шляпу, у тебя потрясающее чутье! Ты сделала правильные выводы из на первый взгляд малозначительных деталей.

Дегтярев потянулся за очередным куском хлеба, поймал мой сердитый взгляд и отдернул руку. А Сергей продолжил:

— Мне понравилась твоя манера — задавать вопрос, а потом искать на него ответ. Тут ты была дотошной. Но упустила один момент.

— Говори скорей, какой, — потребовала я.

— Ох, совсем забыл! — воскликнул Сергей. — Могу объяснить, по какой причине обезьяну выпустили не ночью, а перед ужином, и ты увидела

«Асю». Понимаешь, в планы человека, изводившего Юру, не входило ни его убийство, ни суицид, он всего-то хотел свести Малинина с ума, запереть его в психушку и спокойно распоряжаться его финансами. Тем более, что Малинин к тому же застраховал свою жизнь и здоровье на астрономически крупную сумму, а в случае самоубийства ее бы не выплатили.

— Не вижу логики в твоих словах, — сказала я. — Ну, очутился бы Юрий в психиатрической больнице, и что? Страховая компания ничего его родственникам не дала бы, он-то жив!

— Ошибаешься, — остановил меня Дьяченко. — Обрати внимание, я произнес «застраховал жизнь и здоровье». Умопомешательство вписано в договор в качестве риска. Так что, если бы Юрий Иванович попал под надзор психиатров, страховщикам пришлось бы раскошелиться по полной. Я по твоей просьбе изучил биографию Малинина и не нашел в ней никаких темных моментов. Но был один штришок, который мне сначала показался малозначительным: мать Юрия Малинина окончила жизнь в психиатрической лечебнице, у нее была душевная болезнь. Очевидно, это повлияло на сына, похоже, он опасался стать жертвой того же недуга, отсюда и пункт в страховом договоре. Тот, кто все придумал, знал о боязни Юрия сойти с ума и построил на этом весь свой план. Преступник имеет свои моральные принципы, убийство он считает отвратительным.

— А доведение до сумасшествия — милой забавой? Весьма оригинально! — рассердилась я.

Сергей развел руками.

— Ну да такой уж это человек. Убить — никогда, все остальное — пожалуйста. Женщины — странный народец! Но у Малинина оказалась довольно крепкая нервная система. Он, правда, начал впадать в истерику, мучился бессонницей, но процесс продвигался черепашьим шагом. Заказчик дергался и в конце концов велел, чтобы «Ася» появилась в доме во время ужина, в тот момент, когда за столом будет один Юрий. По мнению устроителя действа, вид девочки, разгуливающей по особняку, должен был добить Малинина. Семен привез обезьяну, выпустил, а она неожиданно не выполнила приказ, решила немного покуролесить — осталась на твоем участке, раскачиваясь на ветке ели. Когда ты подбежала к дереву, она живо удрала в минивэн. Семен успел запереть расшалившуюся питомицу, и тут его из-за ограды окликнула ты. Очутись ты на минуту раньше у решетчатой части забора, могла б увидеть, как «девочку» прячут в фургон. Владелец зоомагазина связался с заказчиком и сказал: «Лучше не рисковать, а по-прежнему работать ночью. Обезьяна в относительно светлое время, когда наступают сумерки, отвлекается, она чуть-чуть не попалась на глаза посторонней женщине. И вообще, мне идея заставить макаку ходить по дому кажется стремной. Лучше от нее отказаться». Заказчик согласился. Ночью Семен опять доставил обезьяну в Ложкино. Что произошло дальше, знает лишь мартышка, но она, увы, ничего не расскажет. Эксперты считают, что Малинин потянулся к «дочери», потерял равновесие и упал. Он ведь принимал седативные препараты, а некоторые из них вызывают головокружение. Помнишь, я сказал, что ты упустила один момент?

— Да. И какой же? — занервничала я.

— «Ася» начала посещать отца в мае. Стояла теплая, даже жаркая погода, а кондиционеров у Малининых нет, — продолжал Дьяченко, — окна в спальнях хозяйки, Кати и Андрея были открыты. Теперь представь: в полночь на поселок опускается тишина, не работают газонокосилки, не кричат дети, не играет музыка, не лают собаки, не поют птички, а Юрий стоит на балконе и громко разговаривает с «Асей», в кармане обезьянки включается запись, «девочка» начинает жаловаться... Почему никто из живущих в доме не проснулся от звука голосов? И тут возникает второй вопрос: по какой причине Катя вдруг стала хотеть спать в десять вечера? Вспоминай, Даша, ты же сама мне рассказывала, как горничная жаловалась на сонную болезнь, говорила, что и хозяйка стала укладываться в постель пораньше. Теперь, что касается Андрюши. Он обожает есть в кровати йогурт, и домработница всегда после ужина ставит ему на тумбочку стаканчик. Если мальчик не планирует удрать в Кузякино, он, опустошив его часов в одиннадцать, мигом проваливается в сон. А вот сбегав в деревню, лопает вкусняшку, вернувшись, и бац — отключается! Утром же Андрюшу и в том, и в другом случае трудно разбудить. И вот что самое интересное. Почему парень ни разу не наткнулся на «Асю»? Ведь возвращался домой около полуночи. Ответ может быть такой — преступник ждал, пока Андрей очутится в своей спальне, и звонил Семену, командовал: «Выпускай». Кстати, походы мальчика в Кузякино не были секретом не только для Кати, для матери тоже, но та делала вид, что не знает о его прогулках.

— Снотворное! В йогурте! И в чае, который пила Катя! — закричала я. И, вспомнив, что сижу в кафе, осеклась.

— Верно, — кивнул Дьяченко. — Но кто его подливал-подсыпал? Терентьева в особняке не появлялась. А в доме кроме хозяина жили трое: Андрей, Розова и Елена. Кто из них делал вид, что тоже очень хочет спать, а сам лишь ждал, когда остальные захрапят?

— Неужели Света не врала? — прошептала я. — Убийца — Лена.

— Почти правильно. Они орудовали вдвоем: Елена и Светлана, — пояснил Сергей. — Терентьева не лгала, когда рассказывала, что жена не простила Юре смерть дочери. Но психолог лукавила, отрицая свой роман с Юрием. Закоперщиком являлась Терентьева, Елена была, так сказать, на подхвате — подлить снотворное Кате в чай, Андрею — в йогурт, а еще подменить антидепрессанты, которые принимал Малинин. Лекарства имеют дозировку, и невропатолог, учитывая, что больной еще пьет средство от гипертонии, выписал ему пилюли по двенадцать миллиграммов, а ласковая женушка насыпала во флакон таблетки по сорок восемь единиц. Конечно, Юрия стало болтать из стороны в сторону. Когда он погиб, полиция склонялась к версии о суициде, и тут весьма вовремя появилась ты с сообщением о визитах «Аси». Светлана Петровна очень обрадовалась — сама-то она никак не могла сказать про «привидение», бубнила полицейским: «Малинин жаловался на здоровье, пил таблетки, небось потерял равновесие». И тут такой подарок — соседка, рассказывающая о его глюках! Но эйфория психотерапевта длилась недолго, ты заявила, что тоже видела «Асю». У двух людей не бывает одинаковых видений.

— Она пыталась убедить меня в обратном, — хмыкнула я. — Целую лекцию прочла о трансовом состоянии. И я ей почти поверила. Светлана Петровна врет как дышит! Значит, на бензозаправке дамочка пыталась реанимировать роман с Малининым? Бросилась ему на шею, а получился обмен оплеухами?

— Точно, — подтвердил Сергей. — И тогда же Терентьева решила ему отомстить. Стала накручивать против него Лену, которая, конечно, не знала, что муж изменял ей. Малинина считала: подруга просто хочет ее поддержать, понимает, как она страдает.

— Странно, что Юрий Иванович не запретил супруге общаться с любовницей, — подал голос молчавший Дегтярев.

— Наверное, не хотел вызывать у нее подозрений, — предположила я. — С чего бы Юрию проявлять агрессию в отношении врача, помогавшего Лене выйти из депрессии? Но так ли думал Малинин, мы никогда не узнаем.

— Зато нам точно известно, кто убил Катю, — снова взял слово Дьяченко. — После смерти мужа Лена впала в истерику, твердила, что не хотела лишать Юру жизни. На следующий день после твоего первого визита к ним она устроила скандал Светлане. Катя услышала беседу, кинулась к хозяйке, та ее толкнула, домработница упала, ударилась виском и мгновенно скончалась. Терентьева запаниковала, но тут как раз Малинина взяла себя в руки и предложила временно спрятать тело и машину Розовой на участке Завгородней. Чтобы Андрюша, корпевший в своей комнате на втором этаже над учебниками и не слышавший, что творилось внизу, случайно не спустился, Елена запирает сына. Мать мотивирует это просто: Андрей наказан, потому что плохо выполняет задания, выпустит она его лишь после того, как он сделает уроки.

— Мне следовало вспомнить об этом эпизоде раньше, — пробормотала я. — Андрюша, рассказывая о поступке матери, воскликнул: «Раньше она ничего подобного не делала, понять не могу, чего мать так обозлилась!» Однако Елена Сергеевна со Светланой Петровной сильно рисковали. Вдруг бы их кто из посторонних заметил?

— До гаража Завгородней рукой подать, и ваша улочка безлюдная, — вздохнул Сергей. — Хотя, конечно, им повезло, ни одна душа не встретилась. Женщины вдвоем справились с непростой задачей.

— Тело и автомобиль не могли вечно находиться у соседки. Рано или поздно их домработница могла решить разморозить ледник или заглянуть в гараж, — вступил в беседу Дегтярев.

— У Терентьевой не было времени, чтобы сообразить, как избавиться от трупа и колес, — пояснил Дьяченко. — На нее разом свалилась куча проблем. Лена после всплеска активности сначала казалась нормальной. Но к вечеру дня, когда умерла Катя, у Малининой случилась истерика, потом она впала в состояние, которое напоминало каталепсию[1]. Терентьева поняла, что подругу необходимо сроч-

---

[1] Каталепсия — состояние, напоминающее гипнотическое, его еще называют «восковой гибкостью». Человек патологически длительно сохраняет приданную ему позу. Больной не совершает движений по собственной воле. Каталепсия может возникнуть на фоне шизофрении, истерии, при некоторых заболеваниях мозга, от приема большой дозы нейролептиков или при сильнейшем стрессе.

но поместить в клинику. А еще предстояло заниматься похоронами Юрия, общаться с полицией, со страховой компанией, с нотариусом... Светлана Петровна временно выкинула из головы мысли о трупе, зная, что Завгородней нет в России, решила разрулить эту проблему позднее.

— Думаю, Малинин вовсе не оплачивал обучение сына в Лондоне. Как же Лена умудрилась извлечь из семейного бюджета столь крупную сумму? — удивился Александр Михайлович. — До вступления в наследство еще далеко.

— Отъезд Андрея никто не оформлял, — ответил Сергей. — Светлана говорила Даше о поездке в Англию как о решенном деле, выдавала ее за идею Юры, но они только собирались подыскать ему школу. Терентьевой пацан совсем не нужен, Елена сына не любит. Убийцы хотели жить в свое удовольствие, поделив средства Юрия Ивановича, а Андрей им мешал, ему предстояло укатить подальше, за рубеж. Кстати, не в дорогой Лондон намеревались услать его дамочки, а куда подешевле, например, на Мальту, в третьесортную гимназию.

— Вот крысы! — выпалила я. — И что теперь будет с Андрюшей?

Дьяченко скрестил руки на груди.

— Ну, с матерью-то ему уже точно не жить. Если Малинину признают вменяемой, она пойдет под суд и отправится отбывать наказание. А если психиатры сочтут Лену больной, ее поместят в спецбольницу.

— Ася! — ахнула я. — Какова судьба девочки? Елена знает, что дочь жива?

— Пока нет, — поморщился Сергей. — Доктора считают, что Малининой на данном этапе нельзя сообщать эту новость. Возможно, позднее. Насчет Аси сложный вопрос. Ее еще надо найти в Америке, отсудить у тех, кто украл ребенка. Процесс явно затянется на годы.

— Может, девочке лучше оставаться в США? — неожиданно произнес Дегтярев.

— Хм, не знаю, — пробормотала я. — Предлагаешь оставить супружескую пару, похитившую малышку, безнаказанной? А как же Лена? Это же ее любимая дочка, и она жива!

— Что ждет Асю на родине? — заспорил Александр Михайлович. — Детдом? Отца нет в живых, мать или на зоне, или в психушке, брат несовершеннолетний, ему Асю под опеку не отдадут. И готов ли будет Андрей взять на себя ответственность за младшую сестру, когда справит восемнадцатилетие? Твое мнение?

— Не знаю, — растерянно повторила я. — Честное слово, понятия не имею. До сегодняшнего дня я считала, что детям лучше всего жить с родителями, а теперь растерялась.

— Ася небось и по-русски-то не говорит, — вздохнул полковник, — забыла язык. Вот с Андреем более или менее ясно. Если не найдется опекун, паренек проведет несколько лет в приюте. А может, и в каком-нибудь пансионате. Денег-то на счетах Малининых достаточно, и если в органах опеки постараются... Потом он начнет самостоятельную жизнь и будет очень хорошо обеспечен как единственный наследник своего отца.

Я молча слушала полковника. Хорошо, конечно, в восемнадцать лет стать обладателем миллионов. Но если подумать, по какой причине достанется парню это богатство, становится плохо.

— Вся рассказанная история достойна стать сюжетом многосерийного телефильма, — пробормотал Александр Михайлович.

— С названием «Медовое путешествие втроем», — подхватил Дьяченко, — история про любовь.

— Чувства, которые испытывали друг к другу Лена, Юра и Светлана, навряд ли можно назвать настоящим светлым чувством, — возразила я, — и сомневаюсь, что Андрей обожал Асю.

— Так я сейчас веду речь о страсти к деньгам, — уточнил Дьяченко, — Лена, Света и банковский счет Юры, вот что подразумевал, говоря о медовом путешествии втроем. Женщины и звонкая монета, так сказать, рука об руку проводят целый месяц вместе, а уж потом... Потом, вернувшись домой, парочка должна начинать обычную жизнь. Думаю, Лене эта самая обычная жизнь преподнесла бы много неприятных сюрпризов.

Домой я вернулась около девяти вечера. Угостила всех животных конфетами, полюбовалась на нарядных Диззи и Лиззи, затем поднялась в свою спальню. Хотела встать под душ, но меня остановил звонок телефона. На экране появилась надпись: «Абонент неизвестен».

Я взяла трубку.

— Слушаю.

— Перестань лезть в чужую жизнь, гадина, — хрипло произнес женский голос. — Иначе хуже будет.

Я моментально нажала на красную кнопку и замерла. До сих пор я считала, что незнакомка, несколько раз говорившая мне гадости, это Светлана Петровна Терентьева. Но она сейчас находится в следственном изоляторе, значит, это не она.

И ведь мне впервые позвонили до того, как с Юрой стряслось несчастье и я начала искать его убийцу!

В голове неожиданно вспыхнуло воспоминание. Вот мне звонит Феликс, рассказывает о пожаре в доме своей матери и бабушки. Я, поговорив с ним, слышу еще один вызов... Ох, мне надо было раньше вспомнить, что в тот день, когда у Зои Игнатьевны и Глории сгорели квартиры, со мной соединилась некая дама, прохрипевшая: «Вот вечно ты хочешь делать людям добро! Даже тогда, когда тебя не просят! Берегись, Дарья, я тебя не прощу!»[1]

Так кто же мне угрожает?

Дверь спальни приоткрылась, показалась голова Анфисы.

— Посылку доставили! — радостно сообщила домработница.

— Какую? — не поняла я.

Фиса вошла в спальню, поставила на диван картонный ящик, как-то очень хитро улыбаясь.

— Во! Почта ОВИ. Полюбуйтесь, чего там лежит.

— Ты ее открыла? — удивилась я.

— Так мне ее распечатанной отдали, — захихикала Анфиса. — Никогда не догадаетесь, что внутри. Кирпичи! Две штуки!

— Кирпичи? — ошарашенно повторила я. — Кому могло прийти в голову отправлять почтой стройматериалы?

— Так небось на крышке есть адрес отправителя, — предположила домработница. — Ну-ка, что тут написано?

---

[1] Читайте книгу Дарьи Донцовой «Пальцы китайским веером», издательство «Эксмо».

— «Московская область, почтовое отделение Зубатово, поселок Вилкино, для Алевтины Валерьевны Гарибальди, — прочитала я. — От Пискунова Егора Фомича, республика Новая Табаско». Вилкино? Но мы живем в поселке Ложкино. Самая лучшая в мире почти ОВИ перепутала столовые приборы! И почему меня это не удивляет? Анфиса! Ты получила отправление, предназначенное другому человеку! Очень некрасиво получилось.

— Я не нарочно, думала, оно наше. Надо позвонить этим горе-работникам, — предложила она. — Женщина ждет кирпичи, волнуется, переживает.

В моей голове незамедлительно зазвучала песня «Солнце на ладони», потом раздался звонкий дискант: «Ваш звонок очень важен для нас. В каком городе вы находитесь?»

Я быстро прогнала видение.

— Сами найдем эту Гарибальди, ее адрес у нас есть.

— Теперь народ страсть какой ленивый стал, — пустилась вдруг в философствования Анфиса. — Вот мы, кто постарше, понимали: если хочешь, чтобы начальство похвалило, работай лучше всех. А нонешней молодежи плевать на всех, трудиться не желает! Вон, посылку абы куда не по тому адресу притащили...

Я посмотрела на кирпичи и усмехнулась. Если хочешь выслужиться перед начальником, не стоит работать больше коллег, достаточно уходить из офиса через десять минут после отъезда шефа и прибегать на службу за пять минут до него.

Литературно-художественное издание

ИРОНИЧЕСКИЙ ДЕТЕКТИВ

Донцова Дарья Аркадьевна

МЕДОВОЕ ПУТЕШЕСТВИЕ ВТРОЕМ

Ответственный редактор *О. Рубис*
Художественный редактор *В. Щербаков*
Технический редактор *О. Лёвкин*
Компьютерная верстка *Г. Клочкова*
Корректор *Е. Холявченко*

Иллюстрация на обложке *В. Остапенко*

ООО «Издательство «Эксмо»
127299, Москва, ул. Клары Цеткин, д. 18/5. Тел. 411-68-86, 956-39-21.
Home page: **www.eksmo.ru** E-mail: **info@eksmo.ru**

Өндіруші: Издательство «ЭКСМО»ЖШҚ, 127299, Мәскеу, Ресей, Клара Цеткин көш., үй 18/5.
Тел. 8 (495) 411-68-86, 8 (495) 956-39-21
Home page: www.eksmo.ru E-mail: info@eksmo.ru.
Тауар белгісі: «Эксмо»
Қазақстан Республикасында дистрибьютор және өнім бойынша арыз-талаптарды қабылдаушының
өкілі «РДЦ-Алматы» ЖШС, Алматы қ., Домбровский көш., 3«а», литер Б, офис 1.
Тел.: 8(727) 2 51 59 89,90,91,92, факс: 8 (727) 251 58 12 вн. 107; E-mail: RDC-Almaty@eksmo.kz
Өнімнің жарамдылық мерзімі шектелмеген.
Сертификация туралы ақпарат сайтта: www.eksmo.ru/certification

Сведения о подтверждении соответствия издания согласно законодательству РФ о техническом регулировании можно получить по адресу: http://eksmo.ru/certification/

Өндірген мемлекет Ресей:
Сертификация қарастырылмаған

Подписано в печать 30.07.2013. Формат 80x100 $^{1}/_{32}$.
Гарнитура «Ньютон». Печать офсетная. Усл. печ. л. 16,3.
Тираж 35 100 экз. Заказ № 3439.

Отпечатано в ОАО «Можайский полиграфический комбинат».
143200, г. Можайск, ул. Мира, 93.
www.oaompk.ru, www.оаомпк.рф тел.: (495) 745-84-28, (49638) 20-685

ISBN 978-5-699-64843-6

Оптовая торговля книгами «Эксмо»:
ООО «ТД «Эксмо». 142700, Московская обл., Ленинский р-н, г. Видное,
Белокаменное ш., д. 1, многоканальный тел. 411-50-74.
E-mail: **reception@eksmo-sale.ru**

По вопросам приобретения книг «Эксмо» зарубежными оптовыми покупателями *обращаться в отдел зарубежных продаж ТД «Эксмо»*
E-mail: **international@eksmo-sale.ru**

International Sales: International wholesale customers should contact Foreign Sales Department of Trading House «Eksmo» for their orders.
international@eksmo-sale.ru

По вопросам заказа книг корпоративным клиентам, в том числе в специальном оформлении, *обращаться по тел. +7 (495) 411-68-59, доб. 2261, 1257.*
E-mail: **vipzakaz@eksmo.ru**

Оптовая торговля бумажно-беловыми и канцелярскими товарами для школы и офиса «Канц-Эксмо»:
Компания «Канц-Эксмо»: 142702, Московская обл., Ленинский р-н, г. Видное-2,
Белокаменное ш., д. 1, а/я 5. Тел./факс +7 (495) 745-28-87 (многоканальный).
e-mail: **kanc@eksmo-sale.ru**, сайт: www.**kanc-eksmo.ru**

Полный ассортимент книг издательства «Эксмо» для оптовых покупателей:
В Санкт-Петербурге: ООО СЗКО, пр-т Обуховской Обороны, д. 84Е.
Тел. (812) 365-46-03/04.
В Нижнем Новгороде: ООО ТД «Эксмо НН», 603094, г. Нижний Новгород,
ул. Карпинского, д. 29, бизнес-парк «Грин Плаза». Тел. (831) 216-15-91 (92, 93, 94).
В Ростове-на-Дону: ООО «РДЦ-Ростов», пр. Стачки, 243А. Тел. (863) 220-19-34.
В Самаре: ООО «РДЦ-Самара», пр-т Кирова, д. 75/1, литера «Е». Тел. (846) 269-66-70.
В Екатеринбурге: ООО «РДЦ-Екатеринбург», ул. Прибалтийская, д. 24а.
Тел. +7 (343) 272-72-01/02/03/04/05/06/07/08.
В Новосибирске: ООО «РДЦ-Новосибирск», Комбинатский пер., д. 3.
Тел. +7 (383) 289-91-42. E-mail: **eksmo-nsk@yandex.ru**
В Киеве: ООО «РДЦ Эксмо-Украина», Московский пр-т, д. 9. Тел./факс: (044) 495-79-80/81.
В Донецке: ул. Артема, д. 160. Тел. +38 (032) 381-81-05.
В Харькове: ул. Гвардейцев Железнодорожников, д. 8. Тел. +38 (057) 724-11-56.
Во Львове: ТП ООО «Эксмо-Запад», ул. Бузкова, д. 2. Тел./факс (032) 245-00-19.
В Симферополе: ООО «Эксмо-Крым», ул. Киевская, д. 153.
Тел./факс (0652) 22-90-03, 54-32-99.
В Казахстане: ТОО «РДЦ-Алматы», ул. Домбровского, д. 3а.
Тел./факс (727) 251-59-90/91. **rdc-almaty@mail.ru**

Полный ассортимент продукции издательства «Эксмо» **можно приобрести в магазинах «Новый книжный» и «Читай-город».**
Телефон единой справочной: 8 (800) 444-8-444. Звонок по России бесплатный.

Интернет-магазин ООО «Издательство «Эксмо»
www.fiction.eksmo.ru
Розничная продажа книг с доставкой по всему миру.
Тел.: +7 (495) 745-89-14. E-mail: **imarket@eksmo-sale.ru**